LIUBLIANA

Eduardo Sánchez Rugeles

LIUBLIANA

Eduardo Sánchez Rugeles

Barcelona · Bogotá · Buenos Aires · Caracas · Madrid · México D.F. · Montevideo · Santiago de Chile

Liubliana. Eduardo Sánchez Rugeles

1ª Edición. Consejo Editorial de la Administración Pública, Estado de México. 2012.
2ª edición: Ediciones B Venezuela S.A. Marzo 2012
3ª edición: Ediciones B Venezuela S.A. Julio 2012
4ª edición: Ediciones B Venezuela S.A. Abril 2013
5ª edición: Ediciones B Venezuela S.A. Julio 2015

© Eduardo Sánchez Rugeles
© Ediciones B Venezuela, S.A.
Calle Tiuna entre calle Sanatorio y Miraima, edificio Ramella, piso 2, local 6. Urbanización Boleíta Norte, Caracas - Venezuela.

Dirección editorial: Rubén Puente Rozados.
Foto de portada: Puente de los dragones. Connie Coleman/ Gettyimages.
Foto de solapa: Inírida Gómez-Castro.
Diseño y diagramación: Myrian Luque
Diseño de portada: Myrian Luque

Impreso en Venezuela por Editorial Melvin C.A.
ISBN: 978-980-6993-90-7
Depósito legal: LF97420118004370

Al viejo barrio de Santa Mónica

Preludio

1

«¡El loco, el loco!», dijo una voz infantil. Los niñitos de la cuadra salieron corriendo. «¡Corre! ¡Corre que ahí viene el loco!», gritaron riéndose, escudándose detrás de sus madres asustadas. La escena se repetía todos los días, en horas de la mañana, cuando bajaba a comprar el periódico. Tardé en comprender.

La locura es asintomática. Nunca me di cuenta. Tenía la convicción de que era una persona normal... Yo solo quería matar a Dios.

2

Mi infancia fue una mierda. No conservo recuerdos de los años ochenta. Solo sé que era el hijo menor de la Nena Mercedes Guerrero y que estudiaba la escuela primaria en el Colegio Agustiniano Cristo Rey. Más allá de eso, el pasado es una mancha. Nuestro colegio era un ejército de clones. La buena educación era un privilegio del que gozábamos los idiotas. Todos aquellos que mostraban síntomas de autonomía y no lograban asimilarse a la dictadura escolar desaparecían, sin hacer mucho ruido, en institutos mediocres de Los Chaguaramos o Bello Monte. También la adolescencia fue un trámite sencillo, un partido amistoso. Yo pertenezco a una generación que hizo del aburrimiento virtud. Inspirado por el ejemplo de mi siglo me convertí en un muchacho ordinario, sin excesos ni defectos. Nunca tuve ambiciones desmesuradas. Nunca tuve sueños imposibles. Mi mayor aspiración en la vida siempre fue convertirme en un hombre común.

Cuando digo que mi infancia fue una mierda no pretendo insinuar algún tipo de trauma. Mi historia carece de abuelitos sádicos o padrastros borrachos. Simplemente tengo la impresión de que, entre 1980 y 1992, no me pasó nada. La memoria es una cartografía urbana que de manera imprecisa dibuja las calles de Santa Mónica. Los recuerdos, inestables en su mayoría, evocan lugares que olvidé y que ahora, por algún capricho del corazón enfermo, se empeñan en mostrarse. Surge por ejemplo, solitario, el abasto Aldebarán, el insomnio encuentra olor a cilantro en las manos rugosas de la señora Cristalina. Aparecen también la panadería Alcázar y la carnicería Arcoíris, la masa transparente de los cachitos se burla de mi dieta sin grasas, las sombras en el techo dibujan el afiche de una vaca risueña que exhibe las partes de su trágico sino: falda, lagarto, muchacho, bofe. El pasado es esta rara sumatoria de fragmentos. Vencido por la arritmia, he tratado de buscar mis primeros años pero solo he tropezado con una película en Beta, un balón Golty, cosas que no significan nada. Mi niñez es una hipótesis.

3

Los recuerdos con argumento son un asunto de la adolescencia. La memoria consciente tiene la forma del Inírida. Nuestra

calle era una serie hidrográfica falsa en la que todos los edificios tenían el nombre de un río perdido por Barinas o por los
lados de Guayana. El Inírida quedaba entre el Orituco y el Caura, frente a la entrada del más insignificante de todos los centros comerciales del mundo, el Parsamón. Todas las personas
que amé conviven en mis recuerdos del edificio. Algunos rostros, exiliados de la memoria, incluyen en sus nombres el epí-
teto del piso, como si aquellas siglas alfanuméricas fueran parte esencial de sus identidades: Álvaro del 4B; Alfredo, Caspa,
del 13B; Darío, el Mongopavo del 6B. El Inírida fue para nosotros, los carajitos que jugábamos futbolito con potes de Riko
Malt y chicha, la base desde la que administrábamos el vasto
imperio de Santa Mónica. La frontera norte se prolongaba hasta Cumbres y se perdía en el laberinto de las Rutas. Los Pró-
ceres, al sur, eran parte de una encrucijada prohibida por la
que se llegaba al peligroso Valle. Detrás del edificio había una
montaña gigante y el otro borde, al este, lindaba con el colegio
Cristo Rey. De ahí en adelante nada nos pertenecía. Los Chaguaramos formaban parte de otra república.

4

Si me voy a morir, quiero morirme en Liubliana, me dije. El corazón falló. Nunca imaginé que con cuarenta años recién cumplidos debía resignarme a la derrota. El dolor comenzó en el
brazo izquierdo. Torpeza motora. Ceguera. Asfixia. Sentí como si los pulmones se me llenaran de aceite. Antes del infarto
tenía la convicción de mi inevitable finitud. Pensaba, sin embargo, que todavía me quedaba tiempo.

Desperté en una sala de la Clínica Metropolitana. Atilio
me explicó la situación: el corazón colapsó. El infarto, en parte, también golpeó la memoria. Una serie de imágenes amorfas reforzó el efecto soporífero de los sedantes. Las voces del

pasado tomaron la palabra. Algunas escenas aparecían como fotogramas antiguos, en negativo, con los bordes perforados: el *airbag* empapado de sangre / el rostro sereno de Alejandro / la niña más hermosa del mundo parada sobre mis zapatos / el puente de los Dragones / los labios partidos de Mariana / la canción maldita / la ranchera verde de Vivancos / la fachada del Inírida / los años de la locura.

Tenía treinta y dos años cuando me volví loco. Durante diez meses estuve internado en el pabellón psiquiátrico del Instituto Profesional Caracas. El tiempo, a su manera, sanó mi malogrado juicio. Tras la terapia pude volver a ser un hombre. Me acostumbré a vivir con la conciencia del fracaso, con el miedo al pasado, con el horror a los perros, con la vana esperanza de que la niña más hermosa del mundo abriera a patadas la puerta de mi casa. Empeñado en recuperar el buen sentido descuidé otros asuntos de salud. Cuando vino el infarto había cumplido mi objetivo: me había convertido en un hombre ordinario e invisible.

Atilio fue riguroso: si quería vivir, debía asimilarme a un reposo absoluto. El Gordo, incluso, habló sobre la posibilidad de una operación delicada. ¡Cuarenta años! Nunca pensé que el fin llegaría a los cuarenta. El reposo se convirtió en hastío, en aburrimiento esencial. Una madrugada calurosa soñé con un viejo puente. Desperté tarareando la canción maldita; tras el café prohibido me sentí mejor. La niña más hermosa del mundo volvió a cantarme en la oreja. Sin darle muchas vueltas, tomé la decisión. Abrí la *laptop*. Iberia.com. Destino: Aeropuerto Brnik, Eslovenia. *Si me voy a morir, quiero morirme en Liubliana,* pensé antes del hipo, antes del ataque de tos.

Primera parte

Que no arranquen los coches,
que se detengan todas las factorías,
que la ciudad se llene de largas noches
y calles frías.
Que se enciendan las velas,
que cierren los teatros y los hoteles,
que se queden dormidos los centinelas
en los cuarteles.

(Fragmento de la canción maldita).
Joaquín Sabina – Benjamín Prado

I

*«No pierdas tu tiempo echando de menos
a ese infeliz».*
Nena Guerrero

1

El posible asesinato de Javier Cáceres precipitó mi destrucción. Ocurrió en febrero de 2010 durante la organización del Séptimo Congreso de Juventudes Hispanoamericanas y Caribeñas. Muchos de los sucesos relacionados con la muerte de Javier permanecen en el anonimato. *Javi se ladilló*, pensé sin dramatismo el día que abandonó la oficina. Alguna vez, en una cena decembrina, me contó que había contemplado la posibilidad de renunciar y regresar a Chile. Una semana después de su desaparición la Guardia Civil nos informó sobre el hallazgo de un cuerpo en la ribera del Jarama. Los indicios, al parecer, eran claros. Dijeron que Javier se suicidó.

2

Nunca fue fácil ser el hijo de la Nena Guerrero. Mercedes no fue una madre convencional. No le gustaba que la llamáramos *mamá*, mucho menos *mami*. Desde niño me acostumbré a llamarla como la conocía todo el mundo: Nena. A sus cuarenta y tantos, Mercedes Guerrero aparentaba treinta. Su lozanía, reforzada por tratamientos orientales, parecía ser indiferente a las patadas del tiempo. Había una Nena pública y una Nena privada. Al caminar por las aceras del centro comercial tenía la cadencia de una muchacha. Su pecho erecto inspiraba comentarios vulgares entre los choferes de las camioneticas que cubrían la ruta Santa Mónica-El Silencio. A pesar de su arrogancia, yo sentía un orgullo particular por tener la mamá más bonita y más joven de todo el edificio, de toda Santa Mónica. En la casa era diferente. La Nena era algo más que una simple ama de casa. Mi mamá no era como las señoras Gloria, Cristina o Lili, la mamá de Alejandro. La Nena Guerrero nunca fue una doña.

Es difícil hablar de la Nena madre. Al nombrarla, al tratar de reconstruirla, me echo en cara la ausencia de sentimentalismo. Resultaría ridículo decir cuánto o qué poco quise a la mujer que fue mi madre. La Nena nos enseñó una modalidad muy particular de familia. Yo aprendí la lección sin conflictos pero Isabel, mi hermana mayor, nunca entendió la complejidad de su discurso. En la Caracas noventera la Nena era, sin duda, una mujer diferente.

3

Como todos los hombres de mi generación padecí los efectos de un síndrome degenerativo y prepotente: era un pendejo pero no lo sabía. Yo fui un becario de la Fundación Carolina que tuvo la oportunidad de hacer un máster mediocre titulado Cooperación Internacional y Desarrollo: América Latina, un continente emergente en la Facultad de Ciencias Sociales de la Universidad Complutense. Más tarde, fui el asesor jurídico de una invisible ONG, el representante legal de un periférico centro de asistencia social. Mi trabajo consistía en clasificar desgracias cotidianas, en pasarlas a Word e inventariarlas en Excel: el testimonio de la mujer violada, el niño sin nombre ni papeles que apareció vagando por Casa de Campo, la gitana apaleada por *skinheads* mediterráneos, el mendigo desnutrido de rasgos *sudacas*. Durante dos años me dediqué a traducir a la jerga jurídica nociones selectivas de bienestar y justicia. Los extraños sucesos que siguieron a la desaparición de Javi cambiaron mi percepción en torno al altruismo institucionalizado. Antes del fin, antes de la mudanza a España, mi concepto del bien se limitaba a botar el plástico en el plástico, el vidrio en el vidrio y el cartón en el cartón.

El salario en la ONG, el libre ejercicio de la filantropía, era un chiste cruel. Nuestros burdos ingresos eran justificados con artificios éticos y manipulaciones emocionales. Cuando inevitablemente debíamos tocar el tema del dinero, Alexandre Kyriakos, enlace de Unicef, solía pontificar contra nuestro insensible materialismo. «Toda cooperación pasa por un acto de sacrificio. Chicos, debemos dar el ejemplo. Unicef hace un esfuerzo sobrehumano por combatir la desigualdad». La reunión para discutir los sueldos se perdía en el vacío conmovedor de sus palabras. Los peor remunerados eran los pasantes. Esa situación me daba mucha vergüenza. El cuentico del mundo feliz o la leyenda urbana sobre los laboratorios de esclavos de Nike en África eran algunas de las estrategias que utilizaban los mercaderes de la bondad para reclutar incautos; chamos de dieciocho o veinte años, inmigrantes en su mayoría, cuyo espíritu libertario era manipulado con el fin de tenerlos gratis durante doce horas haciendo encuestas inútiles a la salida del metro. Tardé en darme cuenta de que la cooperación, en la práctica, era entendida como una franquicia. Poco a poco, comencé a percibir el engaño. Cuando abrí los ojos ya era demasiado tarde.

4

El único oficio conocido de la Nena, actividad que realizaba por mera distracción, era la enseñanza del inglés. Mi mamá les dio clases particulares a todos los inútiles del edificio. Sucesivas generaciones de parias fueron alumnos vespertinos de la Nena. Todos los pobres diablos de Santa Mónica pasaron por la mesa de mi casa. Todavía, entre las musarañas de mi cabeza muerta, puedo verlos intentando conjugar el verbo *to be*. Miguelacho, el legendario malandro de las Residencias Centauro, fue alumno de la Nena; también Elías, el Donero, mi ídolo de juventud, pasó muchas tardes en mi casa haciendo planas de vocabulario; incluso Darío, el Mongopavo, recitó en la sala del 14B ejercicios de *Question Tags* y fórmulas incompletas de *Reported Speech*. A nosotros, sin embargo —a Isa y a mí—, Mercedes nunca nos dio clases. Ni siquiera le gustaba ayudarnos con las tareas. Yo en Inglés siempre fui un estudiante mediocre. Las pocas veces que ante la inminencia de un examen difícil pedía el auxilio de la Nena, ella me esquivaba con incómoda cortesía. «Eres demasiado inquieto, Gabriel. Dile a Martín o a Fedor que te ayuden. No te tengo paciencia».

5

Mariana Briceño, en parte, fue responsable del desengaño filantrópico; la conocí en el máster de la Universidad Complutense. Mariana Briceño era una mujer intransigente y hostil. Mariana no tenía sentido del humor. Odiaba los chistes. No iba al cine; decía que ir al cine era perder el tiempo. No veía televisión; decía que ver televisión era perder el tiempo. No leía novelas; decía que leer novelas era perder el tiempo. Ella solo leía y recitaba al caletre los ensayos insoportables de Alison

Jaggar y Judith Butler —*Política feminista y naturaleza humana* (1983), *Problemas de género, feminismo y subversión de la identidad* (1984), entre otros—. Nunca le conocí un *hobbie* o afición, aunque de vez en cuando mostraba un interés disimulado por la fotografía. Mariana era una fundamentalista. Su objetividad siempre estuvo condicionada por un rechazo visceral al *establishment*. De manera instintiva, practicaba una especie de racismo invertido. Blancos, heterosexuales y católicos eran un habitual objeto de su desprecio. No sé por qué razón le caí bien. Según su teoría, su rigurosa teoría, yo era un compendio de las más odiosas perversiones humanas.

Nuestra historia en la industria del altruismo poseía rasgos comunes. Ambos éramos abogados con especializaciones en Derecho y Cooperación Internacional. En 2006, llegamos a España de la mano de la Fundación Carolina. Nuestros objetivos profesionales, entonces, estaban adscritos a los grandes emporios: Unesco, Acnur, Save the Children. En la Universidad Complutense, bajo la tutela de la profesora Irene Massa, conseguimos un importante respaldo para optar a distintas becas de gestión y resolución de conflictos. Mariana y yo fuimos los únicos candidatos propuestos por el máster. Finalmente, fui postulado para no sé qué asunto leguleyo-contemplativo en la OIJ y Mariana para no sé qué comisión de la Unión Europea, algo ligado a los recursos humanos en África del Norte. La profesora Irene tenía excelentes contactos entre las cúpulas filantrópicas por lo que la resolución favorable de nuestras becas requería menos fortuna que paciencia. Algunos de los egresados de años anteriores tenían cargos importantes en partidos verdes e instituciones, teóricamente, sin fines de lucro. Creo que en principio, aunque Mariana nunca lo hubiera reconocido, a los dos nos habría gustado salir en la portada de alguna página web, en las fotos de un mundo devastado por tsunamis, terremotos o epidemias de peste.

Las cosas sucedieron de una manera inesperada. Un mes antes de la concesión de la beca, la prensa española anunció el desastre en titulares gigantes. Nuestras aspiraciones profesionales se vieron frustradas por la crisis económica mundial. «Gabriel, lo lamento, no podemos ofrecerte la beca —dijo acongojada la profesora Irene—. Los doce cupos que había para España se redujeron a tres. No conocemos a la nueva junta directiva. Si sabemos algo, te avisaremos. La situación también es complicada para nosotros». Adiós a los mil ochocientos euros mensuales, a la estabilidad laboral, a los beneficios como estudiante extranjero. Todo un formato clásico de mundo adulto se fue a la mierda. Mariana corrió con la misma suerte aunque comparativamente su situación era peor. Elena, mi esposa, era hija de portugueses lo que me convertía en una especie de europeo adjunto. Mariana, por su parte, era un elemento odioso: ella era una extranjera.

6

La Nena privada, asunto que Isabel nunca comprendió, no sabía ser madre. Su comida, por ejemplo, era un desastre. Desde niño he tenido una dieta alta en grasas y carbohidratos. Siempre he sido un tipo flaco. Antes del infarto tenía la idea de que era un hombre saludable. Isabel nunca le perdonó a la Nena la destrucción irresponsable de su metabolismo. Mi hermana siempre fue una persona difícil, introvertida. La vana aspiración a la belleza le destruyó el carácter. La tensión con la Nena la convirtió en una mujer acomplejada. Isabel nunca tuvo la madurez suficiente para aceptarse como la hija gorda y fea de la Nena Guerrero. Isa, en realidad, no era fea pero al lado de la Nena carecía de gracia, de luz natural. Siempre mantuvieron una absurda relación de competencia. El instinto de supervivencia me hacía permanecer al margen. No sabían hablar. Sus discusiones parecían griterías de carajitos. Isabel se fue de la casa cuando cumplió veinte años. Se empató con un *hippie* y se mudó a Valencia. Años más tarde regresó a Caracas y decidió estudiar Biología en la UCV; vivía con unas amigas por los lados de La California. No recuerdo cuándo se graduó, solo sé que en 2005 se mudó a Vancouver donde se casó con un canadiense. La última vez que hablé con ella me contó que hacía un doctorado en la Universidad de British Columbia. Ella y la Nena rompieron relaciones. Públicamente, Mercedes Guerrero decía que yo era su único hijo. Isabel es solo un microcuento; su presencia en mi vida ha sido insignificante. Aunque en teoría tengo dos sobrinos, tengo la convicción de que mi hermana no existe.

Una de las más extrañas manías de Mercedes Guerrero eran las ceremonias de los jueves. En esos días el 14B, un vulgar apartamento de la calle Marco Antonio Saluzzo, se convertía en una sala de palacio. Los jueves en la noche tenían lugar las fiestas galantes. El Inírida, entonces, se llenaba de falsos aristócratas. La memoria bosteza y siente vergüenza. Las amigas de Mercedes, incluso de noche, solían llevar pamelas y abanicos. Algunas, las más prepotentes, fumaban con boquilla e incluían *slangs* franceses en su engolado dialecto. Los hombres eran geriátricos esperpentos que ostentaban su clase con habanos miameros y *whisky* añejo. Todos, tras el segundo trago, procuraban impresionar a la Nena con declamaciones horrendas. Aquellos días, la Nena me obligaba a vestirme como un muchacho decente; debía meterme la camisa por dentro, combinar el color de la correa con el de los zapatos y reír los chistes sin gracia del comediante de turno. El concepto de alta cultura al que durante muchos años me sometió la Nena, me llevó a pensar que los huevos de codorniz con salsa rosada y los platos Selva repletos de Pepito eran un signo de distinción irrevocable.

El 14B también era un espacio de tabúes. Uno de los asuntos sobre los que mi hermana y yo no teníamos derecho a pronunciarnos era, entre otros, la ausencia de padre. Al referir este tema Mercedes era clara: Isa y yo no teníamos papá. Fin de la cita. Generación espontánea, fertilización in vitro, hijos naturales, divina/maldita concepción, cualquier posibilidad era legítima. La máxima era irrefutable: mi papá nunca existió. Muchos años después, semanas antes del colapso, pude hablar con la Nena sobre esta rara ausencia. A su manera, me dijo la verdad: «Tu papá era un sinvergüenza. La mejor decisión que he tomado en mi vida fue alejarlo de ustedes. No pierdas tu tiempo echando de menos a ese infeliz».

Mis amigos no eran indiferentes a las bondades de la Nena. El peor de todos era Atilio, el impresentable de Atilio. «Bicho, préstame ahí unas pantaletas de tu mamá pa' hacerme la paja», decía con seriedad. Martín, Fedor y Alo sufrían ataques de risa. Sobre mis amigos del edificio la Nena tenía su propio criterio: Atilio, gracioso; Martín, educado y el Ruso Fedor, inteligente. Alejandro no le gustaba; de Alo no decía nada.

7

2010 fue el año del hundimiento. En ocasiones, la locura posee argumentos irrefutables. Todo coincidió: la niña más hermosa del mundo, la desaparición de Javi, las muertes inútiles, la idea del divorcio. Madrid, entonces, se había convertido en el lugar común de la crisis y el paro laboral. Mi matrimonio era un desastre latente, tácito. La situación con Elena, día tras día, amenazaba con desplomarse. El sueldo como cooperante se perdía en las rutinas domésticas. Los primeros meses en el exilio logramos sobrevivir gracias a las bonanzas de un pintoresco proyecto editorial: los responsables de mi supervivencia fueron la foto carnet de un japonés, una biografía falsa y un pseudónimo gringo.

II

«Que se diviertan los tontos».
FEDOR

1

Un día desperté y lo supe: mi matrimonio había fracasado. Fue la primera vez que contemplé la alternativa del divorcio. Necesitaba separarme de Elena. El trabajo, el exceso de trabajo, había sido la excusa perfecta para no pensar en el desastre de la casa. La aparición de Javier Cáceres, inflado en las orillas del Jarama, coincidió con la crisis, con la conciencia de mi infelicidad, con el tedio, con la aparición de una extraña al otro lado de mi cama.

2

Todos mis amigos vivían en el edificio. Alguna vez tuve la falsa convicción de las amistades eternas. El tiempo y la muerte refutaron mis presagios. La distancia me permite pensar que, quizás, sobrevaloramos la convivencia. Nosotros solo fuimos un grupo de chamos que por manías del azar tuvo la oportunidad de compartir el mismo edificio, el mismo transporte escolar e incluso algunos el mismo salón de clases. En ese tiempo, parecía tener sentido la expresión *para siempre*.

Mi fetiche infantil era Alejandro. Si alguna vez hubiera sido tentado por la homosexualidad, sé que sin ningún conflicto me habría enamorado de Alo. La mariquera, sin embargo, nunca se me dio. Una vez, en una siesta remota, soñé que le mamaba el *güevo* al futbolista Diego Forlán; desperté ahogado con mi propia saliva. La sensación, placentera en el sueño, resultó sumamente desagradable por lo que, sin consideraciones psicoanalíticas, corrí al baño a escupir y a cepillarme los dientes. Alejandro, según mi criterio romántico, era el mejor de todos mis amigos. Físicamente, era más alto que nosotros, más fornido, tenía la piel oscura pero clara, del color de la canela.

Atilio fue el último en llegar al Inírida, vino en quinto grado y se instaló con su abuela en el séptimo piso. Su familia era de un pueblo oriental, perdido en la nada de Anzoátegui: Cantaura. El Gordo siempre fue un irreverente grosero, un cultor de la injuria. Decía maldiciones raras e ingeniosas, humillantes y carismáticas. Había algo en su fraseo oriental, acelerado y cantarín, que convertía todas aquellas vulgares invectivas en estrafalarios chistes de sobremesa. Una de las principales aficiones del Gordo era la de poner apodos. Todo el Inírida y gran parte del Cristo Rey tenían un apodo forjado en su imaginación enferma. Eran sobrenombres simples, descriptivos más que hirientes. Fue él quien bautizó al pobre Darío, el hijo retrasado de la señora Ana Cecilia, con el calificativo de Mongopavo. Darío padecía un retraso leve pero visible. La señora Ana Cecilia era una vieja muy sifrina, sifrinísima, que acostumbraba pasarse todas las vacaciones, Carnaval, Semana Santa, agosto y Navidad, en Miami. Desde su más tierna infancia, Darío se acostumbró a vestir con ropa de marca. La primera vez que vi un pantalón Calvin Klein fue en el modelo de Darío; igualmente, lentes de sol Ermenegildo Zegna, camisas Polo,

Lacoste. El Mongopavo era la principal estrella de la moda en la burda pasarela del Inírida. El Donero, Elías, galán mediocre de la zona, también fue un sobrenombre concebido por el Gordo. Incluso Alfredo Requena, aquel que años más tarde se convertiría en un ministro importante, padeció los efectos de su cabello sucio en un único y sustitutivo apodo: Caspa.

Fedor, el Ruso, era el ermitaño. Él era una especie de niño adulto, un carajito a quien nunca le interesó divertirse. «Que se diviertan los tontos», solía decir con acento cachaco. El Ruso, en realidad, no era ruso. Su papá era un librero colombiano que tenía muchos años viviendo en Caracas y era aficionado a Dostoievski. Fue Atilio quien muchos años después, extrañado por aquel nombre foráneo, se inventó el apodo del Ruso. El Fedor adulto, mi único amigo del exilio en Madrid, es idéntico a esa imagen borrosa del niño mal encarado y apático.

Muchas veces he pensado que Fedor y Atilio eran los únicos que tenían personalidad; los únicos que apostaron por un tipo de diferencia. Su autenticidad, sin embargo, siempre estuvo limitada por la rigidez escolar, por el concepto agustiniano del orden. Ninguno de nosotros ejerció la transgresión con entusiasmo. Yo fui un estudiante ordinario que, al igual que Martín Velázquez, se limitó a ser el *jalabolas* oficial del mejor estudiante del colegio, Alejandro Ramírez, Alo.

Martín era el gallo, el dueño del balón, el enano de lentes. El defecto más pronunciado de Martín era su inalienable condición de buena gente, de muchacho gafo. Desde niños nos acostumbramos a llamarlo por su nombre y apellido; él mismo, sobre todo con las mujeres, acostumbraba a presentarse con su nombre completo. Una de las burlas habituales ocurría en sus fiestas de cumpleaños. «Invité a unos culos», nos decía al llegar. Pasaba el tiempo y las muchachas nunca llegaban. «Chamo, ¿y los culos?», preguntaba Fedor después de medianoche. «¡Ya vendrán! Ya vendrán, me dijeron que vendrían», decía Martín parado en la ventana, mirando con angustia la bajada de Cumbres o el cruce con la Bolet Peraza. La madrugada se nos iba jugando dominó. Martín se ponía muy triste. «No sé por qué no vinieron los culos», decía resignado a golpe de cuatro de la mañana. Ese episodio insignificante sucedía año tras año; es una de esas historias simples que conforman nuestra épica gris e intransitiva.

Muchos años después, Martín Velázquez montó la foto en Facebook. Fue en los primeros días, cuando la red social apareció sin que nadie imaginara que esa estúpida página trastornaría para siempre el concepto de memoria. ¿Cuándo ocurrió? ¿1996? Ahí estábamos todos, los cinco. Conocidos comunes comentaron necedades amables. Álvaro: «Chamo, qué bolas, yo tomé esa foto». Rafael: «Ja, ja, ja, ja. ¡Qué vaina tan buena!». Alicia: «Tan bello, Alo» (la infeliz dibujó, además, una carita feliz hecha con puntos y paréntesis). La imagen, quemada por el tiempo, había perdido vivacidad. No he podido olvidar aquel encuadre: el Ruso Fedor a la izquierda, aburrido de posar, mira para otro lado, un triángulo de sombra le tapa la cara, no se le ven los ojos. En el otro extremo, cansado, buscando el aire con bocanadas desesperadas aparece el Gordo Atilio, se sienta en una escalera y sostiene entre sus manos una arepa envuelta en papel de aluminio. En el centro, con risa fresca, Martín Velázquez lanza su brazo derecho sobre mi hombro. Su otro brazo se apoya en la espalda de Alejandro. Alo no ríe. Alo nunca supo reír; serio, circunspecto, alto, bello. Allí, en el salón de fiestas del Inírida, con la expectativa de un mundo que parecía pequeño, posaba mi mejor amigo, el hermano mayor de la niña más hermosa del mundo.

3

El matrimonio, como el delito, puede estar motivado por la pasión o por la lógica. Elena siempre fue una idea, un eje de felicidad cartesiana. Como si los afectos fueran un asunto de la razón, decidí enamorarme de ella. Cuando, meses antes de la mudanza, firmé documentos, respondí el cuestionario del padre Ignacio y bailé un fado (versión *hip hop*) en la sala de fiestas del Centro Portugués lo hice con la convicción de que podía vivir con ella el resto de mi vida. Me conté la historia de que podría haber muerto de viejo en su regazo, aburrido, con hijos y neumonía. Tenía la expectativa de la felicidad prefabricada. La niña más hermosa del mundo me echaría en cara mi estupidez. Ella, sin embargo, no fue la responsable del fracaso. Cuando Carla apareció, mi vida conyugal tenía mucho tiempo en la mesa de autopsias.

Todo cambió tras la pérdida, Elena cambió con la pérdida. El día que me dijo que estaba embarazada fuimos felices, vulgarmente felices. Llamamos al viejo Rodrigues, llamamos a la Nena, cenamos con Ramiro y Adriana, me emborraché con *whisky* caro e hicimos planes irrisorios sobre el futuro espléndido. En ese tiempo, tenía la certeza de que recibiría una beca de trabajo en la OIJ; el porvenir no presentaba ningún tipo de objeción. Los mareos comenzaron en la novena semana; cólicos, dolor, náuseas, manchas. Un examen engañoso, dentro de la peculiar práctica de la medicina ginecológica en España, determinó que el feto estaba bien y que Elena solo necesitaba seguir un estricto reposo. Tras la segunda hemorragia, dolorosa y ocre, decidimos pedir otra opinión. Elena se empeñó en conseguir un ginecólogo latinoamericano; los tratos con los españoles habían resultado bruscos e incómodos. A pesar de la emergencia, la mayoría de los médicos daba citas en períodos irracionales; solo sabían dos palabras: Paracetamol y reposo. Hablé del asunto con Mariana. Me recomendó a una doctora hondureña que trabajaba en un hospital de Vallecas. La doctora Novoa nos ayudó, examinó a Elena la misma tarde que hablamos con ella. Hasta el día de hoy la recuerdo con gratitud y cariño. El curetaje era urgente, el feto muerto había propiciado una infección. Tenían que desprenderle el endometrio y no sé qué otras vísceras. Elena estuvo muchos días con fiebre. La doctora estimó que en los diagnósticos previos hubo evidente mala praxis. Teníamos la oportunidad de iniciar acciones legales pero, entre la depresión de Elena y la conciencia de que sería inútil perder el tiempo y los ahorros contra el imperio de abogados de la salud pública, preferimos no hacer nada.

El mayor trauma fue la recuperación, la obsesión por la culpa. Elena inició un acto de contrición sobre las semanas previas al aborto. Se empeñó en identificar el momento fatal. Todas las madrugadas en medio de llanto y moco se preguntaba en voz alta en qué se había equivocado. «Nunca debí subir aquella escalera, no he debido viajar en autobús, fue un error pasar la aspiradora, no debí comer cítricos. Todo fue mi culpa», repetía en los insomnios con la mano en el vientre palpando el latido del vacío. La Elena que conocí se fue, se murió con nuestro Daniel, nombre convencional que ella había elegido cuando anunciaron el embarazo.

La mortificación por la pérdida la convirtió en una mujer arisca, depresiva, aficionada a la tristeza. Ni siquiera el trabajo lograba distraerla. Meses más tarde, casi un año después, comenzó el nuevo fetiche: la esterilidad. Cambió de médico, cambió de tratamiento. A pesar de los buenos servicios de la doctora Novoa, Elena fomentó un extraño rechazo hacia ella. Se inventó, por algo que leyó en Internet, que probablemente le había raspado demasiado el útero y que las paredes sin cicatrizar se habían pegado para siempre. «No podremos tener hijos, Gabriel, lo sé», insistía en sus continuos arrebatos de maternidad frustrada. Hablé con la doctora Novoa y me explicó que ese tipo de casos solía suceder pero que, por fortuna para nosotros, no era la situación de Elena.

Nuestra intimidad también fracasó. Nunca más se dejó poner una mano encima. Al principio no quise presionarla, entendía que tras la intervención podía sentirse incómoda. Meses después, cuando me había olvidado de que una parte importante del compromiso marital pasaba por la cama, me entregó un instructivo de concepción en el que se explicaba cómo y de qué manera el coito podía facilitar un embarazo.

4

Hay episodios que, contados de boca en boca, conforman la historia del Inírida. Mi desdén por la infancia hizo que olvidara la mayor parte de esas anécdotas aunque muchas de ellas, de tanto escucharlas, las había aprendido de memoria. El principal cronista de Santa Mónica solía ser Enrique Vivancos.

Enrique Vivancos siempre fue viejo, era un hombre cuentero, bondadoso, de esas bondades que suelen confundirse con la estulticia. Los relatos de Vivancos eran una infinita compilación de costumbres y entrevistas con personajes esenciales de la historia de Caracas. Él no vivía en el edificio; su casa, un destartalado rectángulo iluminado por un bombillo verde, quedaba al final de la calle Nicanor Bolet Peraza. El viejo Enrique solía pararse en la entrada del edificio a echar sus cuentos a las señoras mayores, a Cristina, a Mariíta Luna —la anciana centenaria del Orituco— y a otras instituciones geriátricas. Incluso la Nena, a pesar de su arrogancia, solía saludarlo con cariño. A veces, en las tardes ociosas, los muchachos escuchábamos parte de esos relatos a través del intercomunicador. El viejo Enrique narraba su experiencia en las tablas, sus años en la dramaturgia al lado de Fausto Verdial, José Ignacio Cabrujas y otros nombres efímeros, borrados de la historia. Atilio, entonces, disfrazando la voz con su franela, empeñando un timbre infantil, apretaba el botón y decía: «¡Vivancos, mojonero!». El viejo se molestaba, se asomaba desesperado a los balcones, a las esquinas, al parque. «¡Vivancos, mojonero!», insistía Atilio.

La memoria de Santa Mónica pasa por las idas y venidas en la ranchera verde de Vivancos; él fue la persona que durante muchos años nos llevó al colegio, él era nuestro transporte. Enrique Vivancos era un hombre solitario. Nunca supe quién había sido su esposa. No hablaba de ella. Su único hijo había muerto en un accidente de tránsito aunque él todavía conservaba la esperanza de su resurrección. Enrique tenía su propia opinión sobre la tragedia. «El muchacho no había muerto —decía—. Solo había desaparecido». A Luis Enrique Vivancos se lo tragaron las aguas del Limón, un río aragüeño que se desbordó a finales de los años ochenta. Nunca encontraron el cuerpo. El carro, sin embargo, un Fairlane 500 color terracota, apareció abandonado y podrido en una zanja del Parque Nacional Henri Pittier. Años después, en medio de un aguacero caraqueño, Vivancos me contó que había visto a una persona muy parecida a su hijo en la entrada del Asia, el restaurante chino de la Principal. Luego, palpándome el hombro, me dijo: «Aunque no creo que haya sido él —los ojos se le enredaban en el tiempo—. Luisito ahora debe tener, por lo menos, cuarenta años. Y la persona que vi en el Asia era un muchacho de veinte».

5

Elena se convirtió en otra persona. En principio, pensé que podríamos esperar, intentarlo más adelante. Tenía la convicción de que el tiempo la ayudaría a salir de su infierno. Elena no lo vio así. Se atiborró de médicos: nuevos ginecólogos, obstetras, psiquiatras, especialistas en fertilidad, nutricionistas, etc. Solo hablaba de tratamientos, medicinas, dietas, de páginas webs esotéricas que recomendaban caldos asquerosos. Y así, de un día para otro, sin remordimientos, me ladillé. La última vez que hicimos el amor fue un día miércoles en el que, según el calendario de su ginecóloga, los óvulos daban una fiesta *rave*. La erección fue tibia, blanda. El erotismo se transformó en insoportable escatología. Su saliva, de repente, comenzó a provocarme alergia. Las pecas de su espalda tomaron la impertinencia de la ropa sucia. Todo lo que tenía que ver con Elena se convirtió en algo abyecto: la toalla húmeda, el cepillo de dientes, los cabellos sobre la almohada. Comenzamos imperceptiblemente a compartir un único sentimiento: el asco. La calle, sin embargo, era testigo del romance perfecto. Ramiro y Adriana decían que éramos la pareja ideal, el matrimonio del nuevo milenio. Adriana, publicista egresada del Nuevas Profesiones, siempre fue aficionada a redactar eslóganes mediocres.

No sé cómo sucedió. No sé quién tuvo la culpa. No sé si hay culpables. El cansancio era irreversible. Tardé mucho tiempo en asimilar su desidia. Mis taimados intentos por tocarla parecían molestarla. Siempre había una razón para esquivar el tacto, siempre había un *mañana*, un *esta tarde*, un *estoy cansada*, un *el lunes estaré fértil*. Cuando cedía a mis impulsos de madrugada, parecía abrir las piernas con repulsión y flojera. Su vientre estaba seco, su sexo parecía haber sido frisado con cemento, penetrarla le provocaba dolor. *Me haces daño, me duele, me arde* eran los sonidos articulados de nuestra sexualidad mediocre. A veces, tras el orgasmo solitario, tenía la impresión de que acababa de violarla. La cotidianidad redujo nuestros cuerpos a la mera fisiología, a los sonidos del cuarto de baño, a la ducha, al agua del lavamanos, a la palanca de la poceta. Elena anhelaba tener un hijo pero quería evitar el incómodo trance del amor físico; mucho menos le interesaba echar un polvo bruto. Todos nuestros fluidos le provocaban una desagradable sensación de náusea. Decía, sin embargo, amarme, quererme. Tras su rechazo insistía en la prédica romántica de nuestra hermosa familia. Sin darme cuenta me acostumbré a su frigidez: «Hoy no, Gabriel —decía cuando le ponía la mano en la pierna—. Estoy cansada. No tengo ganas». *El martes habrá luna llena, mareas rojas y puede que, si me tomo tal pastilla con Coca-Cola o Seven Up o chicle o papas Pringles, entonces pueda concebir*, fabulaba incómodo. Llegaban los días fértiles y abría las piernas con el empeño de un acróbata; parecía concentrarse en la trama interior. En aquello no había placer, no había goce. Luego, tras hacer la lástima, permanecía en una posición ridícula que, según leyó en una revista, facilitaría el encuentro, la aparición de Danielito o Danielita. Tras levantarse decía que me amaba y me daba un beso seco, una especie de reconocimiento por mi participación en su ambicioso proyecto. Alguna vez, procurando ignorar el hastío de mis instintos, intenté volver a enamorarla, retomar la dinámica de salidas al cine, cenas a media luz, pastas caseras. Aquel empeño, más que acercarnos, reforzó el cansancio. Y, en medio de todo, la dejadez de su discurso: el *te amo, Gabriel* que acompañaba su desdén por el tacto, su feminidad fracasada. «¡Quiero hacerte el amor, coño!», grité un día tirando la puerta. Me rechazó con no sé qué comentario. Ignoró mi pataleta, siguió leyendo. La intimidad, desde entonces, quedó limitada al calendario clínico. Nuestra desnudez le inspiraba el entusiasmo de un cadáver. Hacer el amor con Elena se había convertido en un acto de necrofilia.

III

*«Los perdedores, para nuestra fortuna,
son la mayoría».*

EDUARDO CARNERA

1

«Dime que soy la niña más hermosa del mundo». Le respondí con una carcajada. Tenía la cara llena de pintura, sus mejillas estaban manchadas de colorete. Los tacones se tambaleaban ante el falso equilibrio de sus pies diminutos. El suelo estaba repleto de estuches de Maquiclub y delineadores de la señora Lili. «Gabriel —dijo de nuevo—, dime que soy la niña más hermosa del mundo». «Está bien, Carlita —dije con inevitable sonrisa—. Eres la niña más hermosa del mundo». Me mostró sus dientes incompletos, se quitó los tacones y salió corriendo.

2

Yo escribí libros de autoayuda para la editorial Vientos de Cambio, dirigida por Eduardo Carnera. La escritura de lugares comunes, la invención de anécdotas edulcoradas, fue mi trabajo mejor remunerado en Madrid. Cuando Javier Cáceres desapareció y entre bambalinas prefiguró el derrumbe, se acababa de

publicar mi tercer libro, *Escucha tu corazón*. En la solapa aparecía la imagen de un japonés risueño ilustrado por un currículo falso. Mi nombre artístico era Jack Shephard. El concepto
de la colección fue diseñado por Eduardo Carnera. «El lector
es estúpido, Gabriel —solía enunciar con pedantería—. Un libro firmado por Gabriel Guerrero no lo leería nadie. Tu nombre no es atractivo». El día que firmamos el contrato expuso su
invención: «Te llamarás Jack Shephard, como el protagonista de *Perdidos* —en España persiste la costumbre de traducir
al castellano los títulos de las series gringas—. Por ahí atrapa-
remos a más de un incauto. Además, serás japonés. Los gili-
pollas que nos leen, por lo general, piensan que los orientales
son sabios, que tienen todas las respuestas, que saben dónde
se cuecen las habas». Escupía al hablar, movía las manos con
torpeza. Eduardo Carnera es una de las personas más despre-
ciables que he tenido la oportunidad de conocer; profesor titular de Literatura en la Universidad Autónoma de Madrid, edi-
tor problemático, tuvo un gran acierto comercial al inventar la
editorial Vientos de Cambio, «porque la literatura chatarra es
un derecho inalienable», decía con sorna. A estas alturas, no
sé si la idea de Carnera sobre el nombre gringo y el perfil asiático fue acertada pero, la verdad, tanto *Escucha tu corazón* como *El ejército de las hormigas* y *Ayúdate a creer en ti* agotaron sus
primeros tirajes. «Los perdedores, para nuestra fortuna, son la
mayoría, Gabrielito».

3

Carla Valeria Ramírez no se parecía a ninguna otra niña del
Colegio Agustiniano Cristo Rey. En aquel cementerio de la juventud perdida, Carla estaba viva. El desparpajo de su infancia
rápidamente le ganó la reticencia de los curas, el desprecio de
sus maestras y la curiosidad de sus compañeros de clase, los

clones. Durante mucho tiempo, la hermanita de Alejandro padeció el martirio de las etiquetas: la loca, la rebelde, la malcriada, la mala hierba. Cada quince días la señora Lili debía visitar el colegio para tratar de justificar las travesuras de Carla: que si Carla hizo, que si Carla no hizo, que Carla dijo, que Carla no dijo. Aquellas historias, en el árido marco de mi adolescencia, me parecían ingeniosas, diferentes. La vida monástica agustiniana sobredimensionaba cualquier exceso. La transgresión más banal era prevista como una afrenta, como un comportamiento inaceptable. Recuerdo, por ejemplo, el barullo colegial tras el escándalo del diccionario. En un examen de Lengua, Carla debía buscar el significado de una lista de palabras pero en lugar de hacer el aburrido ejercicio, la niña inventó las respuestas. *Atrabiliario*: chofer de metrobús; *epitalamio*: pizza con jamón, champiñones y queso; *albatros*: teticas de mariposa. Esa pendejada motivó reuniones extraordinarias, expulsiones, firmas en el libro negro. A lo largo de su historia agustiniana Carlita acumuló una serie de faltas insignificantes y rebeldías censuradas. Una vez, en quinto grado, el padre Sarmiento le dijo a la señora Lili que la única razón por la que no echaban a Carla del colegio era por su relación filial con Alejandro Ramírez, el mayor referente de excelencia en toda la historia de la educación agustiniana. El Cristo Rey, entonces, era una torre de falso marfil en la que la irreverencia y la creatividad eran cualidades proscritas. El ideal de educación ochentera/noventera era formar niños sin voluntad, sin iniciativas ni ingenio. Toda sombra de talento se percibía como un acto de prepotencia. Carla refutaba esos preceptos con preguntas inocentes, con su curiosidad agresiva, con la malicia natural de un niño que no entiende el mundo y que mucho menos puede entender un lugar como Caracas. Nosotros, los estudiantes del Cristo Rey, y los de todos los colegios de Venezuela en los años noventa, éramos representantes de una nación aérea, de

un no-lugar, de una especie de fantasía animada. Nos enseñaron a estar orgullosos de un universo que no nos pertenecía,
a citar los pensamientos ejemplares de héroes decimonónicos
que no nos decían nada pero que sonaban bien y complacían
la ética diletante de una generación que se propuso pasar desapercibida, que nunca se preguntó nada. Carla Valeria no se
conformó con mi mundo tecnicolor. A ella le contaron las mismas historias pero no se las creyó.

La Carla del Inírida no existía, para mí era totalmente nula.
Ella solo era la hermanita de Alejandro. Carla Valeria era una
niña insoportable que comía mocos y a la que no le gustaba ir al
colegio. Mis recuerdos de Carla son esquivos y, en su mayoría,
están contaminados por el presente. Hoy sé que reconstruir su
niñez es una actividad tendenciosa. Hundido en el laberinto de
los afectos, me veo tentado a percibir su infancia con colores
cálidos e incluso, imitando lienzos barrocos, con angelitos de
fondo, ovejas y pastores. Muchas veces tengo la impresión de
que se trata de dos personas diferentes; de que Carla, mi Carl,
y la niña que corría gritando groserías por las escaleras del edificio no tienen nada que ver la una con la otra.

4

Mi ascensión profesional dentro del mundo de la autoayuda
literaria estuvo repleta de casualidades. En Venezuela, alguna vez, escribí artículos de opinión para una revista de variedades. Era una revista mediocre, sin patrocinantes ni lectores.
Aquel panfleto solo lograba sostenerse por el empeño del Jirafa Terrence, un viejo amigo de la universidad que fracasó en
todo lo que se propuso. Al principio, me tomé muy en serio
mi trabajo de redactor. Por lo menos cuidaba la forma. Vigila-
ba las concordancias gramaticales y la ortografía. Mis opiniones eran un despropósito, un canto a la ignorancia. No tenía

idea de nada pero tenía algo que decir sobre todo. Escribí artículos sobre la deportación de Pinochet, sobre la ascensión de la derecha en la Austria de Jorg Heider y la historia universal de las asambleas constituyentes. Aquellos artículos no tenían ni pies ni cabeza, no sabía lo que decía pero tenía la convicción juvenil de que era portador de la razón y, peor aún, que tenía derecho a decir lo que pensaba (porque yo, en ese entonces, pensaba que pensaba). Hace unos años, durante el reposo de la Nena, encontré un ejemplar de la revista. Intenté leerme y sentí vergüenza, mucha vergüenza. Aquellas pendejadas, sin embargo, llamaron la atención de una franquicia, de un semanario comercial. Más tarde supe que mi fichaje por *Enjoy your Breakfast* había sido en realidad una recomendación del Jirafa. Un amigo suyo entró al negocio de la publicidad y necesitaba con urgencia un redactor de bajo presupuesto. El trabajo era sencillo, había que referir algunos eventos de Caracas: espectáculos, conciertos, fiestas nocturnas, estrenos cinematográficos y, lo más particular, escribir un horóscopo. El director de la revista me informó que los contenidos se actualizaban semanalmente desde España y que había que descargarlos de una página web. Mi trabajo, en principio, debía limitarse a describir las actividades locales. Nunca supimos por qué pero, cuando recibíamos el material, el horóscopo llegaba incompleto. Leo y Libra aparecían en blanco. «Coño, Gabriel, escríbete esa mierda ahí, por fa'; escribe cualquier vaina, sabes que a la gente le gusta leer *güevonadas*», me dijo el nuevo jefe de quien solo recuerdo que sufría de vitiligo. Y así, de repente, me convertí en un popular iluminado. Escribía los horóscopos durante las clases de Derecho Civil: tropiezo en escalera, esta semana evita el metrobús, encuentro con amigo del pasado, una persona cercana a ti te traicionará, problema con vehículo, discusión familiar. Sufría ataques de risa solitaria mientras redactaba todas aquellas estupideces. De un día para otro comencé a recibir correos electrónicos de los lectores del *Breakfast*. Una señora me pedía consejos para conversar con su hijo adolescente; otra me decía que tras mi pronóstico anduvo vagando por distintas escaleras hasta tropezar con el amor de su vida. Escribí el horóscopo del *Breakfast* durante cuatro años. Cuando me mudé a Madrid los directores elaboraron una carta de recomendación en la que subrayaron mi talento en el campo de la Astrología. Fue esa referencia la que le interesó a Eduardo Carnera para su proyecto editorial. Él leyó mis horóscopos con satisfacción. Soltó carcajadas horribles en mi cara y me felicitó por el uso comedido del cinismo. Me habló de la idea de Vientos de Cambio, un concepto literario con el que se pretendía decirle a la gente que vivir era una cosa sencilla.

«¿Usted cree que las personas, las personas de verdad, quieren leer al Saramago, al Vila-Matas, al Vargas Llosa o a la María Zambrano? No, no, no, nada de eso. La gente común no tiene tiempo para leer a esos farsantes. Nuestro *target* son los infelices quienes, para nuestra fortuna, son la mayoría. Su trabajo, Gabriel, consiste en decirle al desempleado que encontrará trabajo, al cornudo que su mujer lo ama, al impotente que la virilidad está en su corazón, al enfermo que sanará y al potencial suicida que, antes de suicidarse, se gaste su dinero en nuestros libros. Nada de Bertolt Brecht, ni de Bergman ni de Kundera. Reflexiones sencillas, Gabriel. El sol sale de día, la luna de noche y eso me hace feliz. ¿Está claro?». Acepté incentivado por la necesidad. El dinero de la beca era insuficiente y, durante los primeros meses, Elena no tuvo trabajo. Mi primer libro, *El ejército de las hormigas* (Carnera inventó el título durante una borrachera), tuvo ventas discretas pero colocó el nombre de Jack Shephard y la cara del japonés en algunas vitrinas de tiendas naturistas. Para el momento del colapso, el falso nipón se había convertido en un autor popular con un público de leales amas de casa.

5

Sin ser una niña coqueta, Carla Valeria tenía su propia noción de la feminidad. Odiaba las faldas y los lazos. No le gustaban las muñecas ni los peluches. Nunca usó vestidos. La única Barbie que tuvo, un regalo de la mamá de Martín, falleció en la hoguera. La cabellera incompleta de la Barbie Melocotón reposaba en su corcho como un memorable botín de guerra. Cuando tenía ocho o nueve años desarrolló una extraña manía: las brujas. Carlita decía ser una bruja. La serie de televisión *Charmed* se convirtió en su más obsesivo fetiche. Decía llamarse Phoebe, como el personaje de Alyssa Milano. Corría por las escaleras del edificio lanzando maldiciones a todos los vecinos. Carla no tenía forma: era diminuta, delgada *in extremis*, tenía la cabeza más grande que el resto del cuerpo. Al caminar, daba la impresión de que tenía una pierna más larga que la otra. Nunca imaginé que aquel simpático batracio, aquella muñequita de palitos, se convertiría en la persona que daría con mis huesos en el Instituto Profesional Caracas o, sin eufemismos clínicos, en el solar de un manicomio. Carla Valeria solo era la hermanita de Alejandro, la muchachita loca que me destrozó los pies en el baile de graduación y que alguna vez, con la cara empatucada de pintura, me pidió que le dijera que era la niña más hermosa del mundo.

IV

«Quiero ir a Liubliana».
CARLA

1

«Uno de los dos será despedido. El anuncio oficial se hará cuando termine el congreso», dijo Kyriakos con vergüenza y preocupación fingida. Cuando Javier Cáceres desapareció mi relación profesional con Mariana estaba sometida a una incómoda competencia. Kyriakos fue claro: nuestros cargos eran un lastre. Unicef no tenía presupuesto para mantener puestos inútiles en sus dependencias auxiliares. La decisión era irrevocable; después del congreso solo continuaría el más fuerte. Corría el rumor, incluso, de que cerrarían el centro.

La tarde de la sentencia salimos a tomar un café tibio, malo, supuestamente colombiano. Acordamos no competir. Decidimos enfocarnos en la organización del congreso y evitar que el aviso de Kyriakos afectara nuestro rendimiento. Mariana aceptó. El armisticio, sin embargo, quedó en mera forma. No sé cuándo comenzamos a discutir por asuntos insignificantes: desperdicio de papel, fotocopias innecesarias, rigor en el horario. El anuncio sobre nuestro futuro laboral fue el comienzo de la guerra fría, el inicio programático de las zancadillas.

2

«Liubliana», respondí sin convicción. Martín repitió la pregunta: «¿Cuál es la capital de Eslovenia?». Alejandro me miró con indecisión. «¿Zagreb?», preguntó en voz baja. «No — tenía muchas dudas—, es uno de esos países nuevos». Atilio, aburrido por la espera, fue a buscar otra ronda de cervezas. Carnaval en La Guaira. Medianoche. El golpe de un trueno sacudió las ventanas del apartamento. La luz titiló. Carlita apareció de repente. «Alo, tengo miedo». Silvia, la prima de los Ramírez, caminó hasta el balcón para evaluar la ferocidad del aguacero. La brisa hacía temblar las ventanas pero, a pesar de la sucesión ininterrumpida de relámpagos, no llovía. El cielo era un pegoste de plastilina.

Habíamos pasado la tarde en la orilla de la playa jugando _frisbee_ y comiendo guacucos. Cuando llegó la noche, cansados, entumecidos por el sol, Martín Velázquez se empeñó en que perdiéramos el tiempo con un juego de mesa. Preguntas y respuestas: historia, geografía, ciencias, cultura y deportes. La ladilla era extrema. Jugamos en parejas, me tocó jugar con Alejandro. La pregunta nos desorientó. Aunque teníamos buenas notas y ostentábamos una inteligencia superior a la del promedio, éramos bachilleres ignorantes. La independencia de los países balcánicos era un fenómeno más o menos reciente. «¿Cuál es la capital de Eslovenia? —repitió Martín con la tarjeta en la mano—. Apúrense». «Liubliana», dije tras un esfuerzo. Alo no estaba muy convencido. «¿Liubliana? —preguntó Carlita, aunque realmente, con un timbre chillón inimitable, pronunció algo así como _esyubliana_—. ¡Qué nombre tan bonito!». Tenía los cachetes llenos de chocolate, un corte en la frente y además el sol de la tarde había dejado sobre su piel un bronceado de betún. Su cabello reseco, cubierto de arena, parecía una escoba sucia. «Gabriel, ¿dónde queda Liubliana?», me preguntó sentándose en mis rodillas. «En Eslovenia, Carl. Es la capital. Eso creo». «¿Y dónde queda Eslovenia?». «En Yugoslavia, Carl». «¿Y dónde queda Yugoslavia?». «En los Balcanes, Carl». «¿Y qué son los Balcanes?». «Unas montañas, Carl». «¿Y dónde quedan los Balcanes?». «En Europa, Carl». «¿Y dónde queda Europa?». «Lejos, Carlita, muy lejos».

3

Me incomodaba sobremanera la competencia con Mariana. Nuestra amistad se había forjado en medio de la desesperación, de la imposibilidad de obtener un empleo durante la crisis. Tras el fracaso de la beca, habíamos visto de cerca la rutina de la impotencia.

Fueron días oscuros. Imprimimos por lo menos cuatrocientos currículos que repartimos a lo largo de Madrid, de punta a punta, desde San Sebastián de los Reyes hasta Getafe. Agotamos las posibilidades de Internet, rellenamos todos los formularios de las páginas de empleo, de las falsas ofertas, de las estafas obvias o de cualquier encargo mal pagado. Fue en ese incómodo periplo cuando, sin competencias académicas ni profesionales, nos dimos la oportunidad de conocernos. Tras la mujer intolerante descubrí a una muchacha simpática, mucho menor de lo que aparentaba su rostro adulto. Tuve noticia de sus gustos raros, de sus preferencias, de su fascinación por la fotografía documental y las canciones de protesta de Violeta Parra. La complicidad del vencido, esa conciencia de que todo saldrá mal y de que la adversidad es la versión latinoamericana de la providencia, nos permitió relacionarnos como buenos amigos. No encontramos trabajo; de los cuatrocientos contactos laborales que hicimos solo nos respondieron cuatro oficinas: «Gracias, pero no. Conservaremos el currículo». El cariño mutuo fue consecuencia de la derrota.

Pude sobrevivir esos meses gracias a los limitados anticipos por derecho de autor de *El ejército de las hormigas* y, más adelante, *Ayúdate a creer en ti*. Para confrontar el desaliento, utilicé algunas de mis consignas engaña-bobos, habituales en los manuales de autoayuda, con el fin de obligarnos a seguir en la búsqueda, en la utopía del trabajo. La decepción, sin embargo, era inevitable. Los científicos sociales, al parecer, no tenían nada que ofrecer al nuevo mundo. «El siglo XXI es una mierda», solía decir Fedor.

Una tarde, entre vinos agrios, Mariana me contó que había tomado una decisión: regresaría a América, específicamente a Bolivia; una amiga la invitó a participar en un proyecto de trabajo social orientado a la inserción de mujeres indígenas de la zona del Chaco en espacios urbanos. No recuerdo exactamente cuándo recibimos la llamada de la profesora Irene Massa ofreciéndonos un trabajo conjunto, la administración de una ONG, algo ligado a un centro de asistencia social. Fue ella, nuestra tutora, quien nos puso en contacto con Alexandre Kyriakos.

4

«Coño, qué ladilla esta carajita», dijo Fedor en voz baja. Obstinado, hizo un gesto a Martín para que leyera la respuesta. Carla continuó con su interrogatorio. «Carla, por favor, anda a dormir, deja la ladilla», ordenó Silvia. «No tengo sueño», respondió con antipatía. «Sí —leyó Martín—, Liubliana». Alo se sorprendió. «Ni idea —dijo bajito—, pensaba que era Zagreb». «Quiero ir a Liubliana», dijo Carla. Atilio lanzó los dados: cuatro y tres. Fedor, aburridísimo, tomó las fichas y avanzó. «¡Quiero ir a Liubliana!», repitió Carla. «¡Quiero ir a Liubliana!», gritó Atilio burlándose. Luego, improvisando un dejo margariteño, agregó: «Anda a dormir, *muchacha'er diablo,*

¿no te das cuenta de que eres una ladilla?». Comenzó el escándalo. Carla insultó a Atilio con invectivas coloquiales: gordo de mierda, compota'e pollo, camión de carne, etc. Atilio le seguía la corriente, respondía con frases cortas e hirientes. La mesa se transformó en un campo de guerra. «Mira, Carlita, se te olvidó echarte el protector solar. Ahora te vas a quedar negra para siempre», agregó Fedor con semblante serio, masticando la risa. Error. Trifulca. Llanto. Más insultos. «¡Carla, ya!», reclamó Alejandro. Atilio y Fedor continuaban con el chalequeo. Silvia se reía con estruendo. Carla no paraba de llorar. «Coño, ya, Atilio. No la jodas. Déjala tranquila», dije buscando el armisticio. La niña, entonces, batuqueó la mesa. Las botellas de cerveza rodaron sobre el tablero. «¡Te vas!», gritó Alejandro levantándose. La cargó por la cintura y se la montó sobre el hombro. Carla pataleó, chilló, insultó al Gordo. «Yo ya me ladillé», dijo Fedor colocando servilletas sobre los charcos de cerveza. Silvia aprovechó la interrupción para besarme en la boca; fue un beso breve, con media lengua. «Te espero en el cuarto», me dijo al oído. El Gordo me hizo un gesto ordinario. Los gritos de Carla se escuchaban por toda la casa. Fedor salió al balcón. Martín fue el único que permaneció en la sala; distraído, limpiaba la mesa, sacudía el tablero y leía las preguntas que se habían quedado sin formular. Entré al cuarto de baño. Sentí vértigo. Los padres de Alo estaban en una fiesta en el Macuto Sheraton, dijeron que regresarían tarde. El futuro inmediato anunciaba grandes cambios: aquella noche perdería la virginidad.

5

La ONG, institución sin nombre, era una pequeña oficina ubicada en un recoveco de la calle Bravo Murillo. Las instalaciones eran rudimentarias; parecía un edificio abandonado. Nosotros éramos los responsables de administrar el trabajo sucio, la letra pequeña de las grandes proclamas, lo abyecto visible, las fotografías vetadas en los trípticos. La oficina como tal quedaba en un segundo piso. La primera planta, administrada por Vero, correspondía a un centro de ayuda y asesoramiento para mujeres maltratadas; aunque, en realidad, la cuestión genérica no pasaba de ser un simple letrero. Por el lugar deambulaban ancianos de ambos sexos perdidos y abandonados, niños drogados, adolescentes embarazadas e indigentes de vocación.

Yo siempre fui un burócrata. Mi trabajo, al igual que el de Javier Cáceres, consistía en hacer un censo detallado de la humanidad prescindible. Mariana era diferente. Ella tenía la rara virtud de la mirada; sabía mirar a los ojos de las personas y descubrir en ellos dignidades asequibles. Mariana tenía un sentido de la calidad humana poco común en el gremio de la filantropía. Los vecinos del centro la trataban con cariño genuino, la llamaban doctora, los fines de semana le llevaban chocolates o tortas caseras. El yonqui Pablo, por ejemplo, un grafitero dominicano con cuya familia Mariana intimó y a quienes ayudó a tramitar los documentos de residencia, se convirtió en su leal escudero, en un habitual ayudante del centro. En el competitivo mercado de las buenas intenciones, los demás éramos técnicos felices, bondadosos de escritorio, voluntarios de sofá. Cuando llegué a España tenía la idea de que el mundo era una cosa plana, racional y maniquea. Sin proponérmelo, me había convertido en un febril activista de causas perdidas. Asumía todo tipo de protesta con entusiasmo deportivo. Hasta el momento del colapso tenía la idea de que Dios debía tener cierto parecido físico y moral con Walt Disney. Michael Moore me parecía un irrefutable referente de astucia, de rebeldía inteligente. Mariana Briceño, y la historia intestina de aquella ONG, refutó mi visión naif. Hasta entonces, yo había leído estadísticas sobre violencia de género en algunos artículos de revistas universitarias, había escrito ensayos que había enviado a varios concursos académicos; una de mis reseñas, incluso, se publicó en la *Revista Complutense*. Nunca, sin embargo, había escuchado en directo el llanto desesperado de una mujer violada, nunca había tocado la ropa manchada de sangre de una niña ni había visto de cerca la fobia por los hombres. Fue difícil descubrir que mis *papers* sobre las tasas de drogadicción y precocidad sexual entre los adolescentes del siglo XXI (calificados, en su mayoría, con la matrícula de honor) no tenían nada que ver con los ojos ausentes del adicto enfermo de sida que cada mañana nos pedía dinero para comprar un supuesto desayuno. Me costaba disimular la impresión. «Esto es así, Gabriel. Lo demás es política, política de la mala. Hay que meter las manos en la mierda para darse cuenta de que los objetivos del milenio propuestos por la Unesco no son más que letra muerta, un saludo a la bandera, un pago de tributo a todo aquello que no queremos ver», había dicho Javier Cáceres en algún almuerzo días antes de desaparecer.

Los prejuicios me habían convertido en un cobarde. No me gustaba pasearme por la planta baja. Evitaba los olores de la indigencia, las babas de los borrachos, las canciones de cuna de Vero quien, en vano, intentaba dormir a los niños pequeños que cada quince días abandonaban en la puerta. Yo sabía muy bien que, por una cuestión de justicia poética, Mariana estaba mucho mejor calificada para heredar la dirección de la ONG. Sabía que mi trabajo podía hacerlo cualquiera. También era consciente de que Mariana no tendría paciencia para pasarse el día entero sentada frente a una *laptop* respondiendo correos electrónicos, redactando informes, pidiendo presupuestos, insertando nombres en Excel, describiendo atrocidades en términos leguleyos o conversando con ministros ignorantes sobre asuntos de su competencia de los que no tenían la más mínima idea. Tratamos de explicarle a Kyriakos los beneficios de nuestra comunidad profesional pero tropezamos con su sordera. «¡La crisis, la crisis!», solo hablaba de la crisis. «Uno de los dos será despedido», dijo tajante.

En la ONG trabajábamos, sin contar a los pasantes, siete personas: Javier, Mariana, Vero, Yago, Emilio y nuestra secretaria estrella, todera, andaluza, chiquitica, simpática y servicial, Eleonora. Yago y Emilio eran la extensión de Kyriakos, la prótesis administrativa de Unicef. Ellos eran los encargados de supervisar los recursos, de decirle no a Mariana cuando recomendaba comprar alguna medicina para un anciano moribundo, de denunciar a las falsas embarazadas y poner objeciones de presupuesto a todas las iniciativas del grupo. Emilio y Yago fueron los responsables de hacer la preselección de los jóvenes que participarían en el congreso. Mariana se pasaba el día entero en la primera planta, por lo que no tenía la obligación de escuchar las conversaciones entre esta pareja de imbéciles. Los aspirantes a presentar ponencias debían llenar una solicitud y escribir una carta temática. Unicef solo invitaría a doce personas pero llegaron más de cuarenta solicitudes. Yago y Emilio dedicaron una mañana calurosa y eterna a leer en voz alta esas cartas. Luego, como en un juego de azar, hicieron su selección en función de lo que para sí mismos llamaban la honrada estupidez. Eleonora, desde su escritorio repleto de papeles, los miraba con odio. Leían en voz alta, se burlaban, reían...

6

Silvia Tovar era mayor que nosotros, tenía, más o menos, veintiséis y hacía el año rural de Medicina en un pueblo a las afueras de Maracay. La conocíamos desde hacía tiempo; ella solía pasar las vacaciones de agosto en Caracas, en el edificio. No sé en qué momento nos dimos los primeros besos. Besos borrachos, traviesos, sin compromiso. Yo sabía muy bien que, al margen de nuestra aventura, ella tenía una vida en otra parte, que tenía un novio oficial e incluso planes de casarse. No era bonita pero tampoco era fea. Tenía un encanto difícil de precisar, un queso sin marca, una simpatía erótica disimulada por su sobrepeso. Silvia me enseñó las virtudes del tacto. Yo, en aquel entonces, onanista aficionado, no sabía cómo tocar el cuerpo de una mujer. El posible contacto me daba pena. La teoría prevista en las películas porno resultó inútil. No había música *chill out* ni locaciones iluminadas, solo se escuchaban los golpes de la brisa contra las ventanas y al fondo, desde la sala, un CD con la voz carrasposa de Alejandro Sanz. Estaba nervioso, muy nervioso. Silvia me desnudó con paciencia. No sabía qué hacer, la ansiedad y la vergüenza me mantenían en trance, paralizado. Descubrí sus senos en medio de una luz azul, de un rebote de relámpagos. De repente, sin saber cómo, siguiendo al pie de la letra sus instrucciones, me encontré dentro de su cuerpo. La sensación física fue confusa, rara; las pieles imitaban el sonido de un chicle. Entendí que la mano tenía una textura diferente. Cuando todo acabó tuve una extraña sensación de supervivencia. Alejandro Sanz, con un coro de carajitos, gritaba no sé qué asunto sobre una margarita marchita. Silvia se quedó dormida; me levanté con sed. Martín, Fedor y Atilio hablaban pendejadas en el balcón; el temporal había amainado. El Gordo contaba chistes ordinarios. Las carcajadas, como en las comedias gringas, replicaban a cada uno de sus parlamentos. Abrí la nevera. Removí panes de perrocaliente, lechugas y potes con pasta vieja. No había cervezas. Cuando cerré la puerta tuve un sobresalto. Allí, recostada sobre el *freezer*, apareció Carlita. Disimulé el susto por vergüenza. «Hola, Negrita, ¿cómo estás?». «¿Tú también?». «¿Yo también qué?». «Yo no soy negra. No me digas negra». «Ven acá —le dije con cariño, intentado abrazarla—, no tienes que molestarte. Si tú eres la negrita más hermosa del mundo. ¿O no?», le pregunté haciéndole arrumacos en la barriga. Me devolvió una sonrisa. «¿No puedes dormir, Carl?». Dijo que no con la cabeza. «Gabo —preguntó cabizbaja—. ¿Estás enamorado de Silvia?». *¿Cómo explicarle mis desastres a una carajita?*, me pregunté. *No, sin duda, no. Me gusta, me da queso*. «¿Por qué lo preguntas?». «La odio. No la soporto». «Pero Silvia es tu prima, Carl». «Igual la odio. No sé qué se cree. Es una estúpida. Gabo —me tomó la mano—, ¿me acompañas a dormir?». Las carcajadas de Fedor hacían temblar las paredes del apartamento. Atilio echaba un cuento hilarante, dramatizaba alguna experiencia escatológica. Pude ver de reojo cómo Martín y Alejandro estaban tirados en el piso. Llegamos a su cuarto, saltó sobre la cama, la ayudé a amarrarse el cabello, la arropé hasta el cuello y le di un beso en la frente. «Duérmete ya, anda», dije disimulando el fastidio.

«Este quiere salvar al mundo, Emilio. Este es el hombre indicado». «Apúntalo», decía Yago dando vueltas en su silla. Emilio leía en voz alta: «Yo tengo una pequeña biblioteca en mi pueblo de Yura, Perú, y quisiera exportar este modelo a otros pueblos de mi provincia. Quisiera exponer mis experiencias...». «No. Aburrido. Nada de bibliotecas ni escuelitas, busca una madre Teresa o un Gandhi, esos son los buenos». «Aquí está», respondía Yago. Yo, entonces, prefería subirle volumen al iPod o tratar de distraerme con la lectura de un soporífero documento. «Gabriel, ¿te vas a casar con Silvia?». «No, Carl. No me voy a casar con Silvia. ¿Quién te dijo eso? Duérmete». Apretó los ojos con fuerza. «Está bien, Gabriel», dijo de repente. «¿Está bien qué?», le pregunté mientras jugaba con su cabello. «Puedes llamarme Negrita, pero solo tú». Lanzó una risa traviesa, de dientes torcidos. Le hice cosquillas. Ella perdió el control. Tiró la sábana al piso y lanzó patadas al vacío. «Este es nuestro hombre —decía entre risas—: "yo quiero acabar con el hambre en África y luchar por la paz mundial"». «Fichado, el siguiente». Emilio leía en son de burla: «"Estimados seño- res: quisiera presentar una reflexión humanística en torno al narcotráfico en la zona del Amazonas. Soy antropólogo egresa- do de la Universidad de Antioquia y durante muchos años he hecho trabajo de campo". Bla, bla, bla... bla, bla, bla... "He po- dido constatar que...". Bla, bla, bla. ¿Y este quién se cree, El ca- zador de cocodrilos?». Yago: «Ja, ja, ja. Descarta a ese capullo. Nada de antropólogos, buscamos optimistas, esa es la consig- na». «Gabo, ¿tú has ido a Europa?», dijo tras calmarse. «No». «¿Y Europa es muy lejos?». «Sí, es lejos». «¿Se puede ir en carro?». «No. Solo en avión o en barco. Aunque supongo que ya nadie viaja en barco». «Yo quiero ir contigo a *Esyubliana*». «¿A dónde?». «A *Esyubliana* —Ni idea, no sabía de qué habla- ba—. Al sitio del juego, a la capital de *Eslofenía*». «¡Ah! Liublia- na. Eslovenia». «Sí, a eso. ¿Irás conmigo?». «¡Dígame este!, es- te lucha por la independencia de la Isla de la Pascua y busca un foro internacional para exponer sus argumentos históricos». «¿Qué? —dijo Yago—. No me jodas. ¿La independencia de la Isla de la Pascua? ¿Y de qué va a vivir esa gente? ¿Van a expor- tar cabezas?». «Ja, ja, ja». Un rumor conocido llegó desde el balcón: Atilio echaba el cuento de cuando se vomitó en la pape- lera del baño en el apartamento de Martín. Me provocó salir a escucharlo. Atilio tenía la facultad de incorporar detalles mór- bidos a cada nueva narración e incluso, con efecto dramático, modificar los desenlaces. Respondí sin saber, aburrido: «Sí, Carl. Iremos juntos a Liubliana». «No quiero que venga Silvia. Tenemos que ir tú y yo solos». «Está bien, iremos sin Silvia». La voz de Atilio atravesó la pared: «No joda, miré pa' un lado, miré pa'l otro y lo único que apareció fue esa papelera». Car- cajadas. «Vamos, duérmete». Me levanté con prisa. «Gabo». «Dime, Carl». «¿Me traes un vaso de agua?». Fui a la cocina. Le serví un vaso de agua y regresé al cuarto. Parecía dormida.

Los ojos se le cerraban, la carita le daba vueltas. El congreso anterior, al que pude asistir como invitado por la Fundación Carolina, se había convocado de la misma manera; las ponencias, al final, resultaban simplistas, redundantes. Algunas veces, entre los lugares comunes y relatos de autoayuda (aquel congreso fue una valiosa fuente para la redacción de *Escucha tu corazón*), aparecía gente seria que brindaba perspectivas novedosas sobre problemas reales pero, por lo general, el criterio de la honrada estupidez definido por Kyriakos e instrumentalizado por sus secuaces solo llenaba las calles de Madrid de charlatanes de oficio, becarios oportunistas, libertinos y borrachos pero altruistas y, según ellos, comprometidos liberales de izquierda. Coloqué el vaso en la mesa de noche, antes de salir dijo con un bostezo: «¡Gabo!». «Dime». «Te quiero». «Yo también te quiero, Carl».

7

Antes de que la Guardia Civil anunciara el hallazgo del cuerpo de Javi recibí una visita inesperada. Con amago de burla, de doble sentido, Yago me informó que quería hablar conmigo un tal Diablito. Había olvidado al Diablito; él era una especie de novio o amante informal de Javier. Lo conocí en alguna tertulia filantrópica, en una curda de protesta con gente de la OIJ o Acnur. El Diablito era un tipo delgado, venezolano, de pelo baba y ojos maquiritares. Ese día había mucho trabajo en la oficina. Tardé en recibirlo. El papeleo abarrotaba la mesa. La vigilancia estalinista de Mariana, por otro lado, me impedía abandonar el cubículo. Había olvidado el nombre original del Diablito. Nunca practiqué una homofobia militante pero no me sentía cómodo pronunciando en voz alta aquel nombre de feria. *¿Qué pasó, Diablito, cómo está la vaina?*, era una pregunta *polite* que no podría decir. Mariana se enfrascó en una discusión telefónica, aproveché su distracción. Lo encontré sentado en la escalera con los ojos ausentes. Palpé su hombro y dije un *Hola* solitario. Lo invité a tomar un café en el bar de los viejitos, en el cruce con Bravo Murillo. Hablé paja: clima, crisis. Él no decía nada. Solo fumaba. Me ofreció un cigarrillo y acepté. Hacía frío. *¡Qué carajo!*, me dije. Por impositiva sugerencia de Elena, para cumplir a cabalidad con nuestro tratamiento profiláctico, me había propuesto dejar de fumar. «¿Querías hablar conmigo?», pregunté obstinado. «Se trata de Javier —dijo impasible—. Creo que le pasó algo». «¿Por qué piensas eso?». «No lo sé, es algo así como un presentimiento, una mariquera —silencio—. Solo sé que es algo que tiene que ver con su trabajo, algo que Javi descubrió». «¿Algo que Javi descubrió?». «Sí», dijo con seriedad. El móvil repicó con estruendo. Mensaje de texto. Mariana: «¿Dónde estás?». Me despedí del Diablito citando falsas esperanzas, le dije que Javier aparecería pronto, le comenté su incomodidad en la oficina, sus desencuentros cotidianos con Mariana y Kyriakos, también le hablé de Chile, de su idea de regresar. Pensé, movido por un inevitable machismo cultural, que aquello era una simple discusión de pareja o, como diría Atilio, un peo entre maricones. Regresé al escritorio. Rápidamente olvidé la entrevista. Antes de irse, el Diablito me entregó una tarjeta. «Si sabes algo, puedes encontrarme en el Club de los Poetas Publicistas», dijo. La tarjeta tenía detalles carnavalescos y en colores fosforescentes la dirección de un bar en una calle de Chueca. En principio no le di mucha importancia a aquel encuentro. Una semana más tarde, tras la aparición del cuerpo y un extraño suceso, sentí curiosidad. El mundo comenzaba a desmoronarse.

V

«Ese fue tu amigo el que se mató, ¿no?».

ELENA

1

Todas mis infidelidades han estado mediadas por la tecnología. Siempre fui un seductor mediocre, previsible, tímido. Las modalidades de Internet, sin embargo, me permitieron experimentar amores pasajeros, besos de paso, sexo para llevar. Cuando Silvia Tovar, la mujer que se había apropiado de mi virginidad en un apartamento de La Guaira, solicitó mi amistad en Facebook me dediqué algunas horas a estudiarla. Corría el tiempo muerto del máster y no tenía mucho que hacer. Silvia había engordado, las viejas espinillas se le habían convertido en marcas indelebles aunque, de manera imprecisa, su rostro conservaba el encanto primerizo del pasado. El muro virtual me facilitó información suplementaria: vivía en Londres, estudiaba un doctorado, estaba casada y tenía un niño pequeño. Alguna madrugada ociosa consulté su discreta lista de amistades. Fue así como, mucho tiempo después, pude tener alguna noticia de Carla Valeria, la niña más hermosa del mundo. *¡Carl!*, me dije con sorpresa. La había olvidado por completo. El accidente y la mudanza habían sido el preludio a nuestra separación. Sentí curiosidad, me pregunté cuántos años habrían pasado; también pensé en Alo, en la gente del Inírida. Asimilando la retórica Facebook solicité su amistad. La foto del perfil mostraba un cuadro de Salvador Dalí, un horizonte de relojes que parecían derretirse en la bruma del tiempo. El muro de Carla estaba protegido; para explorarlo ella debía confirmar que me conocía.

2

No pude ir a La Guaira por culpa del dengue. Tenía diecinueve años y pensaba que era inmortal. Sin consulta previa, tras el primer golpe de fiebre, asalté una caja de aspirinas. Horas más tarde comencé a sangrar por la nariz. El dolor en los ojos me hacía supurar lagañas anaranjadas. «Nena, me siento mal», logré balbucear antes de desmayarme. Cuando desperté estaba en la sala de emergencias de la Clínica Jaimes Córdova. El doctor hizo un diagnóstico alarmista; durante tres meses, debía seguir un tratamiento insoportable y acostumbrarme a un estricto reposo.

Mi frustración no tenía precedentes. Por primera vez, viajaríamos al apartamento de La Guaira sin adultos, sin padres, sin la ladilla de Carlita y los otros niños. La enfermedad desangró mi espíritu de juerga. Caía una llovizna perenne. La masa de cielo era una bruma impenetrable. La claridad, en algunas esquinas, apenas era un parche. Me despedí de mis amigos en el estacionamiento del Inírida. Hicieron mofas sobre mi reposo. «No te preocupes, Gabriel, tú descansa. Te prometo que no tomaremos curda, no cogeremos culos, no jugaremos dominó y nos acostaremos temprano», dijo Atilio con semblante jocoso. «Espero que les llueva todo el maldito fin de semana. Ojalá se inunde esa mierda», les dije dándole dos palmadas al vidrio. El comentario, lo sabría después, fue muy impertinente.

3

Mi reencuentro con Silvia Tovar tuvo el formato de la infidelidad virtual, sexo de *webcam*, pornografía literaria, chateo sin censura. Durante mucho tiempo, mantuvimos una simpática relación de amantes a distancia, vulgar, traviesa, arrabalera, nocturna. «Quiero que juegues con mi clítoris», escribía sin pudor entre emoticones. Me mostraba sus pezones gigantes a través de una ventana secundaria. Yo le escribía cualquier cochinada romántica; era una jodedera que, por cuestiones de espacio, nunca fue a más. Antes de la aparición de Carla, mi única amante física, mi única infidelidad conyugal, fue mi exnovia de juventud María Fernanda Valero.

María Fernanda había sido una novia breve. Yo me gradué de bachiller en 1998 pero, por cuestiones burocráticas, no pude inscribirme en la UCV hasta el mes de marzo del año siguiente. Todos mis amigos, a excepción de Martín, iniciaron su formación universitaria el mismo año de nuestro grado. En un principio, disfruté de mi existencia sedentaria pero a finales de octubre caí en cuenta de que, si no quería volverme loco, debía hacer algo medianamente útil con el exceso de tiempo libre. Decidí, entonces, hacer lo que todo miembro de la población flotante caraqueña hacía en los años noventa: un curso de inglés en el CVA. Quedé en el nivel 8C, algo así. El curso fue malo, pirata. No aprendí nada, no mostré interés. Arrastré los errores de pronunciación que la Nena nunca corrigió, empobrecí mi vocabulario y desarrollé una progresiva anglofobia. Lo único memorable del CVA fue María Fernanda. Ella había estudiado el bachillerato en el Mater Salvatoris y, al igual que yo, decidió hacer ese curso solo para tener una excusa con la cual salir de su casa. Sin cortejo ni interés excesivo nos gustamos. Intercambiamos risas amables, comentarios tontos. Un mediodía caliente, en el Pizza Hut de Las Mercedes, nos dimos el primer beso. En ese tiempo, yo solo había tenido sexo con Silvia Tovar. Lo había hecho una sola vez, única vez que fue inspiración para una serie dramática de evocaciones nocturnas. María Fernanda y yo éramos muy torpes. Nos escondíamos en los recovecos del Centro Comercial Paseo a tocarnos con desesperación, a buscarnos los sexos con curiosidad adolescente. Un día me dijo que era virgen, que tenía la urgencia de hacer el amor y que yo, dada mi experiencia (experiencia sobre la que mentí), era la persona con la que ella aspiraba cerrar el ciclo de su madurez. No sabía qué hacer ni cómo hacer ni, mucho menos, dónde hacerlo. Mortificado, le planteé mi inquietud a los muchachos quienes me hablaron de los moteles de la carretera Panamericana. «Tienes que llevarla pa' La Orquídea», me dijo Atilio con sapiencia. Un jueves de noviembre, Alejandro me prestó su carro. Estaba muy nervioso. No era un buen conductor, no me llevaba bien con los volantes ni los retrovisores. Manejar y tirar eran asuntos complicados. Recogí a María Fernanda en la esquina del CVA. Agarramos la autopista a la altura del Hotel Tamanaco y, recordando las instrucciones de Atilio, tomé la ruta de Occidente. María Fernanda pasó todo el camino metiéndome mano, besándome el cuello y tratando de desabrochar mi correa. *¡Coño'e la madre!*, me dije en silencio. Me pasé el distribuidor de La Orquídea. No lo vi. *¿Y ahora?*, me pregunté preocupado. María Fernanda arrastró mi mano hasta su sexo. Tenía falda. Mis dedos se mezclaron con los suyos. Repentinamente, apareció un letrero: Motel Las Vegas. *Aquí fue*, me dije. Llegamos a la garita y nos comportamos con seriedad. Engolé la voz e improvisé un carrasposo *buenos días*. No recuerdo cuánto me cobraron, nos mandaron a la cabaña doscientos y algo. En el trayecto, María Fernanda cambió de actitud, se mostró esquiva, callada. Un bombillo titilaba a la entrada de nuestra casa. Estacioné. Tenía una erección dolorosa, la liga del interior estaba en un lugar incómodo. Me bajé del carro y cerré el portón. Cuando regresé me di cuenta de que María Fernanda estaba llorando. Tenía un ataque de pánico, me dijo que no podía hacerlo, que le daba miedo, que mejor no; repetía *no* un millón de veces. Yo, en vano, trataba de tocarla imitando a Mickey Rourke en *Orquídea salvaje*, una película mala que RCTV solía repetir en las madrugadas. Utilicé múltiples estrategias pero todas fracasaron. Le dije que la amaba y no le importó, le dije que la deseaba y no le importó. Atilio me había dicho una vez que a las mujeres les gustaba que uno fuera guarro y ordinario; desesperado, entonces, le dije al oído que quería cogérmela rico. Me miró con asco. «Vámonos, por fa'», fue lo único que dijo. No habían pasado quince minutos cuando le devolví la llave al portero. Regresamos a Caracas en silencio. Mi segunda experiencia sexual tendría que esperar.

4

No sé en qué momento escuché los primeros rumores: La Guaira había desaparecido. Medianoche. Tormenta. Desastre. La Nena tenía el televisor encendido. Supe que pasaba algo grave. En el 14B, por legislación tácita, no se veía televisión; *Cine prohibido* era una clara transgresión a esa importante regla. Ese día me enteré de que existía el canal 33, una especie de CNN local que solo transmitía noticias y programas de tertulia política. Los vecinos, mortificados por la suerte de mis amigos, decidieron reunirse en el apartamento de los Ramírez. A la señora Rosaura se le bajó la tensión. «¡Dios mío, Dios mío!», gritaba la señora Gloria. Todos los celulares estaban colapsados. «¡Los muchachos están en La Guaira!», corrían la voz los aparecidos. Los pocos testimonios que lograban saltar el Ávila contaban las escenas de un *thriller*. Pude ver por la ventana que Enrique Vivancos acababa de estacionar su ranchera en la entrada del Orituco. Venía de Defensa Civil, traía noticias. Había

muchos nervios sueltos. La casa se llenó de silencios, suge-
rencias inútiles, ideas sin sentido. Nunca pensé que se tratara
de algo grave. *Las lluvias siempre tumban ranchos, casas, calles.
En Caracas, el desastre es normal*, me dije incrédulo. Pensar en
las dimensiones del deslave era imposible. Era difícil intuir el
odio de la naturaleza.

5

Diez años después, María Fernanda apareció por Facebook. La
encontré en el buscador alguna madrugada sin oficio. Solicité
su amistad e inmediatamente me aceptó. Supe que había estudiado Psicología, que se había casado y que vivía en Caracas.
Las fotos dejaban ver un detalle importante: estaba buenísima.
Aquel reencuentro también ocurrió en los tiempos del máster, durante las reuniones insoportables con el ala reacciona-
ria de la Fundación Carolina. «Hola Mari, cómo estás, qué es
de tu vida, vivo en Madrid, bla, bla, bla». Escribí tonterías clásicas siguiendo el manual de los seductores de areperas. Me respondió dos días más tarde. Me dio su dirección de Messenger,
me dijo que le gustaría mucho chatear conmigo. Supe que un
año atrás había terminado una especialización en Fráncfort,
en Psicología Cognitiva o algo parecido. No suelo chatear, nunca me ha gustado chatear (el caso de Silvia fue puntual y coordinado según un acuerdo previo). Alguna madrugada, luego
de espiar un par de fotos, la incluí en la breve lista de contactos de una dirección vieja. Estaba conectada. «Hola, Mari», dije sin grandes expectativas. Pensé que todo quedaría en un
saludo convencional, que le diría dos pendejadas y que luego me iría a dormir. «Hola», escribió. Ocurrió, entonces, algo
muy extraño. Tenía más de diez años sin saber de ella, sin hablarle, sin haber intercambiado una sola palabra. Se suponía
que nuestra primera charla debía estar coordinada por cierta

cortesía, por un tacto *polite*. Sin embargo, la segunda línea me descolocó. La releí con atención y, antes de responderle, fui a la nevera a buscar una cerveza. Messenger. María Fernanda dice: «Siempre me acuerdo de que tú fuiste el primer carajo que me chupó las tetas».

Dos meses más tarde, María Fernanda me escribió un mensaje privado. Necesitaba mi ayuda. Debía pasar una noche en Madrid. Estaba en Caracas, tenía que ir a Alemania a retirar sus credenciales de estudios universitarios pero el regreso a Venezuela, por supuesta torpeza de la aerolínea, solo consiguió hacerlo a través de España. Llegaría a Madrid al mediodía de un martes y saldría para Caracas en la mañana del miércoles. Me pidió que por favor la ayudara a ubicar un buen hotel ya que ella no conocía la ciudad. «Pero, ¿quieres conocer Madrid? —pregunté con amabilidad taimada—. ¿Quieres algo cerca de la Gran Vía, del Paseo La Castellana?». «La verdad, no —respondió en un *e-mail* breve—. Solo quiero descansar. Preferiría algo cerca del aeropuerto». Busqué el *link* de un NH en Barajas y se lo mandé. Respondió en el acto: «A las tres de la tarde del martes te quiero en mi hotel».

¡Elena! ¿Qué contarle a Elena? En aquel tiempo yo tenía clases en la mañana y por lo general llegaba a la casa después de almuerzo. La rutina de seminarios y reuniones con diversas ONG no era algo cotidiano por lo que no se me ocurrió utilizar como coartada compromisos filantrópicos. El domingo previo, durante un partido del Atlético, tuve la solución: Fedor. Bajé a comprar pan y lo llamé: «Bicho, llama pa' la casa». «¿Qué?». «Haz lo que te digo. Llama pa' la casa». «Coño, tú sí eres ladilla». Fui a comprar pan, me tomé un café con paciencia y regresé. «Gabriel, te llamó Fedor», me dijo Elena. Leía el periódico y se tomaba un té. «Coño, qué querrá esa rata», respondí en voz baja. Me senté al lado de Elena y lo llamé desde el teléfono fijo. «¿Qué pasó, bicho?». Fedor no

respondió. Improvisé con amagos teatrales el resto de la plática. «¿Mañana? Dale, pues. ¿A qué hora? Coño, qué ladilla esa gente; bueno quédate tranquilo. Hagamos algo: mañana nos vemos antes del partido y lo comentamos. ¿Te parece?». El Fedor real, desde las primeras palabras, había trancado el teléfono. «¿Qué pasó?», me preguntó Elena antes de besarme la cabeza. «Nada, el *güevón* este tuvo un problema en el trabajo. Cree que lo van a botar. Me dijo para ver mañana el partido en un bar y hablar paja». «¿Quién juega?». «Champions, Chelsea-Barcelona». «¿Vas a venir muy tarde?». «No creo», mentí. Llegó el día de la cita. Me bañé, me perfumé, reciclé mi interior Louis Vuitton, compré condones en la máquina del metro y tomé la línea cuatro en dirección a Mar de Cristal, ahí cambié a la ocho. Destino: Barajas.

¡Bella! Estaba bella. María Fernanda se había operado las tetas. En principio, nos tomamos unas cervezas en un bar cercano a su hotel. Recordamos nuestro romance juvenil e inocente; preguntó cosas sobre Venezuela, sobre el exilio, sobre Elena. Mis respuestas fueron políticamente correctas; evité el tema Chávez. Odiaba el tema Chávez. Los venezolanos, en su mayoría, solo sabían hablar de Chávez. Mentí sobre mi labor en la ONG, exageré mis méritos, dije que estaba vinculado a la Unesco y que era un enlace importante con Acnur o Save the Children. Modestia aparte, creo que me vendí bien. Ella, tras la tercera cerveza, hizo una confesión extraña. «Veo que no eres un fanático, Gabriel. Eso me gusta. Puedo contarte algo entonces —hizo una pausa dramática, tragó saliva y me miró con atención clínica—. Yo sí creo en la Revolución, creo que el presidente Chávez está haciendo las cosas muy bien». *Coño'e la madre*, me dije. La erección amenazó con retirarse. Para evitar distracciones innecesarias enfoqué mi atención en su pecho prominente. En vano, procuré ignorar su discurso. «¿Sabes quién es mi esposo? —preguntó—. El diputado Julio

Domínguez —dijo—. Comenzó siendo un dirigente estudian-
til en la escuela de Psicología y ha ido ascendiendo en el partido». *Maldita sea*, replicaba mi deseo mortificado. Recordaba
la cara de aquel diputado, un tipo joven; lo había visto alguna
vez dando una vergonzosa rueda de prensa o aplaudiendo como un patiquín las barrabasadas del mesías tropical; un sobe-
rano pendejo. *Tú, vele las tetas, enfócate en las tetas*, era lo único que podía pensar. «¿Tú qué piensas del presidente, Gabriel?
Puedes ser crítico, no te preocupes. Creo en la crítica pero no
en el fanatismo». El pezón le hacía una marca en la camisa.
Tenía la garganta seca, el pensamiento atragantado. «Por mí,
de pinga. Chávez es de pinga —mentí. *¡Qué carajo!*, me dije—.
No me simpatiza del todo pero trato de no pensar en política.
No me gustan los extremos y en Venezuela todo es demasiado
radical. Yo soy esa cosa que ahora llaman un Niní». *Ya, cállate, güevón, muérdete los labios que la estás cagando*, ordené. Pasó un silencio largo y tenue. Comenzó el partido en Inglaterra,
había un televisor esquinado, justo detrás de María Fernanda.
Ella tomó mis manos e hizo caricias sugerentes. «¿Hasta qué
hora te dieron permiso, Gabriel?». «Hasta que termine el partido —respondí—. Hasta las doce, más o menos». «¿Y qué hacemos aquí?».

Nos desnudamos en el ascensor. Nunca antes había pro-
bado la textura del silicón. La besé toda, con urgencia. Para entonces, mi vida sexual con Elena iniciaba su ciclo de miseria.
La efervescencia de aquella mujer no era normal. La dieta marital me había hecho olvidar la imagen estimulante y hermosa
de una mujer excitada. Aquello fue sexo rudo, *hardcore, nasty*.
Me sentí cómodo, conforme. El cuerpo, por fortuna, funcionó.
Todo estuvo a la altura. Ella parecía disfrutar con cada movimiento lo que, entre arcadas y gemidos, estimuló una arrogan-
te virilidad. Me sentí un actor porno, orgulloso, bruto. María
Fernanda se volvió loca. En algún momento me dijo que tenía

mucho tiempo sin hacer el amor (lo dijo así, fue ella la que habló de amor). Me tumbó sobre la cama y se sentó sobre mí. Saltó como una enferma. Dimos vueltas, giramos. Se colocó de espaldas, se acuclilló, se acostó de lado y yo feliz; feliz además porque la eyaculación se retrasaba. Tras el primer amago decidí seguir un sabio consejo de Atilio: cuando sentía el calor del agua presionando los muslos cerraba los ojos con fuerza y pensaba en viejos *sketchs* de *Cheverísimo* o *Radio Rochela*. «Pepeto López es el mejor referente para ejercer el autocontrol», solía decir el Gordo. María Fernanda gritaba hasta el delirio. *¡No puedo creer que me esté cogiendo a esta jeva!*, insistía prepotente mi soliloquio macho. De repente, abrió los ojos. Me miró con las pupilas estrábicas. Retomó la respiración natural, acercó su rostro a mi oreja y preguntó: «¿Qué se siente cogerse a la mujer de un chavista?». *Loca*, pensé. Dudé por segundos. Me limité a hacer mi trabajo, a enfocarme en el tacto, en el sudor de su pecho falso, en los sonidos y de ser necesario a evocar el perfil del comediante Pepeto López. Y así, repentinamente, me encontré con su orgasmo. Elena no tenía orgasmos. María Fernanda se masticó el labio inferior hasta destrozarlo, los muslos le temblaban. Salivaba, gemía y decía groserías en alemán. Sabía que si alcanzaba a darle tres estocadas más podría matarla de un ataque de asfixia. Una tras otra, logré golpearla con fuerza. Primera estocada. «¡Dios!», gritó. Segunda estocada: «¡Sigue, sigue!». Y... no sé, fue algo que pasó de repente, ni siquiera lo pensé; fue una pendejada que ocurrió y que, hasta el día de hoy, no sabría decir muy bien por qué la hice. Ella esperaba el último golpe, estaba al borde de la muerte; sin embargo, preferí quedarme en la orilla. Acerqué mi rostro y, bajito, susurré: «Dime que Chávez es un maldito». Respiró con dificultad. Repetí, entonces, mi solicitud: «¡Dime que Chávez es un maldito!». Cuatro segundos trágicos. «¡Sí! ¡Sí! ¡Sí!». «¡Dilo!». «Es un maldito, sí. ¡Sí! Maldito, hijo'e puta, coño'e madre, etc.». Solo entonces retomé la cuestión práctica. Veinte segundos después me olvidé de la cara de Pepeto. Todo terminó. Pasaron diez minutos, más o menos. «Quiero otro, ven», dijo ansiosa. Y así hasta la medianoche. Antes de regresar a la casa entré a un bar para ver cómo había quedado el partido en Stanford Bridge. Supe que Andrés Iniesta había hecho un gol impresionante. El Barcelona sería finalista. Cuando llegué a la casa Elena estaba dormida. Me bañé y me acosté con la conciencia tranquila. «¡Cuando vayas a Caracas, llámame!», había dicho al despedirse. «Sí, sí, seguro», mentí. Nunca más volví a verla. A las dos semanas me sacó de Facebook.

6

El Ávila se desplomó, citaban los rumores. La imaginación, amarillista y hostil, hacía más difícil la espera. Antes del amanecer se corrió la voz: centenares de muertos, desaparecidos; también se dijo que los grupos de damnificados estaban siendo apiñados en El Poliedro. El apartamento de los Ramírez se había convertido en el centro de comunicaciones del Inírida. Las señoras Gloria y Rosaura rezaban en silencio. La Nena Guerrero y Enrique Vivancos buscaban la verdad en los reportajes de Globovisión. Las decisiones se tomaron sobre la marcha, sin concierto. Entre gritos, se decidió explorar un controvertido itinerario: Poliedro, Parque Naciones Unidas, La Carlota y la morgue. El señor Ramírez había perdido los nervios; delante de todo el mundo insultó a la señora Lili porque no encontraba las llaves del carro. Yo hablaba por teléfono con la gorda Alicia, mi amiga del colegio. Muchos amigos comunes se habían ido a la playa ese fin de semana. Había elecciones de algo (la constitución, la constituyente, algún referéndum). El nuevo gobierno, instalado en febrero de ese año, impuso un régimen sucesivo de consultas electoreras que se mantuvo durante mucho tiempo; todos los años había elecciones por cualquier cosa. Ninguno de nosotros votó. Yo nunca había votado. En aquel tiempo lo normal, e incluso civilizado, era no participar en esas pendejadas. La cuestión política, y la obligatoria suspensión de clases impuesta por el Plan República para el fin de semana, motivó el éxodo masivo. Nadie se preocupó por la lluvia. Ya dejaría de llover, se dijo la mayoría. Fue difícil asimilar que La Guaira que habíamos conocido había desaparecido para siempre. La señora Lili me hizo una seña, todos los viejos estaban en las escaleras. Se irían a buscar a los demás en los centros de refugio. «Gabriel, vamos a ir hasta El Poliedro. Quería pedirte un favor. ¿Te puedes quedar cuidando a Carla?».

7

Una noche gélida pude comprobar que Carla Valeria había aceptado mi solicitud de amistad. Facebook indicaba que había cambiado su foto de perfil. La foto pequeña, con fondo de playa, llamó mi atención. Hice clic sobre el cuadro para verlo más grande. La página tardó en abrir. La imagen ampliada fue mi error trágico; el inicio de la derrota. La sobreexposición a la belleza me produjo hipo. Sentí un corte en el hígado, una patada en el esternón. Retando la ansiedad me mastiqué el nudillo del pulgar. La pantalla mostraba una fotografía. Ella salía del agua, una mujer salía del agua. Tenía las manos sobre su cabeza, como escondiendo su cabello del viento. Era un rostro incompleto, velado por sombras. La sonrisa hacía incómodas cosquillas, parecía burlarse del universo. De repente, me sobrevino un ataque de tos que distraje con un fondo de café. Tuve la impresión de haber visto aquella imagen en algún museo, en algún libro. El lienzo del recuerdo, sin embargo, carecía de gracia. La memoria mostró la fachada clásica de los

Uffizi. *No, no se parece del todo*, me dije. *Botticelli era un pendejo*. La foto se cortaba en su ombligo. El cielo, al fondo, mostraba el azul inefable de los mares del Caribe. Su piel tenía el color de las naranjas. Su pecho era perfecto, circular, discreto. El traje de baño imitaba una red de pescadores orientales. Mis dedos tocaron la pantalla; la peiné en falso, traté de quitarle el cabello del rostro, traté de tomar su quijada para alzarle la cara pero sus ojos seguían perdidos en la orilla. Recalenté pizza y busqué una cerveza. «¡Qué linda esa muchacha! ¿Quién es?», preguntó Elena. No sentí la puerta. Apareció de repente. Me besó en la mejilla y lanzó su cartera sobre el sofá. Se quitó las botas sin apartar la mirada de la pantalla. Sus labios estaban fríos. Me sentí descubierto, delatado. No sabía qué decir ni cómo reaccionar. Su pregunta no tenía malicia; era una duda curiosa, desinteresada (Atilio decía que las mujeres nunca hacían preguntas inocentes). En aquella ocasión, la verdad se presentó como la estrategia más asequible: «Es Carla Valeria, la hermana de Alo». «¿Alo?», preguntó desnudándose. «Sí, Alo, Alejandro, mi pana del edificio». «Ese fue tu amigo el que se mató, ¿no?». Nunca antes había sentido tanto desprecio por Elena. Por supuesto que sabía quién era Alejandro; su retórica de olvidos me llenó el corazón de bilis negra. Respondí impasible: «Sí, Elena. Alo fue mi amigo que se mató». «Ah», dijo como enterándose, como si el mayor trauma de mi juventud hubiera sido para ella una noticia reciente. «Está grande —dijo—. La recuerdo como una carajita. ¿Y está en Caracas?». «No sé, no tengo idea, acabo de contactarla». «¿Qué edad tendrá, diecinueve, veinte?». «No sé, ni idea. ¿Tú qué tal?». «Normal, un día normal. Me caigo del sueño, me baño y me acuesto. ¿Me haces un té?». Afirmé. Cerré la ventana de la foto. Fingí trabajar en otro asunto. Elena, entonces, asomó la cabeza desde la puerta del baño: «Gabriel, ella iba con él, ¿no?». «¿Qué?», respondí aburrido. «¿Ella iba con él en el carro? Carla iba con Alejandro, ¿no?». Tenía que estar jodiendo. No podía haberlo olvidado. Solo habían pasado siete u ocho años. No hablábamos mucho de ese asunto. Tragué saliva gruesa, amarga. Los recuerdos me humillaron.

VI

«No te preocupes, sé que eres de los raros».

EL DIABLITO

1

«Soy homosexual, Gabriel —había dicho Javier tras una reunión en la sede de la OIJ—. ¿Tenés algún problema con eso?». «No», respondí impasible. Desayunábamos. Hablábamos mal de Kyriakos. Su confesión, en principio, me sorprendió. No parecía homosexual; él era, como diría Atilio, un marico serio. Javier solía ser muy crítico con el discurso apologético y libertario de los géneros. Ese punto de vista, en parte, motivó sus desencuentros con Mariana. Él odiaba la posición de las locas, el exhibicionismo del gusto, el gay *parade*; decía que era legítimo y digno enamorarse de otro hombre sin la necesidad de hacer el ridículo. Tampoco le gustaba la palabra minoría; decía que todo aquello no era más que un artificio político con el que pretendían enriquecerse los maricones más ambiciosos. «Una cosa es ser marica y otra ser maricón, Gabriel —comentaba con más confianza—. Y te puedo decir que en este mundo hay muchos infelices que utilizan sus preferencias sexuales como una minusvalía». Todo lo que Mariana admiraba y exportaba era condenado por Javier. El yonqui Pablo, por ejemplo, artista plástico vecino de la oficina, era a los ojos de Mariana un pintor incomprendido cuya propuesta se fundaba en la transgresión y la construcción de una nueva identidad; para Javier era un vulgar comediante, un pintor de brocha gorda, drogadicto y mediocre. Durante los años que trabajamos juntos solo tuve tres o cuatro conversaciones con Javier. Tenía un sentido del humor lacerante, desengañado. Sabía reconocer a distancia a los altruistas de sofá, a los ecologistas de Discovery. Él era el mejor interlocutor en las cenas de buena voluntad que, en Navidad o Año Nuevo, convidaba la gente de Unicef. Fue justamente en una de esas reuniones donde conocí a su amigo el Diablito.

El Diablito era una loca, una *drag queen* que, me enteré entonces, tenía un espectáculo nudista en algún agujero de Chueca. No eran pareja pero a primera vista se intuía el interés común, el coqueteo. Aquel amigo estrafalario refutaba muchas de sus objeciones. A su lado, Javier parecía cómodo e incómodo, con una rara mezcla de fascinación y vergüenza, de gusto repelente. En Caracas solía sucederme algo parecido con las monas, con aquello que en la Venezuela noventera, de manera natural y despectiva, era conocido como mona. Todos mis amigos sifrinos refutaban esa pulsión, todos excepto Atilio. «Las que están más buenas son las monas», solía decir el Gordo. La mona, en Caracas, era la mujer ordinaria y mal hablada que exhibía sus bondades con faldas de *jean* cortas (marca Didijín) y camisitas ceñidas que sostenían a presión enormes implantes de silicona. Pocas cosas me generaban más placer contemplativo que una mona, pero en la práctica mi espíritu conservador y casero excretaba el instinto; no en vano me había casado con una aristócrata portuguesa. Supuse que Javier tenía un problema parecido con su amigo el Diablito.

Desde los tiempos del máster en Cooperación Internacional me acostumbré a lidiar con gais y lesbianas. Yo, blanco (café con leche, en realidad), heterosexual y católico, era el extranjero, el bicho raro. Además, mi condición de hombre casado estimuló eventuales reticencias. En los últimos años me había tropezado con personas muy parecidas al Diablito; gente que por alguna razón, disimulada tras kilos de maquillaje, buscaba su identidad en un disfraz o en un nombre falso. En la ONG, por mediación de Mariana, tuve la oportunidad de conocer a Acuamán, a la Mujer Maravilla, a Cheetara, a la enana Willow, a la Chilindrina y, entre otros a la maestra Jimena. Sin ser homofóbico era un tipo muy torpe. A veces no sabía cómo expresarme de manera natural en el entorno *queer*. Mariana era el *crack*; ella sí sabía encontrar a la persona detrás de la máscara, al individuo disuelto en el alias. Javier era diferente.

Muchas veces, además del trabajo burocrático, debía servir de mediador entre los egos de Javier y Mariana. No se soportaban; sus nociones de género y sexualidad se sustentaban en bibliografías antitéticas. El caso de las tarjetas podría ilustrar los temperamentos disímiles de mi equipo de trabajo, los desencuentros cotidianos. Fue Eleonora quien se dio cuenta; durante dos semanas alguien había estado robando el correo postal de la oficina. Mariana había reclamado a su banco el retraso por el envío de su tarjeta de crédito; Javier y yo estábamos en la misma situación pero no nos dimos cuenta de la irregularidad. Consecuencia: nos robaron. Alguien interceptó el correo, sacó las tarjetas de crédito, copió los pines y durante quince días saqueó nuestros limitados ahorros. *Maldita sea*, me dije. Sabía que el problema real debía confrontarlo con Elena. Pusimos la denuncia en la policía e hicimos el reclamo en el banco. La evidencia era sólida; el seguro nos garantizó la devolución integral de nuestro dinero. El problema en la ONG vino después. La policía tenía tres sospechosos vinculados al servicio postal. Ignoré la trama; solo quería mi dinero, me daba lo mismo saber quién había sido. Una tarde cualquiera escuché los gritos. Mariana y

Javier se insultaban. «¿Qué pasó ahora?», pregunté con fastidio. «¡Racista de mierda!», dijo Mariana antes de tirar la puerta. Luego, en el bar de los viejitos, Javier me contó su versión.
El conflicto explotó por la nacionalidad de los sospechosos: un
español, un ucraniano y un boliviano. Javier se decantó por los
dos últimos; Mariana se molestó por la inferencia. «¿Por qué
tiene que ser el boliviano? ¿Por qué no el español?», le preguntó. Poco a poco alzaron la voz; comenzó la trifulca. Javier me
mostró las fotos que le entregó la policía. Callé mi apreciación:
el ucraniano tenía cara de malandro; el español era un equis;
el boliviano, un indio. Quizás, advertido por el reclamo de Mariana, evité proyectar cualquier tipo de aritmética racista. «¡Qué
carajo! Ya nos robaron. ¿Qué importa?».

2

Tras el deslave, cambió el curso del Inírida. El mundo se detuvo, comenzó a girar en sentido contrario. La solidaridad de los
hombres suele ser tan efímera como la intensidad de un sismo.
Pasado el trauma, sepultados los cuerpos en el mar, construi-
das las trochas de cemento, militarizada Tanaguarena y abierto
el acceso al aeropuerto, La Guaira pasó a ser patrimonio del olvido. Los muñecos de lodo solo permanecieron en el recuerdo
de sus familiares cercanos. La emergencia devino en amarillismo. Con el paso de los días, el interés común dio lugar al abu-
so y la indiferencia. En Navidad y Año Nuevo ya circulaban por
Santa Mónica los habituales chistes con los que el malviviente
acostumbra disimular la miseria de su espíritu. «¿Y tú cómo sabes que La Guaira *era* lejos?», preguntaba algún jodedor en el
quiosco de los peruanos dando un matiz de juerga al refranero
popular. La Guaira se transformó en un eventual *qué bolas*, en
un comentario de denuncia contra la ineptitud política, en una
de tantas efemérides en las que se celebra el triunfo del olvido.

Enrique Vivancos los encontró. Mis amigos aparecieron en el aeropuerto de La Carlota. Todos, a excepción de Fedor, estaban cubiertos de barro, rasguños y hematomas. Aunque en la forma eran ellos, se habían convertido en otras personas. A veces, incluso, parecían odiarse. Nunca hablaron de la tragedia. Solo Atilio, muy de vez en cuando, hacía referencia a un relato incompleto, a una impresión vivaz. El deslave es un recuerdo coral en el que se mezclan sentimientos contradictorios. La envidia se apoderó de mis insomnios. Me habría gustado ser testigo del holocausto, estar con ellos en medio del desastre. Imaginé que sus silencios eran una denuncia, un reclamo contra mi ausencia, un insulto a mi enfermedad.

El cambio coincidió, además, con la aparición del nuevo mundo: la universidad. Martín y yo entramos a la Escuela de Derecho de la UCV. Alejandro había desaparecido en la bruma distante de Montalbán, en la Universidad Católica. Fedor, en horario nocturno, estudió Letras y Atilio, siguiendo el ejemplo familiar, había comenzado la carrera de Medicina. La variedad de horizontes reforzó nuestra dispersión. Yo no quería estudiar Derecho. No sabía qué quería estudiar, me gustaba todo y no me gustaba nada; mis preferencias carecían de pasión, no tenía caprichos. «¿Por qué no estudias Derecho? Aunque no te guste, podrás tener algo importante: trabajo», comentó la Nena Guerrero durante algún almuerzo. Lo pensé poco; su blando argumento me convenció.

Alejandro se convirtió en una sombra. En vano traté de hablarle, de pedirle que me contara lo que había pasado. «Nada, Gabriel, nada. Te estás inventando cosas, deja la ladilla», repetía con frecuencia. No le creí, lo conocía demasiado bien. Con el paso de los días logré entrever los intersticios; me di cuenta de que había un más allá, una razón oculta. Tendría que esperar un año para saber la verdad.

3

Un extraño suceso me hizo reconsiderar las preocupaciones del Diablito: la *laptop* de Javi desapareció. Solo habían pasado dos días desde que la Guardia Civil había anunciado el hallazgo del cuerpo. Eleonora dijo que el portátil se lo había llevado una persona de mantenimiento. El asunto me llamó la atención, no sabía que existiera un departamento de mantenimiento. Le comenté mi inquietud a Mariana más por curiosidad que por interés en denunciar un problema. «¿Mantenimiento?», preguntó absorta. Inmediatamente llamamos a Kyriakos. Supimos, entonces, que la oficina había sido víctima de otro robo. Eleonora se puso muy nerviosa, dijo que el hombre que se llevó el equipo tenía una credencial de Unicef y que preguntó específicamente por el terminal de Javier Cáceres. La secretaria dio una descripción aproximada del falso técnico pero en el fondo todos asumimos que la *laptop* se había perdido para siempre.

«¿Vienes a mi casa?, lo que te comenté está en un archivo PDF, es algo en lo que Javier estaba trabajando», dijo el Diablito disfrazado de vampiro. El espectáculo tenía lugar en el Club de los Poetas Publicistas. Aquel día permanecí en la oficina hasta tarde. No quería regresar al apartamento. Revisé informes, releí documentos viejos, reimprimí la lista de los muchachos preseleccionados para el congreso. La desaparición de la *laptop* y la advertencia del Diablito sugirieron incómodas preguntas. El puesto de Javier estaba igual a como él lo había dejado. Una chaqueta marrón permanecía colgada del asiento. Su mesa estaba ordenada, muy ordenada. El archivador estaba etiquetado y separado por colores. Revisé los papeles acomodados en la primera bandeja. No había nada extraño: presupuestos, correos de la Unesco, *forwards* de Save the Children, modelos de campañas inútiles. Al lado del escritorio había un corcho con recortes de prensa: artículos contra Sarkozy, humillación de mapuches, oposición a Piñera. BlackBerry, Elena: «Me siento mal. ¿A qué hora vienes?». *¡Qué ladilla!*, me dije. «Se cayó el sistema y debemos pasar a mano alguna información. Tengo que mandar esto a Acnur antes de medianoche», mentí. Busqué un cigarro en mi bolsillo y tropecé con la tarjeta del antro. Salí de la oficina, decidí caminar.

Encontraría al Diablito en el Club de los Poetas Publicistas. En primer lugar, me sorprendió el acento familiar, la velocidad del habla. El bar estaba repleto de venezolanos. Una melodía ochentera, que algún lugar de mi memoria conservaba intacta, rebotaba contra las paredes. Era un local pequeño. La decoración *queer*, con afiches anacrónicos de Guillermo Dávila y Adolfo Cubas, saturaba el pasillo de neón; un neón incompleto que con parte del púrpura quemado imitaba los colores del arcoíris. Al llegar a la barra pedí una cerveza. Al fondo, sobre un escenario improvisado estaba un viejo igualito a Rafael Alberti. Nunca he leído a Alberti. Aquellos días, había visto un programa en Telemadrid sobre la trayectoria del poeta y por esa razón me resultó fácil identificar el parecido. Frente amplia, boina, pelo blanco, largo, patillas pobladas. Logré precisar la canción de fondo: Karina, «La noche es mágica». *¡Dios!*, me dije. Fragmentos del Inírida me estallaron en la cara. Caí en cuenta de que aquel agujero de Chueca era un inventario *kitsch* de las vergüenzas y olvidos de Venezuela, una parodia de Caracas. Los fines de semana, leí en un programa pegado en la pared, tenía lugar el Miss Venezuela, evento en el que participaban irreverentes transexuales. También leí que la noche de mi visita solo tendría lugar el recital de los poetas publicistas. Ordené otra cerveza y le pregunté al barman por el Diablito. Me dijo que llegaría más tarde. Fue entonces cuando apagaron la música y el clon caraqueño de Rafael Alberti inició su declamación. Las luces del antro se enfocaron en la estrella, grupos de locas se sentaron en círculo alrededor de la tarima, sifrinas preciosas se apoyaron en la barra. «Chama, esto es demasiado, te vas a cagar de la risa», dijo la más chiquita. Se escuchó un piano. Rafael Alberti aspiraba un habano. Luego, acercándose levemente al micrófono, con tos fingida, mencionó: «Ronco... nos gusta más... porque se hace con cariño». Se retiró. Aplausos. Efusiones. ¡Bravos! *¿Qué es esta mierda?*, me pregunté. Alberti, entonces, alzó los brazos hacia el techo y recitó el siguiente poema. Expresión de angustia, voz triste: «Cuando te pongas los nuevos zapatos Kickers... se te van a caer las medias». Y volvían los aplausos. Toda la noche transcurrió en una sucesión de poetastros que se montaban en la tarima para recitar eslóganes de comerciales de los años ochenta y noventa. Una de las muchachas comentó que en cualquier momento comenzaría un ingenioso espectáculo nudista. El Diablito seguía sin aparecer. «¿A qué hora vienes?», insistía Elena. No respondí. Los poetas publicistas continuaron con el espectáculo. Una doña mayor, autodenominada Rafaela Cadenas, cantó: «Me levantan de la cama / no me puedo parar / a llevar a mis hermanos a comprar / al carro todos / que van a salir a buscar la ropa que van a elegir —y con una entonación trágica, con la mano en el pecho, continuaba— B – A – M – B – I – N – O, Bambino. / La pinta, la moda, mucha calidad / y los zapatos Bambino / qué nota nos dan —sensación de derrota, acento trágico—. Qué chica tan preciosa / para dónde irá / y ella muy coqueta, voltea y me contesta / B – A – M – B – I – N – O, fino, fino, con Bambino». Aplausos efusivos. *¡Maldita sea! ¿Dónde me metí?* Madrid es una ciudad extraña. Una de sus más curiosas particularidades es la capacidad de albergar en una misma cuadra espacios de abstracción extrema como aquel llamado Club de los Poetas Publicistas. Si alguien me lo hubiera contado no lo habría creído. Sin embargo, debo decir que tuve la oportunidad de presenciar en primera fila aquel extraño recital de cuñas, de recuerdos infaustos, de memoria mediocre y mal hecha pero, sin duda, exclusiva. El barman me pasó un papel; el Diablito llegaría en menos de una hora. El club, poco a poco, se llenó de venezolanos, muchos venezolanos. Durante la espera, recordé una clase del máster en la Complutense, alguna exposición sobre los exilios contemporáneos. Mi memoria, entre humo y fanfarrias de Cada, Central Madeirense y Cerámicas Carabobo, visualizó láminas de PowerPoint en las que se comparaba el exilio venezolano de 1995 con el de 2009. La diferencia era radical. Un tal Gilbert Correa recitó: «Tu mirada me vuelve loco / para verte solo quiero verte así». En 1995, Venezuela solo era parte de un lote migratorio, un país más perdido en un bojote, un porcentaje del conjunto. «Tu mirada me enamora / con estilo y variedad frente a mí». Para 2009 habíamos alcanzado la tercera plaza. Oro: Ecuador, plata: República Dominicana y luego, lejos, muy lejos, fuera del lote impreciso de los errantes latinoamericanos, ostentábamos el orgullo del bronce. «Tu mirada, solo tú / lo mejor... ante mis ojos eres tú». Diez minutos después comenzó el *show* nudista: cubierto con una toalla, arrastrando una aspiradora por el escenario, apareció el amigo Electrolux.

El Diablito llegó a la medianoche, tenía una capa negra. Sostenía en sus manos un paquete de colmillos de plástico. «¿Qué clase de hueco es este? No puedo creer que esta vaina exista», comenté. Para entonces, ya había terminado el desnudo artístico del electricista. No sé qué respondió. No quise perder tiempo. «Háblame de Javi». «¿Qué quieres saber?». «¿Sigues pensando que le pasó algo? ¿Crees que no se suicidó?». «No lo sé», dijo pausadamente. Ordenó un *cosmopolitan*. «¿Ustedes eran novios?», pregunté. «No —dijo—. Salimos varias veces pero no éramos novios. Él tenía su pareja desde hace muchos años. Un viejo que vive por el metro de Bilbao. David no sé qué, yo no lo conozco. Aunque, durante las últimas semanas,

Javi estuvo viviendo en mi casa». «Me contaste algo sobre el trabajo. Dijiste que él estaba preocupado por algún asunto». El Diablito asintió. «¿Vienes a mi casa? —preguntó de repente. Notó mi incomodidad. Luego se burló—. No te preocupes, sé que eres de los raros. No voy a abusar de ti, Gabriel. No te voy a hacer daño». No sabía si reírme o tirarle un coñazo por prudencia. El machismo sociológico es una herencia fuerte. Nada más imaginar que Atilio o Fedor pudieran verme en el Club de los Poetas Publicistas me generaba sendas arcadas de vergüenza. Inmerso en mis prejuicios no le respondí. «Hay algunas cosas en la computadora, cosas que no entiendo, cosas que lo alteraron mucho. Él había estado hablando con una periodista gringa o inglesa de la BBC. Una mujer llamada Andreína o Andrea algo... Savard. Sí, el apellido era Savard. Sé que era algo que tenía que ver con un archivo en PDF, no sé mucho más», dijo el Diablito. «¿Qué te hace pensar que Javier estaba preocupado por eso?». «No lo sé, me gustaría que lo vieras tú». «¿Por qué yo?». «Porque Javier confiaba en ti. Decía que esa ONG era una oficina perversa y que tú eras una de las pocas personas en las que se podía confiar. Él también respetaba a la tal Mariana pero decía que estaba demasiado loca. Entonces, ¿vienes a mi casa?».

4

La verdad está inscrita en los detalles. Hay significados ocultos en lo que no se dice, en los gestos extraños, en la manera de hablar. Me acostumbré a que Alejandro me botara el culo. Alo parecía enfocarse exclusivamente en la universidad; asimilarse a una rutina ajena a nuestro imperio en decadencia. Algunas veces, dejándonos llevar por la inercia de las costumbres, nos reuníamos en su casa a jugar *Super Soccer*. Eran reuniones extrañas, sin cerveza, sin monólogos de Atilio. En una de aquellas jornadas de Nintendo ocurrió algo extraño e incómodo. Solo fue una frase suelta, una mirada, un conjunto de palabras que por primera vez me hizo sentir miedo. No me asustó el contenido, me intimidó la forma, la cal en los ojos. Atilio y Fedor masacraban sus dedos en un igualado Brasil-Argentina. Yo daba vueltas por la sala, caminaba del balcón a la biblioteca esperando mi turno. De repente, escuchamos las llaves en la puerta. La señora Lili entró al apartamento cargada de bolsas. Carlita apareció detrás de ella. Su aparición explosiva me tomó por sorpresa. La niña gritó mi nombre, corrió hasta la sala con los brazos extendidos, pegó un salto acrobático, se me guindó del cuello, enredó sus piernas en mi cintura, perdí el equilibrio y caí explayado sobre el sofá de mimbre. En el vuelo, me golpeé la cabeza con la baranda. Carla me besó las sienes; estaba eufórica y contenta. Se fue con el mismo ímpetu con el que llegó; se levantó, dijo algunos insultos al Gordo y se perdió en el pasillo. Los demás, abstraídos en el partido, apenas se interesaron por el episodio. Me sentí incómodo. Sin duda, estaba más grandecita, su pecho infantil comenzaba a inflarse. Mi mano sintió un ardor; recordé el tacto de la noche trágica, censuré mis pulsiones. Tras un grito de la señora Lili, Carla regresó a la sala y la ayudó a llevar las bolsas a la cocina. Desde el balcón, Alejandro me observaba con displicencia. Aquella madrugada, tras despedir a los amigos, él y yo nos quedamos jugando. Por lo general, solíamos contarnos la vida entre partido y partido, entre duelos comunes contra la máquina. En esa oportunidad solo se escuchaba la presión de los dedos sobre los controles, la narración en inglés. De repente, un tiro libre. Hice una falta al borde del área. Alejandro, en un eterno cero a cero, tenía la oportunidad de chutar a puerta. Apreté la B, reforcé la barrera y coloqué al portero cerca del segundo palo. Alo, entonces, pulsó *pause*. Me miró a los ojos. «Bicho, una cosa». «Dime», respondí interesado por el número de jugadores en la barrera. «Es sobre Carla». «Dime, Alo», dije tranquilo, alienado en las imágenes del televisor. Tragó saliva: «Te hablo en serio, Gabriel. Si te vuelvo a ver sadiqueándote a mi hermana... te mato». Sus ojos volvieron a la pantalla. Apretó A e hizo un gol que no celebró.

5

Leí el documento con interés amarillista. No decía nada. El contenido era intrascendente. Se trataba de un tríptico, un catálogo informativo sobre una ONG llamada Los Caminos de la Libertad con sedes en América Latina y en África que trabajaba a favor de la infancia abandonada. En la foto aparecían unos carajitos formato filantrópico: negritos sonrientes, indiecitos mapuches, mayas amables. El eslogan era patético, algo así como *ayúdalos a ser felices*. Javier solía ser muy crítico con ese tipo de retórica filantrópica-risueña, con el *deber ser* de la humanidad que, según él, de manera taimada solo lograba acentuar las diferencias. Javier decía que, en este medio de hipocresía naturalizada, no había nada más peligroso que un charlatán con plata dispuesto a pagar lo que sea por salvar el mundo. Mi trabajo consistía en interactuar día a día, hora tras hora, con estos comerciantes de la alegría, quienes por lo general asumían que un niñito congoleño había de ser un infeliz para siempre por el simple hecho de haber nacido en el Congo. En el máster, al margen de los trabajos serios de una minoría, tuve la oportunidad de ver las aproximaciones teóricas más superficiales e ingenuas sobre conceptos como pobreza, exclusión o desarrollo. Algún infeliz, incluso, planteó en una presentación de PowerPoint construir un parque de atracciones en Burkina Faso para llamar la atención del turismo internacional. Turismo para África: «el futuro de un continente está en tus vacaciones». El desalmado (que, por cierto, hablaba muy en serio) proponía construir montañas rusas con motivos temáticos negroides. Lo peor de todo es que aquella propuesta, acorde en su marco teórico con los intereses del milenio descritos por la Unesco, obtuvo la matrícula de honor y se comentó que la idea se le plantearía de manera informal a un equipo de gestores de la Aecid. La ONG Los Caminos de la Libertad, el objeto de estudio que según el Diablito llevó a Javi a la perdición, parecía asimilarse a esa escuela contemplativa de la falsa bondad.

Fue durante esos días cuando retomé el contacto con la niña más hermosa del mundo. Le escribí un *inbox* breve, un saludo cortés, un *cómo estás* educado. El día después de mi reunión con el Diablito, tras la vibración del bolsillo, leí el nombre de Carla en la pantalla del BlackBerry. Sentí un estremecimiento. Oculté el aparato bajo el escritorio con la extraña convicción de que hacía algo indebido. Leí el mensaje: «Hola, mi Gabo. ¿Cómo estás?». Suficiente. Aquello bastó para volverme mierda, aquel *mi Gabo* hipotecó un centenar de nervios, destruyó series de neuronas. Continué con la lectura: «sigo en Caracas, a mi pesar. Voy con frecuencia a Barcelona. ¿Tienes BlackBerry? Agrégame. Mi pin es 0603c06. Un besito, Gabo. Con mucho cariño, tu Negrita. Ja, ja, ja. *MUAK*». Baleado, disparo al tobillo, dislocación del hombro, respiración atolondrada. El aparato, abandonado en mis manos, tembló de nuevo. Recibí aquella vibración como un *electroshock*; era Elena, quería recordarme que aquella noche teníamos una cena con nuestros únicos amigos del exilio, Ramiro y Adriana.

VII

«Hola, Hemicraneal».

CARLA

1

¿Adopciones ilegales? What the fuck, me dije. Encendí un cigarrillo. Mis intentos por dejar de fumar habían fracasado. El trabajo atrasado dejaba poco tiempo para el juego detectivesco. La información era dispersa. Las palabras del Diablito me habían dado parte de la clave: Savard, BBC. El folleto en PDF, correspondiente a la ONG Los Caminos de la Libertad, completó la información, el resto lo hizo Google. Buscar: Savard / BBC / ONG (Aproximadamente 1.810 resultados. 0,27 segundos). Nada. Noticias, artículos de prensa, *blogs* activistas, agroturismo, editoriales anarquistas. Tras revisar los listados logré precisar un nombre: Andrea Savard, columnista de la BBC, especializada en Derecho Internacional. Releí el PDF e improvisé otros ensayos: Savard / BBC / ONG / infancia. «Gabriel, Kyriakos quiere el presupuesto del hotel, lo necesita para antes de ayer», dijo Mariana con cordialidad nazi. «Dame cinco minutos, Nana. Ya te lo paso». Documentos>Carpeta>Congreso de Juventudes>Presupuestos. «¿Con desayunos o sin desayunos?».

«Sin». *Qué hijo de puta*, pensé. «Ya te lo mando». Y de nuevo el laberinto Google. Encontré artículos sobre gestiones humanitarias, cooperación, planes específicos de Acnur en las tragedias del Índico y de Haití. Andrea Savard recientemente había escrito un ensayo sobre el terremoto de Chile. «Javier estuvo hablando con una periodista británica», repetía la voz imaginaria del Diablito. Volví al folleto. «Los Caminos de la Libertad: ¿Adopción?», leí en el catálogo. Google. Buscar: Andrea Savard / *adoption* / BBC. (Aproximadamente 988 resultados. 0,15 segundos). Casi todos los artículos estaban en inglés. El primer listado incluía un título en español. www.elpais.es: «Periodista británica denuncia casos de adopciones ilegales en Haití». Regresé al catálogo de Los Caminos de la Libertad. Las sonrisas de los niños hicieron un guiño de sospecha, algunos parecían pedir auxilio.

2

Conocí a Elena Rodrigues en el cafetín de Faces en la UCV. Ordené un café y un Cocosette. Registré mis bolsillos, exploré mi cartera hasta el fondo pero no encontré nada. Volví a revisar. Nada, no tenía plata. La cajera me miró con repudio. La cola era larga. Elena estaba detrás de mí. Abrí el morral, estaba seguro de que tenía dinero suelto. Elena se aburrió, pagó. Hasta ese momento solo la conocía de vista. «Me lo pagas mañana», dijo. Así fue. Nunca imaginé que nuestra relación sería prevista como parte de una transacción comercial. Ocurrió en el primer año de la carrera. Ella estudiaba Economía. Era bonita, extraña, de cabello castaño con incisos rojos, piel blanca, muy blanca. Disimulaba sus pecas y lunares con pegostes de base. Elena era hija de portugueses. Realmente era hija de portugués ya que sus padres se habían separado hacía mucho tiempo y ella vivía sola con el viejo. El señor Agustín, el papá de Elena, no representaba el arquetipo del portugués criollo; él pertenecía a ese grupo selecto que Atilio, en son de burla, denominaba Generación Excelsior Gama o portugueses de paltó. Comerciaba con vinos: exportación, distribución, etc. Cuando conocí a Elena, ella y su padre estaban considerando la idea de regresar a Portugal; era un rumor, una alternativa posible ante el inminente desastre revolucionario que los comerciantes europeos intuyeron a primera vista. Nos acostumbramos a almorzar juntos, a dar vueltas por Tierra de Nadie, a sentarnos a conversar en la piscina de la UCV, a escaparnos a los cines del Concresa. Me gustaba mucho, era diferente. No tenía que ver con mi limitado micromundo; ella no pertenecía a mi ridículo castillo de arena. Santa Mónica, para entonces, había desaparecido.

3

«¿Qué?», pregunté con desgano. «Tienes que hacerte los exámenes, Gabriel. Todas mis pruebas están bien. Tenemos que saber si eres tú el del problema». Había pasado toda la tarde con dolor de cabeza. El *affaire* de las adopciones ilegales, asunto inconcluso que no me llevó a ninguna parte, me provocó una fuerte migraña. El exceso de cigarros también me cayó mal, el estómago se me llenó de humo. El resto del día lo pasé eructando nicotina. El dolor de cabeza se afincó detrás de los ojos. Quería descansar, no hacer nada. Cuando llegué a la casa Elena me esperaba con varios exámenes médicos dispersos sobre la mesa. «Te pedí cita para el martes de la semana que viene al mediodía, ¿puedes?». «Elena, la oficina está colapsada, no tengo tiempo, tenemos el congreso encima. Sin Javier tenemos el doble de trabajo. Cancela esa cita, no tengo tiempo». «Es importante, Gabriel. No solo para mí, es importante para los dos —me tomó las manos, comentó detalles ginecológicos que preferí ignorar e insistió en su propuesta—. Tienen que hacerte un conteo de espermatozoides, un análisis general». Me besó en la boca sin interés, como siguiendo un guión. «O sea, que tengo que ir a hacerme la paja a la clínica». No le gustó el chiste, me dio la espalda e hizo una mueca de desprecio. «Haz lo que quieras, Gabriel. Se supone que lo habíamos hablado». *¿Cuándo? ¿Cuándo lo hablamos, Elena? ¿Cuándo hablamos qué?*, me pregunté. El dolor alcanzó mis oídos, un insoportable pito se instaló en la base del tímpano. «Elena, coño, escucha. Ya estuviste embarazada una vez; se supone que de mi parte todo funciona. Si fuera estéril, tendría que suponer que el año pasado me montaste cachos», dije con un tono intermedio entre seriedad y burla. «Sí eres imbécil — respondió—, nadie está diciendo que seas estéril, es solo para poder hacer un diagnóstico y seguir un tratamiento eficaz, no es nada del otro mundo». Se detuvo en la puerta del cuarto, recostó su cabeza sobre el marco. En ese momento me pareció una extraña, una vendedora que esperaba el vuelto de la pizza. «Si quieres tener hijos, hay que hacer una cosa muy básica, Elena —dije obstinado—: tirar. Lo demás es carpintería. —Intentó hablar y la interrumpí—. Pero para tirar en esta casa hay que pedir una cita —me acerqué con espontánea violencia. Alcé la voz por mero reflejo, sin afán de dañarla—. Si quiero tirar contigo la semana que viene, tengo que hacer una solicitud por Internet, hacer un depósito en el banco o esperar a que llamen del seguro, ¿no?». «¿Estuviste fumando?», preguntó con indignación. «¿Qué?». Su impertinencia me sacó de quicio. «Lo que faltaba», agregó. Comenzó a desvestirse. «Ah, qué carajo, sí estuve fumando y qué coño'e madre. ¿Cuál es el peo? Es más, me voy a comprar cigarros. Ya vengo». Salí de la casa. Tiré la puerta. *Maldita sea.* Odio hacer números dramáticos. Se suponía que quería llegar a mirar el techo, a perder el tiempo, a seguir especulando sobre la extraña desaparición de Javier y la posibilidad amarillista de descubrir una red internacional de pederastas. La presión en las sienes me hacía caminar con torpeza. Dolía la luz en los ojos. Decidí dar una vuelta por el Centro Comercial Arturo Soria. El BlackBerry vibró en mi bolsillo. Carla: «Hola, mi Gabo. ¿Estás?».

4

Santa Mónica había desaparecido. En su lugar, se erigió una urbanización extraña y balcánica. La realidad, vapuleada por aguaceros, impuso novedosos referentes: troneras en medio de la vía, aceras rotas y árboles caídos cuyos troncos rellenos de bachacos quedaban aparcados en las esquinas al lado de las paradas de los carritos por puesto. La conciencia, por lo general, no atiende a las cosas insignificantes; solo cuando esos detalles inútiles se acumulan nos encontramos perdidos en un mundo ajeno, en medio de un universo desconocido. Todas las mañanas de mi juventud universitaria cubrían, vía Bolet Peraza, la ruta Inírida-UCV. Un día cualquiera, varado en la esquina de la Lazo Martí, al lado de la línea de taxis Las Estrellas, me enegueció la lucidez. El mundo se mostró tal cual era. Asimilé, en principio, que el viejo Parsamón ya no se llamaba Parsamón, a pesar de que todo el mundo se refería al nuevo edificio por su nombre de pila. Nuestra mole de zinc (cancha de futbolito, fuente de soda, patio de recreo) desapareció sin levantar mucho polvo. Hacinado en el tráfico, adscrito al efecto letárgico de la revelación, una súbita cosquilla me hizo girar la cabeza hacia la derecha. Allí, en el lugar del caído, encontré un atroz edificio de ladrillo llamado Centro Comercial Plaza Santa Mónica. También distinguí un arco de sombra tallado en el piso; un trazo de oscuridad que tenía la forma de la letra M. Aunque ya había ido dos o tres veces, descubrí el gigante letrero de McDonald's que, con el paso del tiempo, se convertiría en el principal punto de referencia para orientar a los extranjeros. Mi imaginación romántica seguía aficionada al Parsamón. En aquella espera reflexiva busqué todas las cosas que habían dejado de existir. *¡Qué bolas!*, me dije. Hice un repaso a través de la ausencia: el primero en largarse fue el señor Julius, el viejo de la librería. De un día para otro, sin llamar la atención, las paredes de cristal de Goli-Goli, Mi Juguito y la floristería Matuja (excéntrico lugar atendido por una loca llamada Francis) fueron crucificadas con tirro; los viejos comercios se llenaron de polvo. El Supermercado Victoria ofreció una burda resistencia; los clientes, incómodos por el olor rancio y las verduras podridas, preferían hacer su compra en los abastos cercanos, en el Aldebarán de Cristalina o en el Gloria de Gregorio. El Victoria murió de inanición y tras su hundimiento voluntario el Parsamón se convirtió en un cementerio de acero. Un día desperté y no estaba. No hubo explosión, no hubo grúas ni ingenieros. El quiosco de los peruanos, al otro lado de la vía, lo habían cambiado de acera. Los peruanitos, los hijos de la señora María, se habían convertido en saludables adolescentes. Inicié, entonces, una revisión mortificada e hiriente de todo lo que había pasado en mi Santa Mónica conversa, en el viejo barrio violado por el tiempo. Caí en cuenta de que mi calle, la Marco Antonio Saluzzo, había sido protegida por dos casetas de vigilancia: una arriba, a la vera del Kalmar, y otra abajo, en la entrada del Caura. Todos los vecinos hablaban con temor de la inseguridad. Se decía con estupor que la instalación del terminal de La Bandera en la frontera sur, más temprano que tarde, convertiría a Santa Mónica en una fábrica de putas y malandros. Las viejas farmacias cambiaron de nombre. Todas alternativamente pasaron a llamarse Farmatodo y Farmahorro. En esos días, la ranchera verde de Enrique Vivancos se accidentó en la puerta de su casa, nunca más encendió; se quedó varada para siempre. El viejo transporte se llenó de polvo y pintas incendiarias talladas en los cristales. La avenida Principal (la Arturo Michelena) se convirtió en una parodia de

Las Mercedes. Comercios luminosos se apropiaron las calles: panaderías, clínicas, licorerías, restaurantes, areperas, talleres mecánicos. Recuerdo que en la calle anterior al Cristo Rey comenzó a funcionar un colegio pequeño, una casa de ladrillo sobre la que apenas podía leerse el nombre de Paul Harris. Y así todo, Santa Mónica y Caracas, en una especie de aceleración irresponsable, se convirtió en improvisado vertedero, en un nuevo relleno sanitario. Nunca vi la transformación de mi barrio. De la misma manera, ausente en los compromisos universitarios, distraído en los labios de Elena, me perdí la transformación de la niña más hermosa del mundo. Carla Valeria también se convirtió en una extraña.

5

Tras el terremoto de Haití, Andrea Savard había denunciado el caso de New Life Children's Refuge: Laura Silsby, ministra de una iglesia norteamericana (líder de una agrupación de misioneros bautistas), fue detenida en la localidad de Malpasse bajo el cargo de tráfico humano. El escándalo hacía referencia a la compra-venta de treinta y tres menores de edad abandonados en los hospitales de Puerto Príncipe. Las discusiones en torno a las manipulaciones ético-jurídicas llevadas a cabo por algunas ONG dieron lugar a controversiales debates de prensa. La defensa de Silsby argumentó que los niños no habían sido robados sino adoptados por New Life Children's Refuge con la finalidad de insertarlos en un programa de adopción internacional. La ONG, amparada en el Convenio de la Haya para la Protección de la Infancia, solo había actuado como organismo mediador. Su objetivo, subrayaban los abogados, siempre había sido la felicidad de los huérfanos. Instituciones filantrópicas y activistas de oficio tomaron posición. Algunos periodistas, basados en testimonios anónimos, mostraron

cómo Malpasse, puesto fronterizo entre Haití y República Dominicana, se había convertido en el principal establecimien-
to de tráfico humano del mundo. El terremoto fue el principal
promotor de estos altruistas chimbos. Las investigaciones sacaron a la luz una extensa red de esclavitudes modernas que se
extendía hasta El Salvador, Panamá, México y Estados Unidos.

Andrea Savard también había investigado el caso de El Ar-
ca de Zoe, en Chad. Una ONG francesa, apelando al mito del
bienestar, fue denunciada por robar menores africanos con el
fin de venderlos en el mercado europeo. El sueño, poco a poco,
venció al entusiasmo lector. Revisé, en ventanas simultáneas,
centenares de páginas webs. Solo leí titulares, enlaces breves,
recuadros. Los detalles eran parecidos a los del caso haitiano.
El folleto de Los Caminos de la Libertad y la extraña desaparición de Javi me hicieron plantear inferencias morbosas. Pasé
cinco minutos debatiendo con la pantalla, masticándome el labio, con el bolígrafo golpeando la mesa de madera. Encontré
el *blog* personal de Andrea Savard a través de un enlace de la
BBC. En la descripción del perfil pude ver su dirección de correo electrónico. «Sobre Javier Cáceres», escribí en el *subject*.
«*Greetings*», ensayé con inglés instrumental. En lenguaje *polite*, respetando sangrías, expliqué que trabajaba para una oficina auxiliar de Unicef en Madrid, dije que Javier Cáceres había
fallecido en circunstancias extrañas. Hablé de Los Caminos de
la Libertad; expresé algunas dudas jurídicas sobre la constitución de aquella fundación. No hice acusaciones concretas pero
sí lancé algunos anzuelos. Finalmente, agregué que me gustaría completar el trabajo iniciado por Javier, que podía contar conmigo para cualquier asunto que considerase necesario.
«Sin más que agregar. Atentamente, Gabriel Guerrero». Cerré
con una frase hecha, con un lugar común; algo así como, tenemos que encontrar la verdad. *Send*. ¡Qué imbécil!

6

Carla Valeria dejó de correr por las escaleras del edificio. A veces coincidíamos en el ascensor o el estacionamiento. Embelesado por Elena, solía saludarla con un aséptico «Hola, Carl». Ella, también indiferente, respondía con un moderado «Hola, Gabo». Nuestros *cómo estás* eran preguntas aprendidas que cualquiera de los dos respondía con automáticos *bien y tú*. Mi presencia parecía incomodarle; me miraba con miedo, quizás con ladilla. Nunca le di importancia a su evidente desidia; pensé que serían cosas de la edad, mañas de carajita. Todas las ausencias del edificio las reemplacé con las tardes universitarias, con los besos de Elena en Tierra de Nadie. La amenaza de Alo, su frialdad, su indiferencia, también motivó mi alejamiento de la casa Ramírez.

Con el paso del tiempo Carla se volvió arisca, odiosa. Comenzó a reunirse con los parásitos del Centauro, a sentarse a fumar en el capó del Fiat Tucán de Elías, el Donero. Martín Velázquez me contó el escándalo del tatuaje. Carla se había tatuado el nombre de un pendejo en el hombro, un noviecito del Lepoldo Aguerrevere, el colegio público de Los Chaguaramos al que temíamos todos los niños del Cristo Rey. El tatuaje le produjo queloides. Se lo hizo el gordo Mantecada, un popular esperpento del Arabesco con el que, alguna vez, la Nena Guerrero perdió el tiempo dándole clases de inglés. La aguja infectada, además de una horrible mancha en el hombro, le provocó sucesivos episodios de fiebre.

Carla Valeria se convirtió en la niña disfrazada de puta que todas las noches se juntaba a fumar con la eterna canalla. Alguna vez, mientras esperaba que se abriera la puerta del estacionamiento, la vi besándose en la entrada del Orituco con el impresentable de Sergio Spadaro, un paria que construía su discutible dignidad a partir de la fama de malandro. Carla, además, se hizo amiga de Lucy, una niña del Kalmar que entre las viejas de la cuadra tenía fama de regalada y drogadicta. La situación de Carla tuvo eco en los rumores del edificio. Su nombre era habitual en las chácharas de té y pastas secas en la casa de la señora Cristina. Para entonces, las fiestas galantes de la Nena Guerrero habían desaparecido. Muchos de sus amigos aristócratas, pertenecientes a la dinastía Pdvsa, se hallaban en medio de un álgido enfrentamiento con el gobierno. Había rumores de que la empresa petrolera sería expropiada, de que el comunismo haría de las entrañas de la tierra la base natural de su reforma. Se decían muchas cosas, se exageraba, se hablaba de censuras, cierres de medios y otras represiones que, en el fondo, todos comprendíamos que no sucederían nunca. En las meriendas de la señora Cristina, además de la consecuente discusión política, se hablaba también de los problemas conyugales entre la señora Lili y el señor Ramírez. De un día para otro, la señora Lili dejó de asistir a las reuniones vecinales. La lógica interna del cotilleo la convirtió en el principal objeto de debate: «La hija de Lili se puso un *piercing* en el ombligo». «¡Esa niña se la pasa fumando con el Miguelacho, el Elías y la loca del Kalmar!». «¿Y ese tal Sergio no es mayor de edad? ¿Cuántos años tiene esa criatura?». «¡Qué horror! Y el pobre Alejandro estudia que estudia, ese niño no sale de la universidad». Cuando ocurrió el accidente Carla Valeria y yo nos habíamos convertido en dos perfectos extraños, no nos teníamos la más mínima confianza.

7

«Hola, Carl», escribí. Así empezó todo, así perdí la cabeza, así mi rutina se transformó en una dependencia enfermiza del BlackBerry, del saludo cotidiano, del «Buenos días, Carl» todas las tardes durante el almuerzo, de la naturalización del «mi Gabo», del vulnerable «Hola, Hemicraneal». Nuestra primera conversación tuvo lugar tras una de tantas discusiones con Elena. Su mera aparición me puso nervioso. No sabía qué preguntar ni qué responder. No quería parecerle un imbécil. La foto de perfil me había intimidado por completo. Recuerdo que, por algún extraño derrotero de la charla, le comenté que tenía un fortísimo dolor de cabeza. «Hemicraneal», respondió entonces. Al lado de la palabra colocó la figura de un emoticón enfermo. «¿Qué es eso?», pregunté. «Es una canción de Estopa. Es la historia de un dolor de cabeza. ¿Te gusta Estopa?». «Sí», mentí. Solo conocía dos o tres canciones a las que nunca le había prestado atención. «Escúchala. Cuando llegues a tu casa quiero que la escuches. Búscala en Youtube, es más cómodo». Escribía rapidísimo. «Háblame de ti, Carl, qué fue de tu vida». Supe que estudiaba tercer año de Comunicación Social. Vivía con su tía (la mamá de Silvia) en La Tahona. No dijo nada sobre la señora Lili. Recordé noticias siniestras: meses después del accidente los padres de Carla se habían separado. Hacía tres o cuatro años Fedor me comentó que el viejo Ramírez había muerto de un infarto. Esquivé el tema del accidente. Pregunté tonterías, cordialidades. Cité elogios clásicos, cumplidos moralistas. Le dije que estaba muy bonita en su foto de playa. Me respondió con un emoticón sonrojado y un «Gracias, mi Gabo» que me hizo suspirar como el más atolondrado adolescente. El BlackBerry no paraba de vibrar, tenía tres llamadas perdidas de Elena. Decidí ignorarla. Carla, entonces, inició un interrogatorio que respondí con cortantes monosílabos. «¿Te casaste?». «Sí». «Vives en Madrid, ¿no?». «Sí». La última pregunta, inesperada, maquiavélica, me costó responderla. «¿Eres feliz, Gabriel?». Fue la primera vez que escribió mi nombre completo. No sabía qué decirle. Tenía mucho tiempo sin saber de ella. Todavía, en mi memoria, no dejaba de ser una niña. *No, mi Carl, soy un infeliz de mierda, maldita sea, bla, bla, bla,* sería patético. No respondí. Ella intervino inmediatamente. «Yo no soy feliz. Quiero irme de esta mierda pero es complicado». Me comentó que un par de veces al año solía viajar a Barcelona. No dijo por qué razón lo hacía y tampoco se lo pregunté. «Estaré en Barcelona el mes que viene. Si quieres me escapo a Madrid para vernos un rato, para tomar un café, para que me cuentes qué has hecho con tu vida». «Me encantaría, Carl». Llamada perdida de Elena. Mensaje: «Sube, por favor. Tenemos que hablar». «Te dejo, mi Gabo, tengo clases. *MUAK*». Y así, sin esperar mi réplica, se desconectó. Cuando regresé a la casa Elena estaba llorando. Me llamó la atención por mi falta de tacto, por mi indiferencia manifiesta. Le prometí que iría a la estúpida clínica. El BlackBerry, entonces, hizo un sonido diferente. Tenía un mensaje de una cuenta personal: savardandrea@gmail.com. El contenido de aquel correo, aunque breve y escueto, me intimidó.

8

Muchas de las cosas que pasaron después, lo que en parte justificó mi admisión voluntaria en el Instituto Profesional Caracas, tienen que ver con Sergio Spadaro, el novio de Carla.

Sergio Spadaro era un inútil, uno de los tantos alumnos vespertinos de la Nena Guerrero que se dedicaba a vagar por los pasillos del centro comercial. El club de la derrota, entonces, era presidido por Miguelacho. El *daña'o* por excelencia de las residencias Centauro nunca terminó el bachillerato; se corría la voz de que Miguelacho vendía monte y que su base de operaciones se encontraba en un vivero ubicado en Los Naranjos. Elías, el Donero, era su mano derecha. Una tarde cualquiera, Elías estacionó su desvencijado Fiat Tucán en la esquina de la calle Semprún, cerca del colegio Santa Caterina; allí se dedicaba a vender, entre otras cosas, *donuts* y obleas (nadie sospechó que ejercería ese oficio durante toda su vida). Mantecada era el tercer integrante de la banda. El gordo Mantecada hacía tatuajes, colocaba piercings y decía ser baterista de un grupo que tocaba supuesto *metal*. Había, también, una muchacha rara, medio albina, con mirada de loca; las viejas del edificio le decían *la hija del militar*. Lucy era una pintoresca bulímica que, de un día para otro, se convirtió en la mejor amiga de Carla. Este grupo de pendencieros se reunía todas las noches a fumar frente al Orituco, a contarse sus miserias graciosas, su cotidianidad sin ambición. Sergio Spadaro, el último vago, era diferente. Sergio era un bueno para nada con una extraña conciencia del talento. Él fue el único que logró sacar el bachillerato por parasistemas. Su familia tenía plata por lo que, en los años de transición entre la fotografía clásica y el *boom* digital, no tenía ningún reparo en gastarse metros de película retratando pendejadas. Cuando, para escándalo de las viejas del Inírida, Sergio Spadaro se hizo novio de Carla, él estudiaba Artes Plásticas en la Escuela Armando Reverón; se decía que era mayor de edad, que era un muchacho bipolar y agresivo. Se decían muchas cosas. Se contaba, por ejemplo, que alguna madrugada de domingo una comisión policial irrumpió en el séptimo piso del Caura para detenerlo. Sergio aparentemente le había dado una paliza a Lucy; le cayó a coñazos hasta deformarle la cara. La leyenda generó una sanción legal: orden de alejamiento, caución, presidio. Aquellas historias, en boca de las viejas, tenían la falsa estructura de los cuentos de camino, de las remotas apariciones de fantasmas en las carreteras de la memoria. Sergio, el maldito, era un personaje de ficción; para mí era un pendejo invisible, un ejemplo ilustrado del fracaso. Ya para entonces mi comunicación con la casa Ramírez se limitaba a contados tropiezos en el estacionamiento. Alejandro estaba todo el día en la Universidad Católica y Carla, la niña más hermosa del mundo, pasaba las noches en el teatro de variedades del Orituco, saltando entre los brazos de Elías y Mantecada, riendo los chistes de Miguelacho y besándose de manera soez con el aprendiz de fotógrafo. Antes o después del accidente, Sergio se fue, se mudó a Argentina. Nunca imaginé que Sergio Spadaro volvería a aparecer en mi historia, mucho menos que el nombre de aquel vulgar artesano se convertiría en un importante referente de la fotografía latinoamericana. Durante los eventos correspondientes a PhotoEspaña 2010, volví a saber él. Yo, para entonces, había perdido el juicio.

VIII

«Tienes que prometerme que no le contarás esta vaina a nadie».

Martín Velázquez

1

La deserción de Alejandro motivó cambios estructurales. Atilio se convirtió en el líder espiritual de nuestra comunidad disoluta. En aquel tiempo, entre los dieciocho y los veintiuno, el Gordo Atilio se inventó un extraño fetiche discursivo: la mierda. Solo hablaba de mierda, tenía mil historias de mierda, de dolores de estómago, de traumas escatológicos, de descripciones soeces, de cualidades fecales, de pocetas y baños públicos. Sus estrategias de seducción estaban condicionadas por sus relatos en torno a la mierda. «Mira, mi amor —solía decirle a alguna aparecida en cualquier fiesta—, ¿tú ves el papel cuando te limpias?». Lo extraño era que las muchachas, en lugar de ofenderse, sufrían ataques de risa. «Tú sí eres cómico», decían entre risitas las más sifrinas. «¿Tú lo despides o bajas la poceta y te olvidas de él? ¿Eres tan mala madre?». «Ji, ji, ji, ja, ja, ja, je, je, je». «Mira, mi amor, ¿tú cómo cagas, tú agarras aire así —Atilio inflaba el diafragma con una bocanada solemne— y botas completo o —hacía una pausa dramática y entonces se

encadenaba—, pujas, lo picas; pujas, lo picas; pujas, lo picas;
pujas, lo picas; pujas, lo picas...?». Incluso Elena, mi ultracon-
servadora Elena, sufría incontrolables asfixias con los cuentos
del Gordo. Atilio, además, durante los primeros semestres, se
convirtió en un popular borracho. Todos los bares de los alre-
dedores de la UCV fueron colonizados por el beodo de Cantaura. En las noches, al salir de clases, Fedor y yo solíamos reali-
zar una larga peregrinación en busca del Gordo: El Tropezón,
Bellas Artes, El Tabacal, La Zen, Las Tres G o Las Américas.
Casi siempre estaba en Las Américas, un desahuciado antro
forrado por hiedra y cucarachas atendido por un portugués,
quien años más tarde fue recluido en un sanatorio por esqui-
zofrenia. Alejandro no formó parte de esa etapa feliz e irresponsable. Martín aparecía de vez en cuando, triste, melancólico, desanimado. Alguna vez jugamos Super Nintendo en su
casa pero nuestras conversaciones, en su mayoría, resultaban
acartonadas y falsas. Si hubiéramos hablado, si hubiéramos
sabido expresarnos, probablemente las cosas no habrían sucedido de una manera tan brusca... fueron algunas de las pendejadas que pensé años después.

2

«Javier Cáceres estaba investigando un asunto delicado. Me
gustaría hablar con usted personalmente. Algunas diligencias
de trabajo me impiden viajar a Madrid a corto plazo. La experiencia me ha enseñado que en estos casos es importante la
prudencia. Escríbame preferiblemente a esta cuenta de correo,
no utilice la del periódico. Me pondré en contacto con usted
en los próximos días. Hay personas con mucho poder a quienes no les interesa que nada de esto salga a la luz. Lamento lo
de Javier. Gracias por escribir. Saludos cordiales, A. Savard».
Releí el mensaje en la sala de espera de la clínica. Hacía una

semana que lo había recibido. Las cosas en la oficina retoma-
ron su curso natural, accidentado, lento. La ausencia de Javi, poco a poco, se adaptó a la rutina. La aparición de Andrea
Savard me hizo tener ideas sensacionalistas. Inventé la posibilidad de que la *laptop* de Javier había sido robada por una banda de ucranianos pederastas. La emoción nerviosa del encuentro amainó con el paso del tiempo. La niña más hermosa del
mundo (sus palabras, sus canciones, su fraseo romántico) impedía que siguiera con atención los intrincados argumentos
de mi novela negra. Las conversaciones con Carla se hicieron
recurrentes. Todos los días en horas de la tarde, respetando los
husos del mundo, le escribía un ansioso «Buenos días, Carl».
Ella respondía con frases cortas, describía el tráfico caraqueño,
la canción de la radio, el examen pendiente. Repentinamente mi correo electrónico comenzó a llenarse de archivos MP3,
de canciones de Estopa, de Calamaro, de Juan Luis Guerra.
Empecé a descubrirla en esas canciones insignificantes, en las
melodías a las que nunca les había prestado atención y que de
un día para otro tomaron la forma de himnos laudatorios. Con
el paso de los días Carla Valeria generó una adictiva e irreversible situación de dependencia. «¡Gabriel Guerrero!», gritó una
enfermera; tenía en sus manos un frasco transparente. *Maldita sea*, me dije. *Qué coño hago yo aquí.*

3

El 31 de diciembre de 2000 nuestra cultura del silencio sufrió
un profundo revés. Ese día, Martín Velázquez se derrumbó en
el parque del Inírida. Entre fuegos artificiales, tiros y resabios
del himno nacional, me contó la verdad sobre lo que había pasado en La Guaira.

Temprano, a golpe de diez, corrió un chisme por los pasillos: el señor Ramírez le pegó a Carla, le dijo puta. La señora

Lili dijo que estaba indispuesta por jaqueca y que no asistiría a la cena tradicional en el apartamento de Cristina. Con el paso de las horas la noticia se disipó. Todo quedó en la nada, bajo la mesa de las alegrías decembrinas y del pan de jamón exportado de Los Chaguaramos; en la música del Orfeón Universitario, en los regalos espléndidos, en Elías, el Donero, disfrazado de San Nicolás y en Darío, el Mongopavo, vestido de Calvin Klein repitiendo el saludo del feliz año. Alejandro tampoco fue a la fiesta. Fue la primera vez que no compartimos la celebración del Año Nuevo. Martín comenzó a tomar temprano. Rápidamente, se emborrachó. Fedor y Atilio se contaban las historias de siempre: la mierda, los culos, el fútbol. Aquellas navidades Elena las había pasado con su familia en Portugal, cerca de Oporto. Teníamos tres meses de novios. No sé por qué razón, en aquel ciclo festivo, me sentí profundamente solo. Decidí dar una vuelta por las áreas verdes (amarillas, realmente) del edificio. Encontré a Martín en medio del parque, un rectángulo de monte con columpios rotos y toboganes comidos por el óxido. El Inírida, sin que nadie lo percibiera, había entrado en un irreversible ciclo de decadencia. Martín estaba llorando. Era la primera vez que lo veía llorar. Mis amigos no lloraban. La Nena Guerrero me lo había explicado claramente: «Nunca quiero verte llorar. Eso es cosa de niñas», aprendí esa lección sin conflicto. «¿Qué pasó, *Martin*?», me gustaba quitarle el acento a su nombre, pronunciarlo a la gringa. Le tenía mucho cariño a aquel pobre diablo. En ese momento lo sentí derrotado, vencido. La caída de Martín me permitió preguntarle, más allá de las formas habituales, cómo se sentía. Le puse la mano en el hombro y tuvo un corrientazo. No estábamos acostumbrados a expresarnos afecto físico. La amistad solo era un lugar de esparcimiento, un balón Golty, una botella, una película mala. Nosotros no teníamos la costumbre de vernos a los ojos; verse a la cara era una mariquera.

«Nada», dijo masticando aire, con carrasposo. Le ofrecí mi trago, un *whisky* agua'o con sopor a Coca-Cola. «¿Qué pasó, bicho? —le pregunté—. ¿Qué te pasa?». Me senté en la tabla húmeda del columpio, hice un paneo entre el Orituco y el Caura; el Inírida apareció sucio, con filtraciones y huellas de carnaval en sus paredes amarillas. «Es que yo soy muy *güevón*, Gabriel. Ese es mi problema. No pasa nada. Lo que pasa es que soy un pendejo. No me hagas caso». Se llevó el vaso a la boca e inmediatamente escupió. «Esto sabe a mierda». «Ya no es lo mismo, ¿no?», pregunté de repente, sin intención, con la memoria de los viejos diciembres haciendo legítimas denuncias. «No, ya nada es lo mismo. No sé si soy solo yo pero tengo la impresión de que ahora todo es una mierda, de que todo se jodió». Pude ver una sombra detrás de la cortina del 4A, el apartamento de los Ramírez. Hice, por reflejo, una pregunta pertinente. «Alo está raro, ¿no? ¿Qué le pasa a ese pana?». Martín no respondió. Finalmente, como recitando un poema escolar, dijo: «Está *full* con la universidad». «No tiene que ver con eso. Todos estamos *full* con la universidad». «Alo es un tipo arrecho, Gabriel. ¡Alo es un tipo arrecho!». Daba la impresión de que quería decir otras cosas, de que necesitaba hablar pero de que, al mismo tiempo, se imponía una fuerte censura. Hice un repaso por mis impresiones del último año, por los senderos del distanciamiento, por los silencios. «Martín, dime algo —él, entonces, como intuyendo mi angustia, me miró a los ojos—. ¿Qué coño pasó en La Guaira?».

4

La sala era aséptica. Aquella clínica parecía un decorado de película serie B. La luz blanca forjaba una atmósfera anémica e impotente. Una enfermera joven, con un ojo de vidrio, me entregó un frasco de plástico envuelto en una bolsita. Luego me pidió que la acompañara a un pequeño consultorio. Con voz cortante me dijo que me tomara mi tiempo. Sobre la única mesa había una revista *Penthouse* del año 91, ajada, con dobleces extraños. Pude ver también un par de *Playboy* y una paca de *Interviú. Coño'e la madre*, me dije. Aquella mañana Elena amaneció de buen humor. Dijo que todo saldría bien, que esa prueba sería solo un incómodo paso para el alcance de nuestra felicidad. El salón laboratorio impedía todo tipo de entusiasmo. El teléfono vibró en mi bolsillo: «Hola, Hemicraneal». «Hola, Carl». «¿Qué haces?». «No quieres saberlo». «Cuéntame». Me costaba tratarla. Mi generación siempre fue conservadora en torno a los usos del lenguaje sexual. Carla parecía no tener ningún tipo de filtro. Yo siempre fui un seductor de eufemismos, un romántico timorato con un concepto moderado y utilitario del cortejo. Carla se reía de todas esas fórmulas, se burlaba de mi edad, de mis hábitos. La tarde previa a mi obligada donación, en tertulia pseudoerótica, había expuesto algunas de sus opiniones: «¿Qué edad es que tienes tú, Gabo? ¿30, 31? ¿Sabes lo que pasa? Es que todas las mujeres de tu edad son unas *malcogías*». Leí aquella nota en un ascensor repleto de señoras mayores. «Y no porque ustedes tiren mal —continuó—. Es que esas tipas tienen un peo en la cabeza, no saben si sí o si no. Les gusta pero no les gusta. Yo prefiero llamar las cosas por su nombre, no ando con pendejadas. ¿Eso te incomoda?». «No, Carl, para nada —mentí—. A mí también me gusta decir las cosas sin maquillaje». *Sin maquillaje, qué formal, qué pendejo*, denuncié con vergüenza. «Mientes —respondió, colocó al lado de la palabra el rostro burlista de un emoticón—. Tú eres todo un señorito, eres aburrido. Te voy a hacer una pregunta, Gabo, y quiero que me digas la verdad». «Está bien, Carl». Olvidé bajarme en el piso al que iba. Cuando caí en cuenta el ascensor se abrió en el piso 12. «¿Tú me quieres coger?». *Coño'e su madre*. ¿Qué responderle? Tenía el control del juego. Me imaginaba a Elena o a cualquiera de mis novias de colegio preguntándome algo parecido y los resultados eran más que improbables. «Sí, Carl. Me gustaría». «¿Qué te gustaría?». «Me gustaría cogerte, Carl. Entre otras cosas». «¿Y por qué no me lo dices?». «No sé, supongo que me interesa más sugerirlo, dártelo a entender», «Son patéticos, dicen cada cosa más cursi. Una vez salí con un tipo de tu edad, hacía eso, me invitaba a tomar café, a hablar paja. Un día me regaló una flor. ¿Has visto cosa más ridícula? Claro, todo depende del contexto, de la situación. Hay rosas de rosas, pero aparecerte con una rosa metida en una cajita de plástico en tu primera salida es demasiado... no sé... ingenuo». Así era Carl. Así hablaba, así me atropellaba con sus palabras veloces, con su erotismo diletante. Considerando el precedente discursivo decidí jugármela. «Tengo que hacerme la paja y acabar en un frasco». «*WTF?* —emoticón confundido—. Ja, ja, ja, ja ,ja , ja». «No te burles, es en serio. Tengo que hacerme un conteo de espermatozoides. Estoy en un cuartico de una clínica con una pila de revistas porno». «Ja, ja, ja. ¿Necesitas ayuda, Gabo?». Suficiente. Apenas leí esa línea la erección, por sí misma, saltó la liga, bajó el cierre del pantalón y desamarró la correa. «No me vendría mal un poco de ayuda», escribí con la zurda, con algo de vergüenza. «¿Qué quieres hacer, Gabo? Ja, ja, ja. Esto es muy cómico. ¿Te gustaría ponerlo en mi boca?». *Maldita*, me dije. Taquicardia. La imaginación hizo el trabajo sucio. «Anda, ponlo en mi boca», escribió. Comenzó a temblarme la pierna izquierda. Inició, entonces, descripciones tremendistas; dijo lo que haría con su lengua, con la punta de su lengua; dijo que sus manos tenían mucho talento para jugar con testículos y escrotos. Me contó lo mucho que disfrutaba salivar, ahogarse por segundos, tragar hasta la raíz y empeñarse en los ojos de la víctima. *Dios*, susurré. La mujer de la foto de la playa levantó el rostro. La agonía era inminente. Ocurrió, sin embargo, un pequeño problema práctico. El maldito pote, cerrado herméticamente, había quedado sobre la mesa. Mis dos manos estaban ocupadas. El calambre en el muslo anunció la llegada. *Coño'e la madre*. «Acaba en mi boca, me lo tragaré todo», alcancé a leer. No sé cómo logré destapar el recipiente. Tenía el pantalón enredado sobre mis rodillas. Avancé y caí. El BlackBerry voló de mi mano, hizo círculos en el aire antes de estrellarse contra el piso. Me llevé la mesa por delante y por fortuna el *shot* logró caer, casi en su totalidad, donde tenía que caer. Pinceladas de engrudo habían quedado talladas sobre la camisa; un hilo de baba blanca salía del potecito caliente y se extendía intermitente hasta la caja negra del BlackBerry. Logré sentarme con torpeza. Respiraba con dificultad. «Tengo clases, mi Gabo. *MUAK*... Me encantó ayudarte. Me gusta tu sabor. Escríbeme más tarde. Te quiero», y se desconectó. Permanecí en aquel cuarto con un cansancio tremendo, sin aire, como atropellado por un camión 350. Observé el pote con la obsesión de un biólogo. Me provocó llevármelo para mi casa y conservarlo como trofeo, como el recuerdo de la que, hasta ese momento, había sido la más fascinante experiencia sexual de mi vida adulta, la más feliz.

5

Nuevamente repetí la pregunta: «Martín, ¿qué pasó en La Guaira?». Me imaginé que diría cualquier cosa menos la que dijo.

6

Una vez más cenamos con Ramiro y Adriana. Los Divinos eran nuestros únicos amigos en Madrid, solo con ellos Elena se sentía cómoda. Aquellas reuniones cumplían a cabalidad con los

requisitos formales impuestos por mi matrimonio: cenas lige-
ras, sin excesos, sin alcohol, sin chistes picantes, sin trasnochos. Los Divinos era el apodo silente con el que me acostumbré a llamarlos. Eran personas agradables, el sobrenombre no
tenía intención ofensiva. Mi burla solitaria iba contra los prejuicios de Elena. Ella parecía envidiarlos, añorar todo lo que tenían, soñar con sus vidas. Estaba convencida de que Ramiro
y Adriana tenían la patente de la felicidad. Todas las veces que
salíamos, al regresar a la casa, debía padecer el estigma del reclamo, de la denuncia tácita, de mi fracaso social. Ramiro sí sabía vivir; mi deber conyugal era imitarlo. Mi visión del mundo
estaba equivocada (esa parecía ser la arenga). Ramiro tenía un
trabajo estable, era abogado en la firma Price, Waterhouse &
Cooper. Los Divinos, además, acababan de tener a la pequeña
Jessica, su tercera hija, por lo que cumplían con todos los re-
caudos para ser la familia perfecta. Ramiro tenía carro, Adriana podía pagarle a una persona para que la ayudara en la casa. El afán admirativo de Elena, sin ser explícito, reconocía que
nuestra vida era una mierda, que nunca llegaríamos a ser como ellos ni a tener la mitad de todo lo que ellos habían alcanzado. Si Adriana se compraba alguna estupidez para la cocina
(un pelapapas, un destapador automático, una olla futurista),
Elena al día siguiente recorría todas las tiendas de Madrid para imitar a su mejor amiga. Si Ramiro comentaba que valía la
pena invertir en la bolsa o que tal caja bancaria estaba bajo sospecha, Elena entonces me incitaba a tomar decisiones sobre
asuntos en los que yo no tenía el más mínimo interés. Aunque me caían bien, Elena los hacía insoportables. Tenían, sin
embargo, el defecto inevitable de los venezolanos en el exilio:
Venezuela era una mierda, el país no servía para nada, todos
los venezolanos eran unos pendejos excepto ellos. Elena tenía
el complejo de que éramos sus amigos pobres, sus panas pe-
labolas. Nosotros no podíamos cenar fuera todos los fines de

semana. Mi salario en la ONG era insignificante y las bonanzas de derecho de autor legadas por Jack Shephard apenas permitían cubrir las deudas domésticas. Elena ganaba bien pero
tenía un concepto perverso del ahorro, no gastaba nada: todo
era para los niños, todo había de ser para el futuro, para mañana, para el más allá, para la primera comunión de Danielito o
la fiesta de quince años de Danielita.

El día de mi donación (de mi feliz donación) cenamos con
Ramiro y Adriana en un restaurante de la calle Fernando VII.
Carla estuvo conectada toda la noche. Adriana y Elena conversaban sobre una nueva colección de carteras de El Corte Inglés. Ramiro me contaba, bastante preocupado, los despidos
masivos que estaban aplicando en muchas firmas de abogados.
Carla, por su parte, escribió que había soñado con nuestro encuentro. Utilicé el trabajo como excusa. Mantuve el BlackBerry
sobre la mesa durante toda la cena. Cada vez que el aparato vi-
braba sentía una conmoción, un corte digestivo, un eructo dulce. Entre una cosa y otra me dijo que en menos de dos semanas viajaría a Barcelona. «Escápate a Madrid», escribí mientras
Adriana contaba una anécdota. «Me encantaría», respondió.
«¿Qué haces en Barcelona?». Adriana describió la cola del con-
sulado venezolano repleta de buhoneros que vendían empa-
nadas en cavas de anime y los últimos CD del Conde del Guá-
charo. «Es complicado. No puedo contarte ahora». «¿Cuándo
llegas?», pregunté ansioso, compartiendo la hilaridad de la mesa. Carla no respondió. Comimos bien. Conversamos sobre los
asuntos de siempre: Chávez, la familia, las niñas, la cartele-
ra de cine. Entró un nuevo mensaje: «Deberíamos vernos en
Liubliana». «¿Qué?» «¡Qué ladilla tu BlackBerry —interrumpió Elena—. Dile a Mariana que por lo menos te deje comer
en paz». Elena, por supuesto, no soportaba a Mariana y aunque nunca me dijo nada sabía que la repulsión era correspon-
dida. «¿Mucho trabajo, Gabriel?», preguntó Ramiro. «Estamos

organizando un congreso, viene gente de todos lados, hay que coordinar muchas cosas. Es un peo», respondí con la vista clavada en la pantalla. «¿No te acuerdas?», preguntó Carla. «¿De qué tengo que acordarme?». Adriana alucinó e hizo una interjección de placer al saborear el postre. «¡Pruébalo!», le dijo a su amiga. «Una vez me prometiste que me llevarías a Liubliana». «¿Liubliana, Eslovenia?». «Sí, lo estoy viendo en Internet. Los pasajes no son tan caros. Hay vuelos directos desde Barcelona. Desde Madrid... déjame ver... tendrías que hacer escala en París o en Roma». Ramiro probó el postre, le gustó. Elena fue feliz. «¿Y yo te prometí que te llevaría a Liubliana?». «Sí, en el apartamento de La Guaira. Me lo prometiste el día que te cogiste a mi prima Silvia». Emoticón alegre. Risa solitaria. «¿Qué pasó?», preguntó Elena con la boca llena de chocolate. «Nada, vainas de Kyriakos». «¿Supieron lo del amigo de Gabriel? Un chamo que trabajaba con él se suicidó, lo encontraron ahogado en el Manzanares». «En el Jarama». «¡Qué carajo! Es lo mismo». «¡Qué bolas!», dijo Ramiro o Adriana. «¿Y tú cómo sabes que me cogí a Silvia?». «Porque yo estaba ahí». «¿Estabas ahí, dónde?». «En el cuarto, en el clóset. Te vi el culo blanco. Nunca he visto un culo tan pálido como el tuyo. Je, je». Emoticón contento. «El tal Javier era uno de los tipos más normales de esa oficina porque Gabriel trabaja con pura gente rara. Dígame la Mariana». «Espero que hayas mejorado tus estrategias —dijo Carla. La macedonia de frutas se me atascó en la garganta—. Fuiste, cómo decirlo, rapidito. Je, je, je. Me acuerdo de que sonaba una canción de Alejandro Sanz, antes del coro ya habías terminado. Pobrecita Silvia». Y otro emoticón. Fingí prestar atención a la acartonada sobremesa. Así, surgió de la nada un chisme sobre el jefe de Adriana. El BlackBerry vibró en mi bolsillo. Tardé en contestar. No escuché la historia de Adriana pero, imitando al grupo, me reí complacido. BlackBerry, Carla: «¿Entonces, Gabo, nos vemos en Liubliana?».

«Hay que estar ahí para saber lo que pasó, Gabriel», dijo Martín. Mi mente recreó situaciones ominosas. Esperaba, incluso, que me dijera que había tenido una vaina con Alo, que tenía conflictos identitarios ante el reconocimiento de su mariquera. Pero el problema era diferente. No tenía nada que ver con las pulsiones ocultas o las pasiones que, de existir, nunca tendríamos el coraje para reconocer. Silencio largo. Ramiro pidió la cuenta, lo que provocó la discusión de siempre: *¿Quién paga? La última vez pagaron ustedes, mitad y mitad,* etc. El rostro de Martín mostraba expresiones grotescas, parecía sentir pánico. «Muchas veces me he preguntado si yo hubiera sido capaz de hacer lo que él hizo. No lo sé. Nunca me respondo». «Martín, dime qué coño'e madre fue lo que pasó. Deja el misterio». «Tienes que prometerme que no le contarás esta vaina a nadie». «Gabo, prométeme una cosa —escribió Carla. Acababan de traer la cuenta—. No vayas a hacer algo, por fa'. Es por tu bien, de verdad». «Dime». «Pase lo que pase, hagamos lo que hagamos, sea lo que sea, no te enamores de mí. Te lo digo en serio. De verdad, no te enamores de mí». El protocolo de las despedidas impidió la réplica. Martín interpretó mi silencio. Estalló un cohete en el aire. Un borracho llegó a la puerta del edificio y antes de gritar un desafinado feliz año se vomitó. Desde las Rutas el habitual globo de helio se elevó sobre el cielo estrellado de Santa Mónica. *Es tarde, Carl,* me dije. «¿Por qué me dices eso?», escribí con asepsia. No respondió. El mensaje aparecía como enviado pero ella aún no lo había leído. Llegamos a la casa. Elena dijo que podríamos hacer el amor el domingo ya que la pastilla tal o cual haría que la regla le viniera no sé cuándo y entonces la luna no sé qué otra historia. «Está bien, Elena, haremos el amor el domingo». El BlackBerry vibró sobre la mesa de noche. Martín Velázquez tiró la mirada al piso. Bajito, muy bajito, dijo: «Alo mató a un carajo... Le dio unos tiros». Pude leer, entonces, la respuesta de Carla: «Porque yo soy una loca».

IX

«No me gustan los ángeles».
CARLA

1

«Alo mató a un carajo», repitió tres veces. No dije nada. Un nudo de carne se me atracó en la garganta. «¿Qué dices?», pregunté balbuceando. Sus ojos estaban rojos, rojísimos; parecía mirar más allá, más adentro, hacia el otro lado del tiempo. «El infierno debe parecerse a La Guaira, Gabriel», dijo. Aquella noche la señora Lili me pidió que me quedara cuidando a Carlita. La niña estaba recostada en la ventana, con los brazos en cruz, observando la noche. «Carl, ¿quieres ver una película?». No respondió. Exploré unas gavetas con el teléfono apoyado en el hombro (conversaba con la gorda Alicia). Encontré *El rey león* en VHS.

«No sé en qué momento entendimos que aquel aguacero no era normal, estábamos borrachos. Atilio se resolvió con una vecina, una carajita de la Metro. Nos caíamos a curda y hablábamos paja. Llovía como siempre, como siempre ha llovido en esta ciudad, con estruendo, con mucha brisa. El estacionamiento del edificio se inundó. Alejandro bajó a mover el carro.

Tardó en regresar. Fedor puso una película. Se fue la luz. Siempre se iba la luz, también aquello era normal. Alejandro regresó. Había visto algo. Sus ojos tenían esa expresión que solo comparten aquellos que han sido testigos de una desgracia». Media hora más tarde, aburrido por los relatos góticos de Alicia, escuché la voz de la niña: «¡Gabo!». «Dime, Carl». «No me gusta». «¿Qué cosa?». «*El rey león*. Siempre he pensado que Simba es un animal muy estúpido», pronunciaba la palabra *estúpido* con un timbre nasal forzado, como empeñada en la musicalidad de la ofensa. Me quedé a su lado observando la pantalla. Simba y sus amigos caminaban por encima de un tronco, cantaban «Hakuna Matata», los animales movían la cabeza. «Mira eso, ¿no es una mariquera?». «¡Carla! No digas groserías». No sabía si tenía diez u once años. Me impresionó su espontánea desidia. No sabía qué decirle. Se supone que debía seguir el manual de la buena crianza y hacerle saber que aquellas palabras no debían pronunciarse. «Tú también dices groserías, Gabriel», dijo retándome. «Es que... yo soy grande, yo puedo decir groserías. Los niños no dicen groserías». «Solo te quiero decir que *El rey león* me parece una mierda». El teléfono seguía colgado en mi hombro. «Alicia, te llamo en un rato. Cualquier cosa me avisas. Sí, sí, seguro», dije al trancar. Carla había puesto *pause*. «¿Por qué no me dices qué es lo que pasa? ¿Crees que soy una estúpida como Simba, Gabriel?». «No, Carl, no creo que seas estúpida». «Sé que pasa algo. Escuché a mis papás hablar. ¿Le pasó algo a Alejandro?». «No... No sabemos, Carl. Esperamos que no».

«Alejandro nos contó que todos los vecinos se estaban reuniendo en la azotea, que pasaba algo grave. Subimos los tres, Atilio, Alo y yo. El *güevón* de Fedor se quedó, dijo que aquello no era más que un vulgar palo de agua. Lo que vimos, Gabriel... lo que vimos. El río atravesaba la calle, se lo llevaba todo por delante. Todo: carros, casas, gente, carajitos, viejos. Y lo peor era que el agua se venía contra el edificio. Las señoras se pusieron a rezar, alguien dijo que si nos quedábamos en la azotea estaríamos a salvo, que las aguas buscarían el camino del mar sin hacernos daño. Recuerdo que en la calle de arriba había una cancha de futbolito. El día anterior habíamos jugado una caimanera, tiramos unos penaltis. La vaina no existía, Gabriel, la pared que separaba la calle de la cancha se desplomó como una hoja de papel. "Aquí debe haber más de un muerto", dijo un visionario». Me senté a su lado. Ella levantó sus rodillas y las envolvió entre sus brazos. Apoyó su cabeza en mi pecho. Tenía un piyama blanco con detalles infantiles: mariposas o pajaritos. «Gabo —dijo al rato—. Si Alejandro se muere, ¿tú me vas a cuidar?». «Alo no se va a morir. Ya verás como todo sale bien». «¿Alguna vez has sentido miedo? Chamo, ese día de verdad yo me cagué. Me cagué en serio. Me quedé paralizado. Atilio era el único que preguntaba, que se asomaba por los distintos balcones, que buscaba linternas, que intentaba tomar decisiones. De repente, escuchamos un estruendo: el río creció y arrastró piedras de todos los tamaños, pedazos rotos de la montaña. "¡Martín!, ¡Martín!", me gritó Atilio antes de darme un coñazo. "Marico, vámonos de aquí, el agua viene contra el edificio. Si esa mierda se estrella contra las bases, nos vamos a ir pa'bajo". Yo no entendía nada, no entendía nada —por momentos parecía quedarse pegado—. Solo veía la desesperación en los rostros de los vecinos, el teléfono celular en las manos nerviosas de la noviecita de Atilio, las viejas rezando. "Martín, nos vamos". Algún impertinente gritó que salir del edificio era una locura. Atilio explicó que había que tratar de esquivar la quebrada, que el camino hacia el centro, hacia Maiquetía, parecía estar despejado por no sé qué calle. El Gordo dijo una vaina rara: "Hay que ir hasta la montaña, emparejarla. Si nos quedamos abajo, el río nos llevará por delante". Recuerdo esa pendejada porque fue lo primero que escuché, fue como una fórmula mágica, algo que me despertó. Mucha gente se quedó en la azotea, nosotros nos fuimos. Fue cuando tuvimos la pelea con el *güevón* de Fedor. Nos dijo que no se iba a ir a ninguna parte, que él se iba a quedar ahí, que si La Guaira había desaparecido esperaría el rescate de Defensa Civil o de la Guardia Nacional, que ahí en el apartamento había una cava con birras, queso paisa y jamón, que no pretendía meterse bajo la lluvia. Le explicamos que el problema era serio, que lo que estaba pasando era grave. Pero no. El cabrón se negó, él se quedó en el edificio. Es la primera vez en mi vida (y la única) en la que he visto a Atilio arrecho. "¡No joda, chico, jódete! ¡*Güevón!*", le gritó. Y ahí lo dejamos. Nos fuimos». Martín impulsó el columpio con sus piernas. Las tuercas de acero chirriaron, los postes temblaron y amenazaron con desplomarse.

«Gabriel —dijo la niña—, ¿Dios es malo?». «No, Carl, Dios no es malo». «¿Entonces por qué pasan cosas feas?». «No lo sé, Carl. No lo sé. Habría que preguntárselo a él. ¿Quieres rezar?», le pregunté sin mucha convicción. «No, no me gusta rezar. Me ladilla. Esas oraciones son aburridísimas, además las letras son muy gafas». «¿Las letras son muy gafas?». Asintió sonriendo. «El *Ángel de la guarda*, por ejemplo, es una mierda». «¡Carl! ¿Qué te dije de las groserías?», pregunté tratando de parecer severo. «Está bien, pues, es tonta, es gafa, es una ridiculez». «¿El *Ángel de la guarda* es una ridiculez? Con razón los curas quieren botarte del colegio. ¿Qué tiene de ridículo el *Ángel de la guarda*?». «Eso de la dulce compañía... es cursi, parece una canción de Fey. Además, a mí me daría mucho fastidio que siempre me esté acompañando ese ángel. No me gustan los ángeles, preferiría estar sola —tuve la impresión de que su cabeza daría una vuelta como la de la niña de *El exorcista*— o contigo». Pegó un brinco. Corrió. Regresó y me dio un besito en el cachete. «Atilio tenía razón. Toda el ala derecha del edificio se desplomó. Creo que, después de un año, esa mierda todavía está así, nunca lo arreglaron. El cuarto en el que te cogiste a Silvia Tovar no existe —dijo forzando el chiste—. Fedor salió a tiempo. Estuvo todo el rato en la azotea. Esas personas tuvieron suerte, estuvieron aisladas pero no les pasó nada, esa parte de la torre se quedó en pie. «Okey, no quieres ver *El rey león*. ¿Qué quieres ver?», pregunté levantándome. Hurgué en el cajón. «¿Y nosotros? Marico, nosotros caminamos y caminamos y caminamos. Y vimos mierdas que ni siquiera me atrevo a recordar, vainas horribles. «¿*La sirenita*?». «¿Alguna vez has visto una puta cabeza? ¡Marico, una cabeza! Tú crees que has visto vainas en las películas pero cuando pasa algo así solo te dan ganas de vomitar y de morirte, de no estar ahí. «Um... no me gusta», dijo ella regresando a la sala. Tenía en sus manos una mandarina. «El *güevón* de Fedor dice que él es ateo pero yo te digo una vaina, Gabriel, todo el que se encuentra en una situación así tiene que creer en Dios, pensar que existe algo superior que podría sacarte de ahí es la única vaina que te mantiene con vida». «¿*La bella y la bestia*?». «Caminamos burda. Había mucha gente. Carajitos perdidos, madres desesperadas, líderes espontáneos y, coño, lo peor de todo, había muchos malandros. Cuando se hizo de noche todo fue peor. «No, por favor. *La bella y la bestia* es horrible», puso cara de asco. «Había un carajo del que no me acuerdo el nombre, un tipo que se inventó una especie de tienda de campaña. Él era quien estaba coordinando nuestro grupo. Un carajo arrecho, un tipo de esos que sabe mantenerse entero en las situaciones difíciles, que sabe tomar decisiones. Atilio y él le echaron bolas a organizar a la gente, agruparon a los chamos, repartieron linternas, buscaron agua potable en algunas casas, comida». «¿*Aladino*?». «Todavía teníamos que pasar una quebrada inmensa pero, aparentemente, alguien había establecido contacto con gente de afuera, en Caracas. Se hizo de noche y seguía lloviendo». «*Aladino* me cae bien, el problema es que

a mí no me gustan las películas de ese señor». Atilio nos pidió
que registráramos los edificios vecinos en busca de personas
heridas. Yo fui con Alo —un cohete estalló en el aire del año
nuevo—, y yo fui con Alo —repitió—. Llegamos a un edificio
pequeño, antiguo; estaba inundado, el agua nos llegaba hasta
las rodillas. Flotaban mierdas, tablas de madera, libros, jugue-
tes». «¿Qué señor?». «Un tal Jack Disney». Alejandro estuvo
impasible todo el tiempo. No decía nada. Seguía las sugeren-
cias de Atilio con obediencia militar. Subimos al primer piso y
encontramos a una señora, una viejita que trataba de hablar
pero tenía algún problema que le impedía expresarse, hacía
gestos, señalaba algo a la distancia. ¡Coño, Gabriel, la sacamos!
Hablamos con ella y logramos sacarla». «¿Disney? ¿No te gustan las películas de Walt Disney? Carla Valeria, ¿qué clase de
niña enferma eres tú? A todos los niños les gustan las películas de Disney». «En las escaleras escuchamos un ruido, parecía que había otra persona en la casa. La señora seguía tratando
de expresarse pero por el sonido daba la impresión de que padecía algún tipo de cáncer de garganta, no se le entendía nada.
"¡Aitana!", "¡Aitana!", parecía decir, pero no teníamos seguridad, era muy mayor. Llegamos a la calle. Atilio se acercó con
una botella de agua y nos ayudó con la señora. Cuando me di
cuenta Alejandro había regresado al edificio». «A mí no me
gustan». «¿Por qué?». «Porque son aburridas. Son muy estúpidas —insistía en el timbre chillón aplicado al insulto—. Hay
una de unos perros, cien, doscientos perros, algo así; los perros hablan. Los perros no hablan, Gabriel. Hay otra de un ve-
nado que es un imbécil y otra de un mariquito al que le crece
la nariz si dice mentiras». «¡Carl! —espera reflexiva—. ¿Un
mariquito? ¿Sabes lo que te haría la señora Lili o tu papá si te
escuchan hablar así?». «Ah, son unos hipócritas. Ellos también hablan así, no estoy diciendo nada raro». «Entonces tú dices que Pinocho es...». «Por supuesto, es obvio». «El edificio

estaba oscuro, los rumores sobre saqueos y robos circulaban con indignación entre los supervivientes. De vez en cuando se escuchaba un tiro. Mi puta linterna comenzaba a titilar. Caminé hasta las escaleras —Martín se levantó. Pateó el columpio—. No sé qué coño era, Gabriel. Un Guardia Nacional, un PM, un vigilante, no tengo idea —silencio largo. Efímeros gritos de feliz año salían de algunos balcones acompañados de tristes estrofas de Gran Coquivacoa—. Tardé en subir. Apenas pude darme cuenta de lo que estaba pasando. Aitana era una carajita, tendría ocho o nueve años. La parte de atrás de ese apartamento había sido golpeada por una roca. La carajita estaba herida, le habían caído encima unas vainas, tenía un bracito fracturado, tenía sangre en los labios —Martín se acercó y me miró a los ojos. La mirada me intimidó. No teníamos el hábito de hablarnos con aquella franqueza—. Un hijo de puta la estaba violando». «Tengo miedo, Gabo. No quiero que pase nada malo», dijo de repente. «Yo también tengo miedo, Carl». Tomó mi mano y la apretó con fuerza, con fuerza rara. Me sentí incómodo. Mi rigurosa moral agustiniana me hacía entender que algo no estaba bien. Sé que la pretensión por parecer un buen hombre puede resultar falsa o ridícula, pero la verdad es que en aquel tiempo yo era un muchacho gafo y sin malicia, un pendejo ejemplar que se valía de la inocencia no como virtud sino como tara. «El cabrón la estaba violando. Y era una carajita, Gabriel, una pobre pela'a. Lo que escuchábamos en la escalera eran los murmullos de la niña. El cabrón le tenía la boca tapada y se la cogía, le daba duro, durísimo. Con cada movimiento del maldito la carajita se estremecía de dolor. El bicho tenía una linterna grande apoyada en una mesa, sobre la silla estaba su chaqueta y, guindando, un rolo y un revólver. Como te dije, no sé si el cabrón era un policía o un vigilante o qué coño, pero cuando entramos a ese cuarto...». Entonces me abrazó, se me guindó del cuello. «¿Gabo?», preguntó. «Dime,

Negrita». «¿Cuándo me vas a llevar a *Esyubliana*?». «¿A dónde?». «A *Esyubliana*». «Ah —dije recordando mi promesa falsa—. No sé, un día de estos». «¿El año que viene?». «No creo». «El año que viene cumpliré doce, ya seré grande». «Alo entró primero. Me vio. Sin decir nada me pidió silencio. Solo se veía la silueta del cabrón al fondo cogiéndose a la chama, agarrándola con fuerza, le tenía las manos amarradas con la correa. Ahí —señaló el tobogán desvencijado—, a seis metros. Cuando me di cuenta Alejandro tenía el revólver en la mano. Fue algo rápido, fue una de esas vainas de las que no te das cuenta. El cabrón no se enteró de nada, estaba concentrado en hacer daño. Aitana gritaba, intentaba sacar la voz entre los dedos del maldito. "¡Hey!", fue lo único que dijo Alejandro, bajito, sin mucho aire. Y después, los balazos. Dos, uno detrás de otro». «Sí, es verdad, ya serás grande». Acercó su rostro a mi rostro. Dio un salto extraño e inesperado. Mi mano derecha, por error, se explayó sobre su pecho plano. Entrelazó sus piernas detrás de mi cintura. «Le metió un tiro en la cabeza. El hijo de puta se desplomó. Creo que el segundo no le dio, no sé». Sentí mucha vergüenza. No quería mirarla, no me atrevía a mirarla. Sin embargo, la miré: encontré la ternura de siempre. Acercó el rostro, sus labios rozaron mis labios, apenas se tocaron, el calor de su aliento me hizo cosquillas. «Bájate, anda —dije nervioso—. Ya estás grande para estar moneándote así, se ve feo. Ya eres una señorita, Carla Valeria —la coloqué en el piso y le di una patada cariñosa, luego le di un lepe—. Anda, vete a dormir». «Desamarramos a la niña, la arropamos, la carajita se estaba desangrando, lloraba. Alo trató de calmarla, la cargó. Nos dimos cuenta de que tenía una navaja clavada en la espalda, una de esas navajas suizas. Alo no había soltado el revólver. Cuando se dio cuenta, me lo pasó. ¿Alguna vez has agarrado un hierro? Estaba caliente, hirviendo, era burda de pesado. Apenas lo agarré lancé esa mierda en un charco. Las piernitas de Aitana estaban empapadas de sangre. En ese momento volvió el temporal con fuerza, retumbaron las ventanas. Lo último que recuerdo de ese apartamento es la cara del sádico, el rostro muerto con un agujero chiquitico en la frente del que salía humo y un líquido marrón». Carla se marchó a disgusto. «Gabriel», dijo al llegar al marco de la puerta. «Dime, Carlita». Hizo una mueca de hechizo, de brujería, de personaje de *Charmed*. «Te odio». Luego salió corriendo. Aitana nos dijo su nombre, estaba en *shock*, se le iban los ojos, no dejaba de sangrar. "¡Quédate conmigo, Aitana!", le dijo Alejandro. Nunca lo había visto así, sin control, desesperado, desesperado, desesperado —decía con efusión gaga—. Regresamos a la calle, la planta baja seguía inundándose, el agua me llegaba hasta la cintura. Salir de ahí fue un peo, había que seguir caminando, la calle se estaba llenando de lodo, de piedras, de ramas, de raíces, de cuerpos de animales. Nos turnamos para cargar a la niña. Se nos durmió en los brazos, Gabriel; se nos murió en los brazos, Gabriel. ¡Maldita sea! ¡Maldita sea! Llegamos a una calle en la que un viejo estaba apilando a los muertos. ¿Cuántas personas se murieron en esa vaina? ¿Cuántas? Nadie lo dice, no se sabe. Ese peo se olvidó. Acostamos a Aitana en la acera. Alejandro se quitó la camisa y la tapó. Estaba llorando, llorando de rabia, de arrechera. No dijo nada. Nunca dijo nada. No hemos vuelto a hablar de esto». Regresé a Globovisión. La incomodidad erótica se disipó con las imágenes del Boquerón I, con la brecha de agua ahogando el contenido del túnel. Observé la mano transgresora con curiosidad ética. Un ardor invisible me quemaba los labios. «Encontramos a Atilio más arriba, exhausto, hecho mierda, ayudando a unas personas a salir de sus casas rodantes. Fedor apareció al día siguiente, traía una pelota en la mano, venía cagado de la risa. Dijo que se sentía bien consigo mismo porque había logrado salvar nuestro balón Golty, aquel con el que le ganamos el torneo interresidencial a los chamos del Centauro. Luego, nos sacaron en helicóptero». Muchos años después, al evocar la madrugada trágica, no sabría decir si sentí placer al tocarla. Mi cabeza, entonces, estaba radicada en otros asuntos. Carla Valeria, a pesar de nuestro número *soft*, nunca se convirtió en un conflicto, en un problema afectivo. «Gabriel, por favor, nunca, pero nunca, se te ocurra comentar nada de esto. Este es nuestro secreto. Esto no nos pasó», dijo Martín.

Segunda parte

Que se mojen las balas,
que se borren las fotos de las revistas,
que se coman a besos las colegialas,
a los artistas.
Que se toque la gente,
que no lleguen los trenes a la frontera,
que sean cariñosas con los clientes
las camareras.

Fragmento de la canción maldita.
Joaquín Sabina – Benjamín Prado

I

«¿Cómo está tu francés?».

KYRIAKOS

1

«Nana, necesito hablar contigo. Es importante», fingió revisar gavetas, movió objetos de lugar, miró la *laptop*. «Dime, Gabriel, ¿Qué quieres?», preguntó con displicencia. Cerré la puerta del despacho. «Se trata de Javier».

2

El tiempo hace trampas, se burla. La memoria, convertida en verbo, se conjuga en presente. Viví mi relación con Carla con tal intensidad que nunca le di la oportunidad de convertirse en recuerdo. Liubliana es una conjura de los sentidos, un pasadizo oculto, un acuerdo amistoso entre el ayer y el ahora. Liubliana es el pasado dentro del presente. Todavía te veo, Carl. Lo que nos pasó sucede todas las noches, no he podido olvidarlo. El tiempo se repite... Tras los primeros amagos nos quitamos el resto de la ropa. Enfrentamos nuestros cuerpos desnudos. Te sientas en el borde de la cama. Desde mi rodilla, con la punta de la lengua, inicias un camino ascendente. Tus labios se apropian de todo, tu frente se acomoda sobre mi ombligo. La ansiedad hace avanzar tu rostro en línea recta hacia adelante y hacia atrás. Tus mejillas se hinchan mientras mis dedos juegan con tus zarcillos cortos y el cabello que a ratos entorpece el oficio de tu lengua. Tus dientes abrazan mi entereza, envuelves lo imposible. Por un momento pienso que tienes tres gargantas. Un giro nos coloca en igualdad de condiciones. Mis labios se pierden en tus labios. El abrazo feraz nos empotra, tus piernas se amarran detrás de mis hombros. Mi boca se pierde en tu espesura. Tus dientes mastican. Solo se escucha la saliva abundante, necia, el tacto estéreo. De repente giras, con aliento a sexo nos buscamos la boca. Mis manos inician la búsqueda, mis dedos te encuentran. Apoyas tu cabeza en mi hombro. Tu pecho imanta mis labios. Te apoyas contra la pared y con ligera violencia nos volvemos un solo cuerpo. Me empeño en tu cintura hasta que, sin anuncio previo, buscamos otros movimientos. Entonces te das la vuelta. Me besas con gradual agonía; das dos o tres pasos en retroceso. Caes sobre la cama deshecha, tus piernas se alejan la una de la otra; tus pies descalzos buscan apoyo en mi pecho; los dedos bajan, palpan, se entretienen. Tu cintura atraca en la orilla de la cama. Apoyada en tus hombros, levemente, te alzas. Tu mano izquierda me muestra el camino. Tus dedos juegan con el origen del mundo; por instantes, se pierden. Los mismos dedos aparecen dentro de mi boca. Y vuelvo a penetrarte, Carl. Tus uñas se afincan en mi espalda, marcan mi piel. Mis ojos están muy cerca de los tuyos. Te apoyas en mi nuca, me pides que no me detenga y que nunca pronuncie la palabra nunca. Improviso crueldad, me retiro; permanezco en el borde, juego con tu impaciencia; tres segundos después regreso sin escalas hasta lo más hondo. Tras el gemido soprano caigo sobre ti, me apoyo en la cama. Parte del suelo me sirve de palanca. Nuestra unión produce el sonido de un latigazo, de algo que revienta el aire. Tu vientre palpita, se expande. El tiempo se nos va en ensayos extremos. Sugieres posiciones de yoga que mi torpeza refuta. Luego, cansados, entre risas, regresamos al colchón empapado. Tu criterio establece el ritmo de los cuerpos. Nos besamos con desesperación. Tu lengua barniza mis ojos, baja por la nariz y me recorre la cara. Tengo tu orgasmo, mi Carl. El ojo derecho se te va hacia dentro mientras tu cuello se expande y la yugular parece pronunciarse a favor de la pausa. No sabes lo que dices: mezclas el *más* con el *para*, el *ya* con el *te amo*, el *duro* con el murmullo átono. «Llega conmigo, Gabo», dices en voz baja. No resisto la orden. Las últimas arcadas nos convierten en bestias. El movimiento mutuo es agresivo, imperceptible para el ojo humano; hacemos algo parecido a una estela. Entre las pisadas, perdidas en los charcos, escucho los acordes de la canción maldita. Y el cuerpo habla: no hay vuelta atrás, el calor húmedo, veloz, me encalambra las piernas. Mis labios se quedan en tu oreja. Un eco desgarra mi garganta mientras tu adentro se inunda con todo lo que tengo; como si el alma, la voluntad y la razón, por un acto de magia, se convirtieran en agua, como si el sentido de la vida estuviera escrito en el fondo perfecto de tu vientre. No solo hacemos el amor, Carl, lo inventamos. Tú y yo fundamos el precedente de lo eterno. Los orgasmos coinciden, queman. A pesar del armisticio, la presión no cede, no puedo escapar. Tu ansiedad insiste, me pides que no pare, que no salga de ti pero la caída es inminente. Vencido por el cansancio, me desplomo sobre tu pecho. Hace frío. Nuestra respiración es brusca, asmática. Llenas mi rostro de humores, tus dedos destilan un sudor agridulce. Correspondo a tu gesto con un último golpe. Citas gemidos inarticulados y caes sin fuerzas. «Te amo desde que tengo memoria», repites en el aire, con una sonrisa que me inicia en el raro misterio de tu gloria. Sin darme cuenta, te quedas dormida. Busco el sueño acostado en tus senos. Acaricio tu cabello. Salgo de tu cuerpo con cuidado, con mucho cuidado, tratando de no despertarte ni dañarte, de conservarte virgen, santificada por mi religión pagana, por el culto insensato a aquella que hace mucho tiempo era la niña más hermosa del mundo... Aquella a la que, sin saberlo, perdería para siempre.

3

Kyriakos me citó en un restaurante del Paseo La Castellana. El posible despido no me preocupaba. Si, tal como intuía, me botaban de la ONG, solo enfrentaría una insoportable tragedia doméstica. La debacle, sin embargo, podía ser la excusa perfecta para colocar sobre la mesa el tema del divorcio. Faltaban dos días para el viaje a Liubliana, para la retorcida aventura en Eslovenia. Me quedé dormido en el autobús, confundí las paradas. Llegué tarde. Los nervios tomaron la palabra: en los ojos irritados, en los labios rotos, en las manos torpes, en mi ropa arrugada. «Siéntate, Gabriel», indicó Kyriakos sin efusión. Fumaba un habano. Ordené una cerveza. «¿Cómo están las cosas? Mucho trabajo, ¿no?». «Bastante», respondí. «Estas últimas semanas van a estar complicadas, enviaremos a alguien para que los ayude. Mandaremos al Indio Aurelio». «Bien, por mí está bien», dije pensando en Mariana. Sabía que ella no compartiría mi satisfacción. El Indio Aurelio exacerbaba su antipatía. Kyriakos improvisó una falsa solemnidad profesional. «Gabriel, quería hablar contigo sobre un asunto delicado. Necesitamos contar con tu prudencia». *Estás despedido. Dilo ya, qué carajo, me buscaré la vida en otra parte*, inventé. Me imaginé a Elena lanzándose por el balcón, arrancándose el cabello. «El hombre eres tú —dijo el griego—. Queremos que seas la persona que, en los próximos meses, dirija la fundación. No podemos dar este tipo de responsabilidad a personas tan inestables como Mariana Briceño». «¿Perdón?», pregunté atolondrado. «¡Salud! —dijo alzando su copa—. Felicidades. Te lo has ganado. ¿Qué tienes qué decir?». *Nada*, me dije. «La verdad, tenía la impresión de que Mariana, de que mi trabajo...», logré balbucear. «Deja de autocompadecerte —interrumpió—, deja la modestia. Eres la persona ideal para nuestro proyecto. En este tiempo has demostrado compromiso, responsabilidad y madurez». *Es un chiste, solo puede ser un chiste*, pensé, *un sueño absurdo*. «Mariana es problemática, no queremos neuróticas que estén protestando por cualquier cosa o haciendo escándalos por asuntos insignificantes. Esa gente es mejor que se regrese a sus países. Que se vayan a gritar al tercer mundo —mencionó tranquilo, absorbiendo el núcleo baboso de una ostra—. Entiendo tu preocupación, Gabriel. Esa ONG, es verdad, no vale nada, es algo pasajero. Te cuento algo: la cerraremos en unos meses. Tu participación nos interesa para otro proyecto, para algo grande. Te vamos a mandar a la primera división. ¿Cómo está tu francés?». «Regular», mentí. «Hay un proyecto en Bruselas. Dentro de tres meses propondremos tu candidatura para una campaña de solidaridad internacional, algo con comunidades caribeñas, las oficinas estarán en Bruselas. Estás casado, ¿no?». Afirmé. El dolor de cabeza explotó con su habitual estruendo. *Debo tener algún tipo de cáncer*, me dije preocupado por la frecuencia de las migrañas. Busqué un cigarrillo, me soné los nudillos. «Bien —dijo—. Tu mujer, ¿qué hace?». «Es economista». «Ya le encontraremos algo. Hay distintos programas. Como hombre casado tendrás mayores beneficios, te darán una casa, cursos de idiomas, carros, piscina, no sé. ¿Tienes hijos? —negué—. Si hay hijos habrá más beneficios. Yo que tú me lo pensaría. Vale la pena, vas a estar con los grandes. Entonces, ¿te interesa?». «¿Qué pasará con Mariana?», pregunté indeciso. «Le pagaremos sus utilidades y la montaremos en el primer avión a Lima. Estamos muy inconformes. Mucha quejadera, mucha habladera. A tu lado, Mariana no tiene nada que buscar, así que no te preocupes por la competencia. Aquí entre nosotros te lo puedo decir: las lesbianas son así. No se puede contar con esa gente. ¿Qué dices, Gabriel? ¿Estás con nosotros?».

4

Apareció en el puente de los Dragones. Su abrazo repentino tuvo la contundencia de un balazo. Mis nervios dislocados lograron hacer ancla. Las angustias de la tarde en el aeropuerto se disiparon tras el tarareo de la canción maldita.

No vendrá, repetía con insistencia. El estrés se expresó con una fuerte baja de azúcar. Logré llegar hasta uno de los baños de la T1. Vomité aire. Mi garganta excretó percusiones arcaicas, sonidos de miseria interior, gases inútiles. *Eslovenia*, me dije. *¿Qué coño voy a hacer yo en Eslovenia?* Tenía el *boarding pass* en la mano. Mi imaginación enferma se distraía con las palabras de Carla: «Búscame en el puente de los Dragones». Tuve la plena convicción de que me estaba volviendo loco. No sabía, entonces, que la locura real no pide cita, que no se anuncia. «Sí, Elena. Regresaré el lunes —dije a través del teléfono—. No lo sé, es algo sobre una campaña con la gente de Médicos sin Fronteras; Kyriakos es el que sabe. No te preocupes, apenas llegue a Roma te llamaré. Sí, yo también. Yo también, Elena», repetí con desdén. Sentí un alivio inmenso al trancar. La mentira estructural, dodecafónica, tomaba dimensiones abruptas. No me molestaba la mentira *per se*; mi matrimonio estaba construido sobre suelo falso, verdades a medias, realidades negociadas. Lo que pesaba, supongo, era la conciencia del fin, la imposibilidad del retorno. *Renunciaré, me divorciaré, me iré con Carla a recorrer el mundo, a vivir de la caza, la pesca y la recolección*, decía con ingenuidad una de las tantas voces que rebotaba contra mi cabeza. El vuelo hizo escala en Roma, debía esperar dos horas. Caminé hasta la puerta B7 del aeropuerto Leonardo da Vinci y ahí, en caracteres monocromáticos, pude leer el nombre de la ciudad de mis sueños: Liubliana.

No vendrá, alegaba el instinto. Sudaba. Hacía frío. Fumé con ansiedad. Tomé un taxi hasta el puente de los Dragones. Ignoré la ciudad, no podía ver, no sabía mirar. Toda mi expectativa se centraba en la aparición de Carla; ella era la única sorpresa. Dos figuras gigantes, de un material ambarino, coronaban la entrada de la calle. Algunos vándalos habían pintado con espray rojo las garras del dragón del norte. La bestia parecía vigilar las almas inquietas de los caminantes. Por un momento, tuve la impresión de que aquella quimera escupiría sobre mi cuerpo una mezcla letal de veneno y candela. El puente era pequeño, atravesaba el curso calmo del Liublianica. Procuré serenar mi mortificación en las aguas tranquilas de aquel Guaire eslavo. La voz de Carla, intermitente, servía de acicate a mi impaciencia: «Mi vuelo llega a las seis. Regístrate tú primero en el hotel. Búscame en el puente de los Dragones». Mordiscos terapéuticos me destruyeron los labios. Fumé, fumé muchísimo. Caminé haciendo círculos por la plaza Vodnikov. El verano tardío hacía que el sol permaneciera colgado tras la lejana torre del Belvedere. *No vendrá, lo sé*. Surgieron, impertérritas, las continuas preguntas: *¿Qué coño vas a hacer con tu puta vida, Gabriel?*, me gritaba otra voz, una que imitaba las jergas dicharacheras de Atilio. «*¿Qué vamos a hacer cuándo nos veamos, Carl?*», le había preguntado la última vez que hablamos por teléfono. «No lo sé. Te cantaré una canción», dijo antes de trancar. El dolor de cabeza se afincó entre las cejas, envolvió el tabique; se me tapó la nariz. Regresé al puente. El cielo sin nubes tomaba raros tonos púrpuras, parecía un firmamento de neón, una iluminación de teatro experimental, de montaje sin presupuesto. Apoyé mis hombros en la baranda con la convicción de su inasistencia, con la idea de que Carla había sido una invención del estrés, un timo del cerebro colapsado. Los dientes comenzaron a claquear, me soné los nudillos. Busqué cigarros, la caja estaba vacía; lancé la basura al Liublianica. Mi respiración perdió ritmo. Cerré los ojos buscando recuerdos ansiolíticos. Los dragones me daban la espalda. Traté de forzar reflexiones adultas: *¿Elena? ¿El trabajo? ¿Kyriakos? ¿Bruselas? ¿Andrea Savard? Maldita sea.* Había perdido el interés por el mundo. La verdad quedaba reducida a las columnas de aquel inhóspito puente. *Escribiré estupideces para Carnera, tratados de felicidad, recetas de autoestima, fórmulas de fe.* Quise irme a la mierda, hacer el Camino de Santiago, recorrer el Tíbet, perderme en alguna selva africana. Y, de repente, mientras mi cabeza inventaba situaciones fantásticas, sentí el calor de unas manos tapándome los ojos. Al principio, reaccioné con violencia, violencia instintiva. Tras un leve susurro, permanecí impasible, con los brazos apoyados en la baranda. El calor de un aliento humano buscó apoyo en mi oreja. Labios pequeños abrazaron el lóbulo izquierdo. Risas breves. «Te dije que te cantaría una canción». Carrasposo. Y escuché la voz de Dios: «Que no arranquen los coches, / que se detengan todas las factorías, / que la ciudad se llene de largas noches / y calles frías». Como un carajito sensiblero se me secó la garganta, las rodillas comenzaron a temblar. Traté de moverme, de dar la vuelta. Sus manos seguían tapándome los ojos. Me abrazaba desde atrás, salida de ninguna parte. Luego, entre susurros, sin cadencia, como recitando versos antiguos continuó: «Que se enciendan las velas, / que cierren los teatros y los hoteles, / que se queden dormidos los centinelas / en los cuarteles». *¡Dios!* Volvió el asma. Sus palmas húmedas y duras me abandonaban en la oscuridad. Una brisa arrastró su perfume. Su pecho se afincó en mi espalda. Y, como el poeta mediocre que no domina formas clásicas ni vocabulario suficiente, escribí en la memoria que ese sería el momento más importante de mi vida. En medio de aquel abrazo, entre aquellos versos de Joaquín Sabina, me di cuenta de que estaba vivo. Entendí que la vida (la vida real) era diferente a las continuas ficciones que había inventado durante treinta años. Su lengua tibia, en una pausa breve, se paseó por mis sienes. «Que se mojen las balas, / que se borren las fotos de las revistas, / que se coman a besos las colegialas / a los artistas». Lentamente retiró las manos. Sus dedos salieron de mis ojos y abrazaron las alas de mi nariz, saludaron los labios, buscaron el sostén de mis hombros. Me di la vuelta con los ojos cerrados, con la cabeza volcada hacia el piso. «Que se toque la gente, / que no lleguen los trenes a la frontera, / que sean cariñosas con los clientes / las camareras». Y entonces la vi. Maldita sea, la vi. Era ella, era la belleza. Estaba ahí, con su rostro en mi rostro, con su espalda disuelta entre mis brazos, con el marrón de sus ojos insultándome. Nos quedamos parados como dos idiotas. «No dejes de cantar», le dije sin mucho aire. Continuó entre risas, como inventando la melodía. «Porque voy a salir esta noche contigo / se quedarán sin beatos las catedrales / y seremos dos gatos al abrigo de los portales. ¡Ya! —se interrumpió—. Demasiado ridículo por hoy». El abrazo se hizo compacto. La perdí de vista. Su hombro me sirvió de apoyo mientras mis ojos veían de fondo las formas simbólicas de la felicidad humana pasearse sobre las aguas del Liublianica. «¿Cómo estás, Hemicraneal? —dijo acariciando mi espalda—. Mi avión se retrasó». «No importa. No digas nada». Viejitas eslavas caminaban a nuestro lado. El cielo se convirtió en una mancha terracota. «¿Y si no quiero soltarte? —preguntó—. Creo que no puedo soltarte». En los últimos años, en vano, he procurado convertirme en sabio nigromante. He leído todas las historias de Fausto; he tratado de revelar los misterios ineluctables de la alquimia. Mi propósito es claro: le vendería el alma al diablo, a cualquier diablo, para que me devuelva la serenidad de aquel abrazo; quiero vivir ahí, permanecer hasta el último día en esa baranda, a la sombra de los dragones, hacerme viejo en su regazo. A pesar de la búsqueda, nunca he encontrado al demonio; la figura más parecida al Mal aparece todos los días abandonada en el espejo, pero se trata de un diablo impotente, de un disfraz de Satanás hecho con pana y pabilo, de un aprendiz de mago sin esclavos, tridente ni infierno, de un ángel caído que no sabe hacer fuego.

5

Mi interés por la fábula de Javi, su posible desaparición a manos de traficantes de almas, había perdido relevancia. Durante muchos días ignoré los correos electrónicos de Andrea Savard; cuando los leí, lo hice con el sopor con el que se atienden las diligencias inevitables. No le respondí. A pesar de mi indiferencia, la situación de Los Caminos de la Libertad me produjo cierta vergüenza. No me sentía cómodo abandonando a la periodista en medio de la arena. A fin de cuentas, yo la busqué. Su interés en el entuerto había sido resultado de mi curiosidad, un resabio de los tiempos en los que tenía la vaga ilusión de ser un héroe. Uno de aquellos días en los que quería salvar el mundo.

La oficina colapsó. La inminencia del congreso y la inoperancia de los pasantes motivó sucesivos trasnochos. Mariana sacó lo peor de sí, impuso su rol de mando con formas bruscas y ofensas innecesarias. Ignoré todos sus agravios. La reaparición de Andrea Savard coincidió con la invención de Eslovenia, con el fin de semana en Liubliana. Quería olvidar el *affaire* Javier, arrancar de mi espíritu lerdo cualquier empeño por lo justo, por lo correcto. Mariana le gritó a Eleonora, le exigió las copias de algunas transacciones, luego se disculpó. Metió las manos en sus bolsillos y encontró dos pastillas, se encerró en su oficina. Releí el último correo de Savard. Tomé una decisión. Entré al despacho de Mariana, cerré la puerta, bajé las persianas. «Nana, necesito hablar contigo. Es importante». Fingió revisar gavetas, movió objetos de lugar, miró la *laptop*. «Dime, Gabriel. ¿Qué quieres?», dijo con displicencia. «Se trata de Javier. Necesito que te reúnas con una persona. Sé que hay muchísimo trabajo, pero por un asunto personal debo ausentarme de la oficina un par de días». «Haz lo que quieras, Gabriel», mencionó intolerante. Entonces le conté todo. Al principio fue apática e indiferente. Luego, las noticias sobre Los Caminos de la Libertad llamaron su atención. Le expliqué quién era Andrea Savard y le hice una exposición completa sobre las pesquisas de Javi. Aunque trataba de mostrar preocupación e interés, mi cabeza se empeñaba en dibujar un mítico puente. Tenía la convicción de que mis días en la fundación estaban contados. Aquella tarde, tras reunirme con Mariana, tuvo lugar el encuentro con Kyriakos. No podía imaginar, entonces, la extravagante oferta de Bruselas. Mi obsesión por la niña más hermosa del mundo no asimilaba distracciones; las preguntas de Mariana pasaban por mis oídos sin dejar huella. «¿De verdad piensas que a Javier...?». «No lo sé, Nana. No lo sé». Cerré la puerta, me fui. Cuando llegué a la calle pude ver en el BlackBerry que Carla me había enviado un nuevo correo electrónico con un archivo adjunto: «I'm Yours», Jason Mraz.mp3. *Bah, Javier* —me dije—. *Vete a la mierda. Descansa en paz.*

6

Y nos contamos la vida como quien cuenta chistes sin gracia. Teníamos la impresión de que no había mucho que contar, de que los últimos años eran parte constitutiva del vacío, de la ausencia. Habíamos vivido en coma. Atrás quedaron los dragones. Atravesamos la avenida Petkovskovo con los brazos entrelazados. Éramos felices y los dos lo sabíamos. Aquella ciudad impronunciable se convirtió en la capital de mi memoria. Nos besamos por primera vez en la plaza Presernov. Creo que le aburrió mi exposición informal sobre el máster en Cooperación. Le contaba mis decepciones y entusiasmos cuando, de repente, saltó a mis labios, empeñó su cintura contra mi cuerpo, abrió la boca y atrapó mi cabeza con sus manos. Perdí el equilibrio. Mi lengua opuso débil resistencia, me tragué su saliva con la sed de un moribundo abandonado en el desierto. Respiré su aliento. Mis manos le recorrieron la espalda, sin vergüenza, sin prisa. Sus dientes rasguñaron mi labio superior. Besó mi nariz; un hilo de baba, con círculos de aire, se colgó entre nuestros rostros, entre su sonrisa y mi cara de idiota; lo cortó con sus dedos. Volvió a mi boca. Su mano izquierda levantó mi cara y se explayó sobre el pecho. Permanecimos abrazados a la sombra del busto del poeta France Preseren. Caminamos calles de sucesivas consonantes. Ella decía conocer la ubicación de un bar de *jazz*, algo que había visto en su guía de Lonely Planet. Solo llevaba un morral, un viejo Jansport deshilachado y roto. Íbamos enredados el uno en el otro. Nos besamos en todas las esquinas, en todas las plazas. «No tengo mucho pero tengo más que la última vez», dijo con ironía. Mis dedos hacían círculos bajo sus senos. «¿Qué?». «Nada, Hemicraneal, nada». Entramos al Gagos. Ordenamos cervezas eslavas, Lasko Temno. Sus manos se apoyaron en mis rodillas. Nos tomamos tres o cuatro birras dobles. Antes de que llegara la última ronda hablamos sobre los tiempos del Inírida, hablamos de Santa Mónica, de las historias de Atilio, las desventuras amorosas del viejo Vivancos, de la dictadura escolar. Un extraño rebote puso sobre la mesa el nombre de Alejandro. La noté incómoda. «Peggy Lee», dijo de repente. «¿Qué?», pregunté. «La canción que suena. Peggy Lee. "They Can't Take That Away From Me", me gusta mucho esa canción». Colocaron otra jarra de cerveza sobre la mesa. Sabía que Alo y ella habían sido muy cercanos, lo eché de menos. «Brindemos por Alo, Carl», dije. Su expresión melancólica no cambió. Botaba el humo con desidia, parecía escupirlo sobre la ventana. «No —dijo tranquila—. No quiero brindar por Alo. Dejemos el pasado donde está. Me gusta así, es mejor así». Nos besamos de nuevo. Su mano traviesa abandonó mi rodilla. «Vámonos, quiero hacerte el amor. Pide la cuenta», dijo antes de tragarse la cerveza.

7

No recuerdo cómo surgió la idea de Liubliana. Carla recordó una promesa infantil, un supuesto juramento hecho en el apartamento de La Guaira. Revisó presupuestos en aerolíneas de bajo coste. Dijo que sería especial que nos reencontráramos allí. Al principio no lo tomé en serio, pensé que se trataba de una de las tantas esperanzas inútiles descritas en nuestra condición de amantes a distancia. Una tarde ociosa busqué en Google precios de hoteles en Eslovenia. Le mandé un *link* con los datos. Era una broma, un sueño ingenuo, baladí. «Me encanta —respondió—. ¿Qué hay en Eslovenia, Gabo? ¿Qué hay en Liubliana?». «No lo sé». Al salir de la oficina fui a la Casa del Libro y compré una guía balcánica firmada por Eladi Romero García. En la noche, con el cadáver de Elena a mi lado derecho, le hablé de la torre del Belvedere, del casco antiguo, de la catedral de San Nicolás y no sé qué otros edificios legendarios. «Igual no importa —escribió en el BlackBerry—. Me imagino que no tendremos tiempo de conocer mucho. Supongo que no saldremos del hotel». Con el paso de los días, asimilados a una babosa y entusiasta cursilería, nos olvidamos de Eslovenia; aquel viaje no dejaba de ser un sueño remoto e imposible.

La obsesión me cegaba. Necesitaba verla, tenía que verla. Tocarla se había convertido en una urgencia. Necesita verla a los ojos. Me inventé un secuestro, una vida plena abandonada en un apartamento con vista al mar. Carla se convirtió en una enfermedad, en un pensamiento contaminado, en cocaína pura. «Pásame tu número de pasaporte, iremos a Eslovenia —le escribí. Faltaban cinco días para su viaje a Barcelona—. ¿Qué día te conviene?». «Gabo, de verdad no creo que pueda. Es una locura». «No me interesa, dime qué día quieres». «Gabriel, es en serio. Yo no me puedo ir a Eslovenia contigo, ni a Eslovenia ni a ninguna parte. Tengo compromisos en Barcelona, todavía no hemos hablado de Barcelona». «Escápate. ¿Tienes novio, Carl?», pregunté sin dramatismo. «Algo así, es complicado». No me importó nada, no me afectó la delación, me pareció información irrelevante. «Cuando te vea, y no sé dónde te veré, te lo contaré todo», dijo. «Ven conmigo a Liubliana, sé que quieres ir». «No sé, Gabriel, esto cada día se está poniendo más complicado». «Te amo», escribí mortificado, convicto, perdido. «Yo también te amo, Hemicraneal. Es la verdad pero, por favor, escúchame, léeme con atención. Por favor, no me presiones».

Cuando Carla viajó a España mi ansiedad entró en fase terminal, perdí el control, me costaba dormir, comer, despertar. Los celos, secretados desde todas las glándulas, se apoderaron de todo. La idea de un posible noviazgo en Barcelona implicaba, necesariamente, el uso afectivo de sus labios, de su cuerpo. *Maldita sea.* No soportaba imaginar su intimidad con otro. El pensamiento me quemaba; la idea de su sexualidad me arrancaba costras. Todos los días me ahogaba con saliva, las encías sangraban, el aire se hacía denso, contaminado, negro. Uno de los grandes traumas del viaje de Carla fue, sin duda, la desaparición del BlackBerry. Aquel estúpido aparato había generado una enfermiza relación de dependencia. El BlackBerry se había convertido en marcapasos, en *by-pass*, en tanque de oxígeno. Carla escribió desde Maiquetía, me dijo que me mandaría un *e-mail* al llegar a Barcelona. Escribió tres días más tarde. «Llegué bien, Hemicraneal. Te quiero. Quiero verte ya». No dijo más nada, no adjuntó canciones ni sugirió el encuentro. La desesperación me convirtió en un zombi.

Una noche amarga, intolerante, sucia, discutí con Elena. Me reclamó alguna tontería. Había prometido comprar café y no lo compré, algo así. Se molestó, se encerró en el cuarto. Me quedé viendo un programa malo de la televisión española: la tertulia filosófica en torno al *affaire* que una cantante de *Operación Triunfo* había tenido con un torero. Grito del BlackBerry: correo electrónico de Carla. La emoción, por poco, me produjo un paro respiratorio. Traté de leer el mensaje pero el aparato repentinamente generó un error. Un reloj de arena comenzó a dar vueltas en la pantalla; se colgó, se paró, las teclas no servían para nada. Reinicié el teléfono pero la falla continuó. La única computadora de la casa estaba en el cuarto. La ansiedad me quemaba la garganta. Elena jugaba *Tetris*. «Necesito la computadora». «Espérate», dijo molesta. Busqué la calma en la ducha. Traté de respirar a ritmo lento, sin angustia. Insistí en el BlackBerry: muerto, el error persistía. *Maldita sea*. Regresé al cuarto. Elena seguía empeñada en sus figuritas idiotas. Recordé, entonces, el locutorio de la calle Goitia, un antro atendido por un ecuatoriano que trabajaba hasta la medianoche. Eran las 11:40, aproximadamente. «Ya vengo, voy a fumar». Salí, corrí. Tenía tres mensajes. El primero era de Carla: «Mi número de pasaporte es D05124118. Podré viajar el fin de semana tal. Desde Barcelona hay vuelos directos. A ti te tocaría hacer escala en Roma o en París. Te amo. Tres besos, Carl». La emoción era infantil, de babas alegres; pensé que me orinaría encima. Casi había olvidado los otros mensajes. El segundo era de Eduardo Carnera, me citaba en su despacho, quería hablarme sobre un proyecto literario. El tercero era de Andrea Savard, la periodista británica confirmaba su visita a Madrid.

8

Le conté, paso a paso, mi historia con Elena, el traslado a Madrid, el trabajo. Ella habló de Santiago, su novio de Barcelona. Él se había ido de Venezuela hacía más de tres años y, desde entonces, se habían empeñado en un gélido formato de relación a distancia. Su plan, en teoría, era terminar la carrera para mudarse definitivamente a España; solo le faltaban dos años. Fue un relato triste, una exposición aprendida de memoria. Hablamos enredados, con las piernas confundidas y las sábanas pegadas al cuerpo por el efecto adhesivo del sudor. Su boca me quedaba a la altura del pecho. Nuestros pies se empeñaban en hacerse presión. «Nunca imaginé que te haría el amor en Eslovenia», dije como cierre a un parlamento melo, de telenovela mediocre. «Yo tampoco —comentó—. Siempre supe que haría el amor contigo algún día pero no sabía que sería en Eslovenia». Me contó con detalles la anécdota del juego de mesa, describió la solemnidad de mi promesa. «¿Has seguido en contacto con Silvia?», le pregunté. «Ahora estoy con ella». «¿Qué?». «Sí, estoy con ella. Le dije a Santiago que iría a Londres a visitar a mi querida prima, Silvia —silencio largo—. No, la verdad, no. Tengo mucho tiempo que no la veo. No nos llevamos bien. Tampoco nos llevamos mal. Es solo que, no sé, no hay *feeling*». Arrastró el iPod desde la mesa de noche y colocó una canción de Estopa. Fumamos. Vimos el techo. Hicimos el amor sin prisa. Hablamos de la historia de los Balcanes, de la historia *for dummies* escrita en las primeras páginas de nuestras guías. Nos olvidamos del placer, de las cinturas amarradas. «Los Balcanes producen más historia en un día que el resto del mundo en quinientos años —dijo; la miré con curiosidad—. Eso lo dijo alguien». «¿Alguien?». «Sí, alguien arrecho. Creo que fue Winston Churchill en sus memorias, cuando habla del inicio de la Primera Guerra Mundial, no estoy segura. La Primera Guerra Mundial comenzó en Sarajevo o en Serbia porque mataron a un carajo, al archiduque Francisco Fernando. Le dieron unos tiros y el mundo se volvió loco». Estremecimiento. El movimiento interior le provocó un espasmo. Buscó con sus ojos el punto de encuentro, el cruce de ríos. Luego me besó con pasión desbocada. Volvimos, entonces, a la palabra, a contarnos historias viejas, personales. «Ya me ladillé de Estopa», dijo de repente. Alargó el brazo y colocó canciones de José Feliciano. «¿José Feliciano?». «Sí, me encanta, lo amo». «Está bien, no dije nada. Solo que es, no sé, como viejo, como pavoso». «Mira quién habla, je, je». «Es muy triste, Carl, deberías poner otra cosa». La primera canción contaba, con la voz desgarbada del ciego, la historia de un amor condenado, creo que se llamaba «Por si acaso». «¿Sabina?». «Sabina está bien, sí». «La canción que te canté en el puente es de Sabina». «Me gusta más tu versión». Le gustaba hablar de música, se perdía en repertorios disímiles. Explicaba su melomanía como un vicio irreversible. «Te contaré algo sobre la música —dijo. La penetré con prisa, con ritmo trepidante—. No, mejor no —continuó—. Te vas a reír, te vas a burlar». «No, Carl. Te prometo que no me burlaré». «No te creo. Está bien —dijo. Se colocó sobre mí—. Es...». «¿Qué?». «No te rías, en serio». «No me reiré —hizo un movimiento con sus manos—. La música para mí es como un acto de magia». «¿Magia?». «Sí, magia. Yo puedo pasarme un fin de semana entero sin hacer nada, viendo por la ventana de mi casa, solo escuchando música; canciones que he escuchado un millón de veces pero cada vez que las escucho es una experiencia diferente, una imaginación diferente. ¿Me explico? ¿Es muy ridículo lo que digo o tiene sentido? ¿Nunca te ha pasado?». «Um... creo que no». «¿Nunca has perdido la cabeza con una canción, en una canción, por una canción? ¿Nunca te has imaginado que eres parte de un videoclip personal?». «No lo sé, a lo mejor sí. No me acuerdo». «¡Qué aburrido eres, Hemicraneal! ¿Sabes qué día hubo magia?». «¿Cuándo?». Su movimiento circular, saltarín, destruyó mis defensas. Faltaba poco. «El día que el viejito Vivancos le llevó la serenata a la señora Cristina. Esa es la cosa más hermosa que he visto en mi vida». «Sí, es verdad, fue hermoso. Lo había olvidado por completo. Yo fui parte del *staff* de Vivancos, hacía la iluminación, je, je». «Sí, me acuerdo. Te vi desde la ventana». «¡Te acuerdas de unas vainas, Carl!». Se me fueron los ojos. Interpretó mi apasionada mueca. «¿Qué? —preguntó—. ¿Vas a llegar?». Apretó mi cabeza contra su pecho, su cuerpo mantuvo un movimiento constante, cíclico. Vi el túnel del cliché, la luz blanca. «Llega, mi amor, llega», dijo en voz baja. Luego, cuando caí derrotado, me besó en la frente.

9

«Escucha, Gabrielito, la crisis es una mina. Hemos decidido ser solidarios y crear una nueva colección de bolsillo», dijo Eduardo Carnera. Confundí los horarios de mi agenda por lo que una hora antes de lo previsto tuve que vagar por los pasillos laberínticos de la Universidad Autónoma. Carnera tenía clases. Apareció acompañado por un coro de muchachas. Todas lo veían como si se tratara de una estrella de *rock*. Me pidió que entrara a su clase de Literatura Latinoamericana. «Luego hablaremos en mi despacho», dijo. No sé cuál sea el concepto del ridículo que manejen los especialistas en Literatura pero, en mi humilde criterio, la indumentaria de Carnera dejaba mucho que desear. Eduardo Carnera bordaba los cincuenta años, tenía una calva incipiente y el rostro amarillo de los fumadores. Aquel día tenía una franela con un motivo particular:

Homero Simpson viendo televisión. Siempre me llamaron la atención las franelas de Carnera, todas tenían una alusión *cartoon*, un dibujito del Capitán Cavernícola o cualquier otro héroe de infancias anacrónicas. Su clase sobre las vanguardias en América, aquella a la que tuve la desgracia de asistir, fue una persistente enumeración de invectivas y denuestos contra los escritores latinoamericanos contemporáneos. «Vosotros sabéis que los sudamericanos cuando quieren pasar por intelectuales utilizan un lenguaje y unas maneras ridículas, como que tratan de imitar al hablante español y el resultado es lamentable —la corte de niñas le reía todos los chistes—. Ahora se han inventado el mito del tal Bolaño, ¡bah! Escritor mediocre, imaginativo pero mediocre. Si tomáis a cualquier *clochard* y le dais un lápiz y un cuaderno, contará las mismas necedades que el Bolaño, quien lo único que tiene a su favor es que murió joven». La clase terminó con otros despotriques. Carnera se tomó su tiempo, atendió las solicitudes de las ninfas y, quince minutos más tarde, fuimos a su despacho.

«Escribirás un libro llamado *El recetario del amor*. La idea es maravillosa. Será el primer título de nuestra colección de bolsillo». Tomaba apuntes sin mirarle la cara. Él fumaba y observaba el techo. Describía su proyecto moviendo las manos, haciendo malabares. «En cada página pondremos fotos de niñitos felices o de parejitas besándose en parques y abajo, Gabriel, vendrán las recetas. Ejemplo: Una cucharada de amor, ja, ja. ¡Dime que es bueno! Dos gramos de confianza en ti mismo, tres litros de fe. Esto será un *bestseller*. Ja, ja, ja. Finalmente, la preparación. En esa parte es donde echarás el cuento. Es importante que creas en ti, bla, bla, bla. Es ahí donde te toca engañar al incauto. Cuenta cualquier cosa, habla de tu abuelita, de tu perro, de esas cosas que se inventa la gente para ser feliz, ¿está claro? Queremos el primer borrador en tres meses, estos serán tus honorarios —acercó una hoja de cuaderno

con la cifra del anticipo. No dije nada. Interpretó mi silencio a
su manera—. Son tiempos difíciles, Gabriel, debes entender.
Además, nos gustaría que lo complementaras con otro trabajo. Escribe un testimonio sobre algún tío al que echaron de su
trabajo, un obrero, qué sé yo. Este tío se fue a la mierda, la mujer lo abandonó, su banco lo cerraron, tiene un hijo con retardo que no lo quiere, no pudo pagar el alquiler y lo echaron de
su piso. No sé, Gabriel, el creador eres tú, jódele la vida. Toma
un día el metro de norte a sur, recopila las historias patéticas
que puedas escuchar y luego haces una síntesis de miserias
en un único personaje, ¿te parece? Lo importante, Gabrielito, es que al final del libro esta persona no tendrá nada pero...
—abrió una gaveta de la que sacó una carterita con tequila. Se
bebió un trago y continuó—. Lo importante es que nuestro
perdedor encontrará la espiritualidad. Él buscará dentro de sí
mismo y se dará cuenta de que la felicidad está en su corazón,
ja, ja». «¿Por qué no en su memoria?», pensé en voz alta. *Fuck*,
me dije. No pretendía seguirle el juego. Escribiría su guion y
nada más. La pregunta se me escapó. Carnera me miró con
desprecio. «¿Memoria? No, no, no. Nada de eso, Gabriel. No
te pongas filosófico, qué va a recordar este pobre infeliz si toda su vida ha sido una mierda. Sí, si quieres contar que cuando era niño un día se subió a un árbol y su madre le compró
un helado, se gastó toda la mensualidad para comprarle un
helado, y eso lo hizo muy feliz, adelante. Pero el lector es básico, Gabriel, muy básico. Nunca olvides eso: c – o – r – a – z
– ó – n, deletreó. Eso es lo único que quiere leer tanto el ton-
to como el listo. ¿Alguna pregunta? —negué con el rostro—.
Ah, otra cosa, español por supuesto». «¿Perdón?». «El perdedor tiene que ser español. Nada de estar poniendo sudacas ni
amarillos ni marroquíes ni negritos, esa parte óbviala. El *target*
de esta colección será la miseria local. Más adelante, si la cosa funciona, que creo que funcionará, te pediremos un librito

sobre la podredumbre extranjera, pero primero nos dedicaremos a limpiar nuestro culo, a botar nuestra mierda —se terminó el trago, empujó la silla, se levantó y tomó su chaqueta—. Cuento contigo, Gabriel. Otra cosa que se me olvidaba —buscó un calendario sobre la mesa—. Sí, en un mes. En un mes, en la Fundación Juan March, tendrá lugar el primer Encuentro Internacional de Narradores de la Nueva Era. Vientos de Cambio tiene que estar ahí. Me gustaría que fueras a algunas de las ponencias para tomar nota sobre lo que está haciendo la competencia. Te interesará. Vienen Deepak Chopra, Paulo Coelho, Walter Riso y Jorge Bucay, entre otros grandes farsantes. Discutirán tonterías: *¿Es la Nueva Era literatura? La autoayuda como literatura, Balzac como narrador espiritual* y demás guarradas. Estos tipos son los que establecen los paradigmas, los que marcan el hilo del mercado. Vas, los escuchas y escribes en función de lo que ellos están haciendo —me dio dos palmadas en la espalda—. Luego te envío por correo el itinerario completo. Bueno, Gabrielito, tengo clases. Pon a Jack Shephard a trabajar, hay que ayudar a la gente. Je, je».

10

Me mordió con fuerza. Los dedos de los pies se astillaban entre sus dientes. Me masticó el talón. Su lengua hizo giros sobre el tobillo. Volvió a morderme. Grité de dolor. «No es la primera vez que me destrozas los pies», le dije. Ignoró el comentario. Engulló el pulgar, empapó la uña. La saliva me hizo cosquillas. «¿Recuerdas nuestra fiesta de graduación en el Círculo Militar? Te empeñaste en bailar conmigo. Eras una ladilla, dijiste que no me dejarías en paz en toda la noche si no bailábamos una canción. —su boca apresó cuatro dedos; solo el meñique escapó al garfio; chupó—. Y bailamos un merengue. Eras insoportable, Carl. Comenzó la canción y te llevé a la pista solo para que dejaras la ladilla». Regresó al tobillo. Se acomodó detrás de mis rodillas, subió hasta la cintura, escupió sobre el sexo muerto, vencido por la reincidencia. «"Reina mía"», dijo tranquila. «¿Qué?», pregunté. «El merengue, la canción que bailamos, era "Reina mía" de Juan Luis Guerra». «No sé, ni idea. El hecho es que éramos un desastre, tú no sabías bailar y yo no tenía ritmo. Eras chiquitica, me llegabas por aquí —me toqué el pecho—. Solo dábamos vueltas torpes, hacíamos el ridículo». Me besó en la boca. «Te amo», dijo. Jugó con mi pelo. «Y te paraste sobre mis zapatos. Me dijiste: "Llévame, Gabo" y así terminamos de bailar. Me destruiste los mocasines, los pies, me salió una ampolla, no pude bailar el resto de la noche». Volvió a besarme. «Lo hice a propósito», dijo. Colocó sus senos en mis labios. Mi lengua caló en la cicatriz enorme, en el promontorio de costra. La línea bajaba desde el cuello, se curvaba en el pezón y le atravesaba el pecho. Observé la marca con curiosidad. «¿El accidente?», pregunté en voz baja. Afirmó con el rostro. Trató de taparse. Encontré también una herida en la espalda, una sombra en el muslo. Sus dedos apresaron mi sexo, me envolvió la piel con el puño. «¿A qué hora sale tu avión?», preguntó. La sangre, poco a poco, inundó mi flaqueza. «En cuatro horas, creo». Sus dedos agarraron el tallo; el pulgar parecía apretar un botón. «¿Cuándo volveré a verte?», le pregunté. Me golpeaba con fuerza. El placer interrumpía mi respiración, me costaba mantener los ojos abiertos. «No lo sé. En una semana es mi cumpleaños. En quince días, más o menos, regresaré a Caracas». «¿Qué harás en tu cumpleaños?». «No tengo idea, supongo que me emborracharé con algunos amigos en un antro del Raval». Se cansó. Cambió de mano. Tenía más fuerza con la izquierda, apretaba hasta la asfixia. El puño se alzaba y caía con el empeño de una máquina. «Me gustaría pasar una noche por Madrid —dijo—. Puedo cambiar el pasaje. Quiero pasar una noche contigo». No podía hablar, imprimía a su mano una velocidad avasallante. Por un momento pensé que me arrancaría el sexo. Regresó a la derecha. Se me fueron los ojos. Me tapé la cara con las manos. «Ven», dijo. Se acostó a mi lado y me encerró entre sus piernas. Al encontrarla, al acomodarme en su adentro, comenzó a llorar... Nuevamente el pasado se convierte en presente, como si tuviera en mis manos el control remoto del tiempo... Puedo verte, Carl. Liubliana sucede todos los días, ha sucedido todos los días. Hacemos el amor bajo la vigilancia de tus lágrimas. Hacemos la melancolía, la soledad. Estás sobre mí. Haces preguntas que no sé responder. Me encantaría llorar a tu lado pero no sé hacerlo. Te levantas y observas la juntura, el núcleo que nos ata. Colocas tu mano abierta entre ambos universos. Tu dedo índice parte desde la raíz e inicia un recorrido lento a través de mi pecho, ahora abres la palma y tu mano simula arrancarme el corazón. Intento alzarme pero tu gesto me lo impide. Me empujas; trato de decir algo, pides silencio, tapas mi boca con un beso leve. No paras de llorar, mi Carl. Caes a mi lado, seguimos hilados por el vientre. Me aferro a tu peso. El reloj escupe un odioso pitido. La despedida es inminente. Tu palma de revés se pasea por mi rostro. «Carla, yo...». «Cállate». Tus dedos golpean mis labios. Permaneces encima, bailas una pieza lenta que me tumba, que me enceguece. Encuentras un punto de placer y saltas hasta asfixiarlo, hasta que la locura te desfigura el rostro. El orgasmo coincide. Apenas sentimos la alarma nos buscamos los ojos. «Mírame —me dices—. No cierres los ojos». Tu mirada es un pozo. Las narices se brindan aliento, se sirven de soporte. Tengo tu pupila en mis párpados. El cuerpo hace su parte. Y ocurre, Carl. Una fracción de segundo nos eleva al empíreo. Permanecemos abrazados por un tiempo impreciso. El reloj insiste. Debo salir al aeropuerto. «Gabo», dices al cabo de diez horas o cinco minutos. «¿Dime, Carl?». «No te vayas, por favor. No te vayas».

II

«¡Qué fácil es echarlo todo a perder!».

ENRIQUE VIVANCOS

1

«*Marisco*, mira la vaina», gritó Atilio. Sus dedos señalaban la entrada del cine. Estábamos en el Centro Comercial Santa Fe, bloque sin forma ubicado en los terrenos del viejo autocine. Atilio tenía una novia que trabajaba en la tienda Town Records. El centro comercial era un lugar de ladrillo artificial muy parecido al Plaza Santa Mónica cuyo punto de referencia, al igual que en los espacios del desaparecido Parsamón, era el letrero gigante de McDonald's. Atilio hacía chistes indecentes a su novia de turno. La morena se reía con carcajadas diuréticas. Fedor y yo revisábamos el limitado catálogo musical. Ese día, no sé por qué razón, Martín no estaba con nosotros. Al salir de la tienda, mientras discutíamos dónde tomarnos una cerveza, Atilio gritó: «*Marisco*, mira la vaina», señaló la entrada del cine. Fedor confirmó el hallazgo con una risita burlesca. Enrique Vivancos sostenía una caja de cotufas. A su lado, colgada de su brazo, caminaba impasible la señora Cristina. «Ja, ja, ja. ¡Qué bolas! ¡Qué sinvergüenza Vivancos! Pendiente con

la vieja Cristina», dijo Fedor. Ellos no nos vieron, nosotros estábamos en el segundo piso. Entraron al cine tomados de la
mano con el romanticismo táctil de los adolescentes. La señora Cristina era viuda; el señor Raimundo había fallecido hacía
más de tres años: murió de viejo, en su casa, en su cama, por
un ataque de tos. Más que un recuerdo, el viejo Raimundo era
una sombra oscura perdida en las escaleras del Inírida. Aquella noche, en el Subway del Plaza Santa Mónica, Atilio y Fedor
abordaron con saña al buen Enrique Vivancos. Él salía del au-
tomercado Luvebras, caminaba en dirección a su casa sosteniendo una bolsita con pan y queso paisa. «Vivancos, ven acá»,
le gritó el Gordo. «Hola, muchachos, ¿cómo están?». «Ajá, rata, te pillamos. Echa tu cuento». «Cuenta, Vivancos, ¿te caíste a
latas?». «¿Le metiste mano?». «¿Mojaste? Danos detalles», in-
sistían con malicia. Enrique Vivancos se puso muy serio. «Faltas de respeto», les dijo indignado y se retiró camino de la Bolet Peraza.

2

«Gabriel, tenemos que hablar. ¿Qué pasa? ¿Qué te pasa?»,
preguntó tranquila. Tenía entre sus manos un vaso de ginebra.
Elena no tomaba, no le gustaba tomar. *Maldita sea*, me dije. Al
parecer, debía confrontar ese difícil momento que, por algún
tipo de insuficiencia hormonal, padecemos todos los cobardes: decir la verdad. «Siéntate», ordenó. «No, estoy bien así».
«¿Qué pasa, Gabriel? —simulé deshacer la maleta—. ¿Qué tal
Roma? ¿Cómo te fue?». «Bien, normal». Aparté la ropa sucia,
empapada de Carla. Sentí un ruido en el aire, un zumbido.
Me aparté por reflejo. El vaso se estrelló contra la pared, la
cabeza se me llenó de ginebra. «¿Puedes decirme qué coño
es lo que te pasa?». Nunca la había visto así, parecía drogada.
Qué carajo, me dije. Estaba dispuesto a largarme, a exponer los

argumentos de la separación. Solo debía tomar la palabra. Sin embargo, por una de esas manías inexplicables del azar, sonó el timbre de la casa. Nunca antes, desde que vivíamos en España, habíamos tenido una visita.

3

Alejandro estuvo con nosotros el día de la serenata, semanas antes del accidente. Antesol, la mugrienta taberna ubicada al lado de la licorería Norma, se había convertido en el refugio de los indiferentes. Aquel era uno de los pocos lugares de Santa Mónica que conservaba el misterio de la ciudad vieja. Los comerciantes de antaño se reunían en la tasca a contar historias fundacionales, a rememorar proscritos urbanismos, derrocar gobiernos inútiles y, los más fanáticos, a extrañar la mano dura del dictador Marcos Pérez Jiménez. La política, poco a poco, ejercía el monopolio del discurso. Todas las conversaciones, desde las más banales hasta las más hondas, incluían con vehemencia parlamentos de apoyo o de denuncia. El año de la muerte de Alejandro fue una película mediocre. En el mes de abril el presidente Chávez fue derrocado por una banda de inútiles. La incompetencia de los conjurados motivó el fracaso del golpe. Meses más tarde, tras un breve período de falsa tolerancia, comenzó la guerra entre los buenos y los malos. Todos los días había una marcha, una contramarcha. Aquel año se naturalizaron las ofensas, las consignas de guerra, las canciones pangolas. El calendario universitario se montaba en función del desastre. Mientras la ciudad marchaba de aquí para allá y de allá para acá, hasta que la policía disolvía las manifestaciones con ballenas, nosotros, los *vitelloni*, nos reuníamos a hablar paja en las mesas de Antesol. Eventuales borrachos, tras recorrer las autopistas de la ciudad a pie, aparecían sedientos portando banderas gigantes y citando rimas tan inútiles

¡Qué fácil es echarlo todo a perder! 145

como ingeniosas: *Hugo, Huguito, aprieta ese culito / Diosdado, Baduel, apriétenlo también.*

El día de la serenata los muchachos del Inírida coincidimos en Antesol. No había clases. Había una marcha hacia el Tribunal Supremo o hasta el teatro La Campiña, no lo recuerdo. Estábamos en una mesa grande. Enrique Vivancos contaba las historias de siempre. Fedor, atento a su prédica, le recargaba el trago en cada pausa. Una vez más, la dramaturgia caraqueña fue el tema de conversación de don Enrique. Habló de sus amigos Fausto Verdial, Juan Carlos Gené y el buen José Ignacio Cabrujas, su querido José Ignacio. «Yo trabajé como apuntador para el Nuevo Grupo y, más tarde, para el Grupo Actoral 80. Yo fui quien descubrió a este muchachito, cómo se llama, Manrique, Héctor Manrique. Yo les dije a Juan Carlos y a Maritza: "creo que este joven tiene talento"». «¡Este Vivancos sí es mojonero!», susurraba Atilio tapándose la boca. Fedor, entusiasmado con los relatos, hacía preguntas maliciosas, pedía detalles, datos concretos que pudieran dar lugar a alguna contradicción, pero Vivancos nunca cayó en la trampa. Todas sus anécdotas parecían hallar un verosímil respaldo. «Una vez, aunque ustedes no lo crean, José Ignacio me permitió interpretar a Pío Miranda». «¿Quién coño es Pío Miranda?», preguntó alguno. «¡Esta juventud, por Dios! El protagonista de *El día que me quieras,* una de las obras más hermosas del teatro venezolano. Pues sí, José Ignacio estaba enfermo, tenía gripe, no tenía mucha voz, estábamos en Guacara y hacíamos una presentación modesta para cerrar un festival de provincia. Fausto Verdial, quien también conocía el papel de Pío Miranda, se había quedado en Caracas. José Ignacio tuvo fiebre. Era una función gratuita, no queríamos desilusionar a las pocas personas que se habían reunido en el teatro. "Que lo haga Vivancos", dijo José Ignacio. "Si se sabe el papel mejor que yo". Y así, aunque ustedes no lo crean, interpreté a Pío

Miranda. Recibí una gran ovación y después tanto Amalia, como Freddy y Simancas me felicitaron. Amalia Pérez Díaz. ¿No
la conocen? —rostros de ignorancia sobre la mesa—. ¡Qué horror! ¿En qué mundo viven? Amalia es una de las más grandes actrices de Venezuela, de América». «Creo que Jean Carlo
Simancas es un patiquín que sale en algunas novelas malas»,
dijo Martín indeciso. Vivancos negó con su rostro. «¿Patiquín?
¡Cuánta falta de respeto! En este país no se respeta el trabajo de los artistas. Si supieran ustedes todo lo que ha trabajado
mi querido Jean Carlo —parecía triste, tenía los ojos rojizos,
la córnea hinchada—. En el año 87, antes de que los problemas de presupuesto me obligaran a abandonar el grupo, José
Ignacio me dijo que me daría la oportunidad de interpretar a
Pío Miranda en Caracas. Era un nuevo montaje; había una serie de presentaciones en distintas salas. Yo sabía que la gente
quería verlo a él, no a mí, pero él era un buen hombre, sí señor, José Ignacio era un buen hombre. Me dijo que podía interpretar a Pío en una presentación gratuita que haríamos en
el auditorio del Colegio de Ingenieros. Mi hijo Luis iba a venir
con su novia, una muchacha de Maracay. Iban a casarse, él iba
a buscarla e iban a venir los dos a ver la obra. Había cambiado
parte del reparto pero la esencia del grupo era la misma. Y llegó el día... Tenía mucha ilusión por interpretar a Pío en Caracas, con mi gente, con mis vecinos, con mis amigos... Pero fue
cuando Luisito desapareció, se desbordó el río y no pudo asistir. Pío Miranda, como siempre, fue interpretado por José Ignacio Cabrujas. La semana siguiente a la tragedia mi señora y
yo hicimos una misa para pedir por la aparición de Luis. Fueron todos: doña Amalia, Jean Carlo y José Ignacio; ya Juan Carlos Gené se había regresado para Argentina. "No se preocupe,
Enrique", me dijo José Ignacio, "usted volverá a interpretar a
Pío Miranda y, si Dios quiere, su hijo Luis podrá verlo". Él era
un buen amigo».

El relato produjo un silencio doliente. En ese momento, Álvaro, el músico del 4B, entró en Antesol. Hizo afables mentadas de madre con las que se quebró la atmósfera de hielo. Venía con un amigo de la orquesta. Los dos tenían sendos instrumentos guindados en la espalda. Álvaro era una de esas personas que, aunque tenía nuestra edad, aunque habíamos asistido al mismo colegio y, alguna vez, habíamos jugado una caimanera en el Parsamón, nunca habíamos asimilado como amigo. No nos llevábamos mal, al contrario. Él era un buen tipo, manteníamos una relación amable, cómplice, ligera, pero por un extraño criterio de las relaciones humanas nunca logramos forjar una intimidad. Álvaro había sido uno de los pocos alumnos de la Nena Guerrero que no se había transformado en un inútil, en un paria prepotente. El músico entró a la tasca y se sentó al lado de Martín. Pidió una cerveza. Maldijo al presidente antes de brindar, comentó el desastre de las calles, la euforia de los motorizados, la última arremetida de la Guardia. Luego, tras los *cómo está todo* de rigor, expresó su preocupación por la situación de la Orquesta Sinfónica que al parecer, no tenía presupuesto. «Menos mal que a Ricardo Montaner le dio por grabar un disco con arreglos sinfónicos; el cabrón ensaya con nosotros. Esos son los únicos reales que han caído este año, de resto, estamos pelando más bola que el chavo del ocho. Y parece que nos van a sacar de la sede en el Teresa Carreño, eso sí sería una mierda». Al otro lado de la mesa, Atilio conversaba con Vivancos. Le llenaba el vaso de ron y lo obligaba a tragarlo fondo blanco. «Cuenta, Vivancos, cuenta, que aquí todos somos panas. ¿Qué es lo que pasa con Cristina?». El viejo Enrique no decía nada, a veces se reía, otras veces nos llamaba *malas gentes* o citaba que hablar de las mujeres ausentes no era una actitud propia de caballeros. Atilio, perverso, insistía con lacerantes arengas. De repente, Enrique dijo: «Cristina es la mujer que he amado durante toda mi vida, muchacho. Es una buena mujer. Su familia se opuso a nuestra relación y ella se casó con Raimundo, un buen hombre. Siempre respeté esa relación, tuvieron dos hijos hermosos». «Coño, Vivancos —saltó Fedor—, pero el viejo se murió, ahora tienes el camino libre, échale bolas. Yo creo que a Cristina tú le gustas». Y así, poco a poco, entre burlas y lamentos, el viejo Vivancos nos expuso su caso. Todos lo escuchábamos con atención. Era raro caer en cuenta de que, después de mucho tiempo, habíamos coincidido los cinco. Entre las risas y los cuentos nos olvidamos de la miseria cotidiana de Caracas, de los efectos de La Guaira, de los compromisos universitarios, de la distancia natural impuesta por el paso de los años. Álvaro sacó la guitarra. Nos pusimos a cantar. Vivancos pedía boleros, cantaba con voz ronca, borracha. Álvaro comenzó a cantar un tema llamado «Desesperanza». «Acabamos de grabar esto con Alberto Naranjo. ¿Lo conoces, viejo?». «Cómo no, María Luisa Escobar —respondió Enrique—. Hermosa canción, hermosa canción interpretada por Alfredo Sadel». Cantaron con emoción. «¡No joda, Vivancos! Ya sé lo que vamos a hacer, vamos a llevarle una serenata a la vieja Cristina», dijo Atilio levantándose y pidiendo la cuenta. «¡Sí! —gritó Fedor. Los demás nos reíamos a carcajadas—. ¡Vamos, Vivancos. Tú eres el hombre! Cristina sabe que tú eres el hombre. Nosotros, tus amigos borrachos te apoyaremos, estaremos contigo».

4

No había terminado de abrir la puerta cuando me saltó encima. Me comió a besos. Su lengua atravesó mis labios incómodos, sus manos secas recorrieron mi rostro, empeñó su vientre sobre el pantalón. Me aparté con prudencia. Todo mi cuerpo, como diría Atilio, estaba hediondo a Carla. Cuando llegué al aeropuerto hablamos por teléfono, dijo que quería verme, que aquel día podía resultar especial, que me estaba esperando en nuestra casa. Salí de Eslovenia con prisa, no tuve tiempo de bañarme. La fortuna, disfrazada de taxista temerario, hizo que no perdiera el vuelo. Mis manos olían a Carla. Mi pecho, en *virusas*, había formado grumos con su sudor. Su perfume había penetrado mis dedos, la saliva dulce aliñaba mis labios, mi ropa apestaba a sexo. Cuando entré al apartamento pude ver que Elena había colocado sobre la mesa algunas velas *kitsch*. *Vainas de Adriana*, me dije. Distinguí también, al lado de una jarra con hielo, una botella de ginebra. Arrastré la maleta hasta la sala. Comenzó a besarme, a tocarme, a repetir las frases vacías de siempre, el *te amo* desinteresado, vacuo. «¡Elena, ya! —dije obstinado—. Estoy cansado. Mañana tengo trabajo. Quiero ducharme y tratar de dormir». Ignorando mi alegato, se quitó la camisa. Colocó mis manos en su pecho. «Quiero que hagamos el amor», dijo con mirada febril. Retiré las manos con fuerza. Caminé hasta el baño. «¿Qué, hoy estás fértil?», pregunté con antipatía. «Sí, Gabriel. Hoy es el día ideal». «Ah, con razón». «¿Qué quieres decir?». «Nada, Elena. No quiero decir nada». «Gabriel, por favor, hemos estado esperando esto durante mucho tiempo, es importante». *Cállate ya, coño, no te soporto*, me dije mientras me cepillaba los dientes. «¿No quieres hacer el amor conmigo?». «¡Maldita sea, Elena! —dije tras escupir y lanzar el cepillo sobre el charco del lavamanos—. Deja de manipular con esa mierda, coño. Tienes más de un año que no te dejas poner una mano encima y hoy, justo hoy, que llego hecho mierda, quiero dormir, quiero descansar... Tú quieres tirar hoy porque hoy Saturno se alineó con Júpiter o qué sé yo. No me jodas, Elena, por favor». Nunca he sabido discutir, me pongo bruto. Digo cualquier cosa, las estructuras gramaticales colapsan. «Está bien, Gabriel. No te tienes que poner así. Pensé que era lo que querías. Pensé que tú también querías tener un hijo». «No así, Elena. No así».

«¿Entonces, cómo?». «Coño, por favor. Me voy a bañar. Hablamos en otro momento. Ha sido un mal día». «¿Cómo te fue?». «Bien. Normal». «¿Hicieron lo que tenían que hacer? ¿Qué tal Kyriakos?». «Sí, lo hicimos. Kyriakos es un *cabeza'e güevo*». «Ya no me cuentas tus cosas». «Elena, no tengo cabeza. Quiero ducharme, ¿puedo?». Cerré la puerta del baño, caí de rodillas detrás de la puerta. *Maldita sea*, repetí incesante. Mis manos conservaban los olores de Carla. Abrí la regadera a disgusto. No quería quitármela. Había restos de Liubliana sobre mi piel. No quería que el jabón arrancara sus parches; podía vivir cubierto de mugre el resto de mi vida con tal de que su perfume se me quedara en el cuerpo. Traté de serenarme bajo el agua ardiente. Sentí dolor en la ingle. Encontré sus cabellos enredados, sus vellos, su saliva seca. La decisión era irrevocable: tenía que hablar con Elena. *Es lo mejor*, pensé. No me sentía capaz de seguir dándole largas al matrimonio muerto, a la indolente convivencia. «Gabriel, tenemos que hablar. ¿Qué pasa? ¿Qué te pasa?», dijo tranquila cuando salí del baño. Tenía entre sus manos un vaso de ginebra. Elena no tomaba, no le gustaba tomar. Fingí revisar el equipaje, esquivé sus preguntas. Cuando menos lo esperaba me lanzó el vaso. Si no me retiro a tiempo, me habría partido la cabeza. El enfrentamiento verbal duró pocos minutos. En algún momento de la pelea, sin que nadie lo esperara, sonó el timbre.

Elena abrió con violencia, con los ojos húmedos. La puerta se explayó de par en par. Y, humilde, retrocediendo levemente ante la brusca bienvenida, encontré el rostro de Mariana. «¡Perdón! —dijo en voz baja—. ¿Es mal momento? No pensé que fuera tan tarde». Elena no la saludó, dejó la puerta abierta y caminó hasta la sala. «Hola, Mariana. ¿Cómo estás? ¿Quieres pasar?», dije amablemente mientras recogía fragmentos de vidrio. «No, Gabriel. No importa. Lo que pasa es que necesito hablar contigo, es importante. Te llamé a tu móvil pero lo tienes apagado. Me urge hablar contigo. Si estás ocupado, no importa, hablamos mañana». «No, no, Nana. Hagamos algo. Baja. En el cruce con Marqués de Hoyos hay un bar, no recuerdo el nombre, queda justo en la esquina, tiene un letrero rojo. Dame diez minutos, ahí estaré». «¿Seguro?». «Sí, estoy llegando del viaje con Kyriakos. Me cambio y bajo». «Gracias, Gabriel. Hasta luego, disculpen la molestia», dijo asomando la cabeza. Cerré la puerta. Elena se puso a dar vueltas por la sala como una loca. «¿Y ahora te vas a ir con la puta esa?». «¡Qué coño te pasa, Elena! No le digas puta. No sabes un coño, no sabes ni siquiera de qué me están hablando». «Si te vas con esa peruana de mierda, no vuelvas, Gabriel. Siempre supe que tenías una vaina con esa caraja». «Elena, por favor. No me jodas. Mariana es lesbiana, Mariana está loca, Mariana es la tipa más asexual que he conocido en toda mi vida pero es mi amiga, coño, no tienes que insultarla. Si quieres salir con la *pajúa* de Adriana y despotricar contra ella mientras te comes un *Cinnamon roll* o te compras unos zapatos en El Corte Inglés, de pinga, pero en mi cara no la ofendas, me arrecha». «¿Te vas a ir?», preguntó bajando el tono, se acercó sin tocarme. «Elena, voy a bajar a hablar con Mariana. No será más de media hora, te lo prometo». «¿Y qué tienes que hablar con ella? ¿No pueden hablar acá?». «¿Crees que después de como la recibiste le quedarán ganas de hablar aquí, que se sentirá cómoda?». «¿Entonces es mi culpa?». «No es tu culpa, Elena. No es culpa de nadie». Me abrazó con cariño. «Ya hablaremos, ¿sí? ¡Quédate tranquila! Anda, acuéstate». Antes de salir del apartamento le disparó a la conciencia: «Gabriel, perdón». *Coño'e su madre*, qué facilidad tenía para hacerme sentir como un miserable. «No te preocupes, no pasa nada». «¿De verdad estás bien? ¿Las cosas están bien? Tienes razón, quizás me precipité con lo de... Podemos intentarlo otro día». «Todo está bien, Elena. Todo está bien», repetí antes de salir.

5

«¡Cristina!», gritó Atilio hasta que se le fueron los gallos. Comenzó el recital. No sé en qué momento aparecimos en la parte de atrás del edificio, por los lados del estacionamiento. La señora Cristina vivía en el segundo piso. Serían aproximadamente las diez de la noche. Estacionamos bajo las ventanas que daban a la cocina. Álvaro se sentó en el capó, se colocó la guitarra sobre las piernas. Habló en dialecto musicológico con el violinista, mudo, tímido, simpático. Vivancos, apoyado en el hombro de Fedor, caminaba con dificultad hasta la platea. Alejandro y yo nos quedamos dentro de la camioneta. «Tú, encárgate de las luces», me dijo Martín quien corría por el patio como un carajito. Atilio se colocó al lado de la puerta del piloto, con su mano sudada tocó la corneta con estruendo. Luego gritó: «¡Cristina!». Todos, a excepción de Vivancos, nos cagamos de la risa. «Álvaro, cuando quieras», dijo alguno. Comenzó la guitarra, tras los primeros acordes apareció el violín, despacio, en duermevela. Los sonidos se mezclaron sin hacerse daño. De manera traviesa, comencé a jugar con las luces del carro: altas, bajas, altas. Poco a poco, aparecieron los rostros en los apartamentos; algunas sombras se escurrían detrás de las cortinas. La luz del segundo piso, una luz interior, mostró una silueta. Álvaro exploró pisadas complicadas, sonidos simples. El violinista interrumpió la tonada, miró el rostro de Vivancos y con un movimiento de la barbilla anunció la entrada. Silencio. Leve cortina de guitarra. La voz parecía nacer desde el suelo, una voz gruesa, grave, herida, trashumante. Los murmullos cesaron en medio de la ópera bufa: «Nunca me iré de tu vida / ni tú de mi corazón, / aunque por otros caminos / nos lleve el destino / qué importa a los dos». La puesta en escena me sedujo. No teníamos grandes expectativas con aquella payasada. Estábamos borrachos. Sin mayor desaire, esperábamos hacer el ridículo. Sin embargo, el oficio melódico de Vivancos nos conmovió, borró los litros de cerveza con el golpe recalcitrante de un sentimiento honesto que por primera vez parecía gritar su testimonio. El intérprete permanecía estático, con los brazos abiertos en letanía. Alejandro estaba a mi lado. Pude ver de reojo, en el cuarto piso, medio rostro de la niña más hermosa del mundo. «Te llevo dentro del alma / como un tatuaje de sol / y entre mis venas / palpita la llama encendida / de tu corazón». Solo de violín; viento que, sin malicia, se burlaba del aire. La canción de Vivancos es uno de esos raros momentos en los que, a decir de Carla, estuve tentado a sentir el verdadero significado de la magia. El silencio de los vecinos era cómplice del evento; rostros distantes permanecían parados detrás las ventanas. Vivancos parecía alquilar la voz, sacarla de un espacio interior, subterráneo. «En una noche callada / te fuiste y no has vuelto, / mi vida entera te llama / y anhela tus besos... / míos. Y es que tú acaso no escuchas / mi grito doliente / la voz de mi alma / que llora tu amor. / Y te pide que vuelvas / con tus labios ardientes y tu alma encendida / a volverme la vida / que un día te llevaste con mi corazón». «¡Una *güevonada*!», dijo Atilio bajito. El gañote era impresionante. La canción ocultaba un contenido tácito, un consejo prudente. Álvaro hizo malabares con las cuerdas. El violinista retomó la trama del coro. Vivancos cerró: «Y tu alma encendida / a volverme la vida / que un día te llevaste... con mi corazón... con mi corazón». Fin de la pieza. Todo el Inírida y parte del Orituco se volcaron en un aplauso sostenido y solitario. Atilio, en medio de su pea, corría por el estacionamiento gritando: «¡Qué arrecho! ¡Qué arrecho! ¡Arrechísimo! ¡Vivancos, arrechísimo!». El intérprete no compartía la dicha de los otros. Vivancos perdió el equilibrio. La luz del segundo piso se apagó. El viejo Enrique caminó hasta el carro, sintió mucha vergüenza, nos dijo que aquello había sido un error, que quería que lo lleváramos para

su casa. Fedor nos hizo una seña. «Vivancos, tranquilo, nosotros te llevamos», le dijo Alo ayudándolo a montarse. Los
tres abandonamos el bullicio. «¡Ay, muchachos! —se quejaba
el viejo durante el breve trayecto—. ¡Qué fácil es equivocarse!
¡Qué fácil es echarlo todo a perder!», repetía para sí. En cinco
minutos llegamos al final de la Bolet Peraza. La ranchera verde estaba varada sobre cuatro ladrillos; el viejo vehículo, como
histórico menhir, permanecía clavado en frente de su casa. Un
perro callejero dormía acuclillado en el techo. Enrique se bajó, entró sin despedirse, lo vimos desaparecer tras el bombillo
fluorescente. «¿Una birra?», le pregunté a Alo. «Sí va». Reco-
rrimos todas las licorerías de Santa Mónica pero ya habían cerrado. «¿Cómo está todo, Alo? ¿Qué hay de nuevo?». «Nada,
todo igual, todo es lo mismo». Parecía reticente, incómodo.
Fuimos hasta Bello Monte siguiendo la ruta de las viejas areperas. Conseguimos cervezas en El Cambural. Regresamos al
edificio. El espectáculo había terminado. Atilio, Fedor y Martín, como en los viejos tiempos, estaban sentados en el parque.
Repartimos las birras. Nos quedamos un rato hablando paja,
riéndonos, compartiendo impresiones sobre el *performance*.
Alo fue el primero en irse, dijo que tenía sueño. Antes de retirarse, tras subir la escalera del parque, se volteó y nos dijo: «La
pasamos bien, ¿no? Teníamos tiempo... Teníamos tiempo», repitió. Se fue. Nadie dijo nada. Nunca más volvimos a coinci-
dir. El accidente ocurrió tres o cuatro semanas más tarde. Fue
Martín quien me dio la noticia, la primera noticia: Alo y Carlita se mataron.

6

«Javier habló con alguien dentro de Unicef, de ahí sacó la
información. No sabemos quién es; esa persona pretendía
hacer una denuncia internacional a través de Savard, a través

de los medios internacionales, Radio Francia o la BBC. Ella tiene algunas de esas pruebas. No son datos concluyentes pero sí hay suficiente material para preocuparse, para hacer preguntas incómodas —estaba nerviosa, sin control, jugando con sus anillos—. Hay algo muy raro detrás de todo este asunto, Gabriel. Hay una serie de situaciones irregulares en los hospitales de Haití y, por lo que sabemos, hay una o varias personas de importantes agencias humanitarias que están coordinando todo este desastre. Se están robando a los niños, eso es lo que está pasando». «¡Qué *heavy*! No sé qué decir», repliqué absorto. Mariana sacó una libreta con apuntes: «En el transcurso del último año han desaparecido aproximadamente noventa y dos niños de los hospitales de Puerto Príncipe. La información que Javier logró reunir, lo que logró decirle a Savard, sugiere que existe una falsa red de familias de acogida, radicada aquí en España, que está llevando a cabo una serie de adopciones ilegales. Traen a los niños acá y los venden a familias en Europa del norte. Los sacan por Panamá, luego los traen por vía marítima. También hay denuncias en Chile, pero eso no está muy claro». «¿Y es ahí donde entra Los Caminos de la Libertad?». «Eso no lo sabemos. Eso es lo que Savard quiere investigar». «¿Quién coño es esa gente? La página web no la actualizan desde hace cinco meses. La dirección postal que citan en el tríptico no existe, les escribí un correo y me rebotó —ordené la segunda cerveza—. Mariana, ¿tú de verdad crees que a Javier lo mataron por esto? —no respondió—. ¿Qué dice Savard?». «Esa es una posibilidad, Gabriel. Se trata de gente con mucho poder». «Coño, ¿pero son capaces de llegar al extremo de matar a alguien? ¿Quiénes son esos carajos, los rusos, la camorra, los narcos?». «Hay mucho dinero de por medio, cualquier cosa es posible. Pero también hay muchos rumores, los rumores de siempre: pedofilia, tráfico de órganos, prostitución, esclavitud. La verdad es que no sabemos nada, Javier nunca identificó a su fuente. Solo sabemos que era una persona importante, vinculada a una organización humanitaria. Tenemos que hacer algo, Gabriel. No podemos permitir que esto siga pasando». «¿Y qué podemos hacer? ¿Quién nos va a tomar en serio? Somos un par de pendejos, no tenemos nada. Además, Nana, ¡es Unicef, es la Unesco, es Acnur! Se supone que esa es la gente que se dedica a evitar que pasen estas cosas». «No estamos hablando de la Unesco en general. Se trata de una persona o un grupo de personas que se está aprovechando de los recursos y las posibilidades de estas instituciones para hacer este negocio, eso es lo que tenemos que demostrar. Podemos usar a la prensa. Savard tiene experiencia con este tipo de casos, pero necesitamos movernos con muchísima prudencia. ¿Puedo contar contigo?». «En principio, sí. No sabría muy bien para qué pero, por supuesto, me gustaría ayudarte». «Encárgate de Los Caminos de la Libertad —dijo—. Averigua quiénes son, qué hacen, dónde trabajan». «Está bien. Esta semana será un peo, tenemos encima el congreso». «Maldito congreso. Esto me da asco, Gabriel. Si no es porque sé que desde dentro podemos hacer más, presentaría mi renuncia ahora mismo. No puedo creerlo. El mundo hecho una mierda, un grupo de mafiosos vendiendo niños en el mercado negro y nosotros organizando un congreso para debatir pendejadas. Odio el maldito congreso; es un trabajón». «Kyriakos mandará al Indio Aurelio para que nos ayude». «¿Qué? —preguntó indignada—. Lo que faltaba. Este planeta está al revés, nada es como debería ser». «Vamos, Nana, sé que te cae mal pero un par de manos nos vendrán muy bien». «No puedo trabajar con un indio facha; ese tipo es la cosa más anormal que he conocido en toda mi vida. Un indio neonazi, es absurdo, Gabriel». «No exageres, no es neonazi, no es facha. Solo tiene, no sé, una personalidad muy particular. No te preocupes, lo mantendré alejado de ti. Te lo prometo». «¿Y tú, cómo estás?

—preguntó. Esbozó la primera sonrisa de la noche—. Tienes mejor cara. Por cierto, perdóname por aparecerme así en tu casa, necesitaba hablar con alguien. Se me olvidó que te ibas con Kyriakos para Roma», dijo con malicia. «Bien, Nana, bien. ¿Tú?». «Decir bien sería exagerar. Este asunto me deprime, me molesta... Es asqueroso. Y, para colmo, tengo que hacerte de alcahueta. Ahora creo que tu esposa me odia más». «Elena no te odia». «Ja, no mientas, Gabriel. ¿Te puedo hacer una pregunta personal? —Afirmé—. ¿Por qué no te divorcias? Cualquiera que medianamente te conozca se da cuenta a diez metros de que eres un infeliz». «Es complicado», dije encendiendo un cigarrillo. «¿Por qué te casaste?». «No lo sé». «Sabes que le estás haciendo daño, ¿no? —respondí con el rostro—. No soporto a tu esposa, Gabriel, pero es una mujer a la que están engañando y eso me molesta; la tratas como una mierda, le mientes, lo más seguro es que tengas una amante. ¿Qué edad tienes, treinta, treinta y uno? Los hombres son algo demasiado predecible, no me extrañaría que te hayas enamorado de una niñita de dieciocho o diecinueve, que digas esas pendejadas de que ahora sí descubriste el amor, que reencontraste tu hombría, que ella sí te comprende. Son patéticos. ¿Es tu caso, Gabriel?». «No, Nana. Esta historia es diferente». Se burló de mi ambigüedad. «Ah —hizo un ruido de furia—. A veces te odio, eres tan... pusilánime. No tienes carácter, eso me molesta. ¿Sabes una cosa? Si yo fuera heterosexual, la última persona del planeta con la que tendría algo sería contigo». «Gracias por el cumplido, Nana. Yo tampoco tendría nada contigo, no eres mi tipo». Nos reímos como idiotas. «Mi parte femenina es atroz, todos tenemos nuestro lado oscuro. ¿Sabes qué hombre me parece bonito?». «¿Quién, Kyriakos?». «No, peor. Yago». «¿Yago? ¿Ese sinvergüenza?». «Sí, es terrible. No sé por qué tenemos la tendencia a enamorarnos de los inútiles». La risa cerró la conversación. Recordé las noticias sobre mi ascenso, la posibilidad de Bruselas. Me sentí incómodo. «Prométeme algo, Nana». «Dime». «Vamos a ir contra esto, vamos a denunciar este asunto pero no quiero que corras riesgos, no quiero que termines como Javi. Si alguien o algo te amenaza, paramos. No vale la pena. No quiero que te maten por este asunto. Tu vida, y te lo digo en serio, vale mucho más que estos juegos de poder contra los que carajos como nosotros nunca podremos hacer...». «No puedo prometerte eso, Gabriel —interrumpió—. Sabes que no voy a parar». «Por eso mismo te lo digo». «Me decepcionas. ¿Sabes qué creo? El mundo está como está por culpa de los infelices como tú, por los que no hacen nada. La verdad es simple: hay uno o dos cabrones que se están enriqueciendo con un asunto inmoral, están secuestrando niños y los están vendiendo en el mercado negro. Eso no está bien. No hay más que decir. No volveré a dormir bien hasta no saber que puse lo mejor de mí para acabar con esa situación. A lo mejor a ti, que vives en tu burbuja, te parece ridículo pero nada más pensar que ahora, en una situación desesperada, existe una madre a la que le quitaron a su hijo, a la que le entregaron dinero por su hijo o qué sé yo qué mierda, me ofende, me paraliza, me degrada. ¿Y qué? Si al final me matan, al menos habré contribuido para...». «¡Ah! Mariana, por favor, deja la solemnidad. ¡Qué va a estar contribuyendo tu muerte para nada! Al final esos cabrones ganarán, siempre se salen con la suya. Yo no sé si pueda, si podamos, hacer algo para acabar con ese asunto, pero sí me comprometo a cuidarte la espalda. A ti no te van a matar, empéñate tú en salvar el mundo que yo me conformo con salvarte a ti. Voy a ser tu guardaespaldas, eso sé que puedo hacerlo o intentarlo, ¿me dejas?». Bajó el tono, cambió de actitud. «Es lo más bonito que me has dicho desde que te conozco —dijo riéndose—. En el fondo me quieres». «Sí, te quiero, Nana, qué coño. No quiero que te pase nada malo y lo digo en serio. Ten mucho cuidado, piensa bien todo lo que vayas a hacer. No seamos ingenuos. Mírame, es en serio». «Lo sé, Gabriel. Gracias». «Por ahora, tratemos de centrarnos en el tema del congreso, averiguaré lo de Los Caminos de la Libertad. ¡Los Caminos de la Libertad! —repetí con acento burlista—. ¡Qué nombrecito!». «Sí, tienes razón, salgamos del puto congreso. después, como dijo Kyriakos, uno de los dos será despedido, —mencionó con pausas, imitando su acento. Silencio—. Vete, tu mujer te espera. Tranquilo, yo pago, otro día invitas tú —cuando llegué a la puerta escuché su voz—. ¡Gabriel!». «Dime, Nana». «No seas cabrón, es tu esposa. Respétala».

7

Y ocurrió el accidente. «Marico, ¿supiste? —preguntó Martín. No respondí—. ¿No has hablado con nadie?», reincidió. «No, Martín, ¿qué pasa?», dije en voz baja. Una señora gorda, haciendo un vulgar chiflido, me mandó a callar. Elena me miró con incómoda ternura. Interrumpí la ceremonia pasándole por delante a una fila de adolescentes portuguesas vestidas de rosado. «Martín, ¿qué pasó?». De fondo, tras la voz cortada, se escuchaba mucho ruido. El señor Rodrigues reprobó mi comportamiento. Busqué silencio en una esquina del salón y enfoqué mi atención en la señal intermitente. «Bicho, vente para acá. Hubo un accidente, parece que Carlita se mató y Alo...». «¿Qué?». La llamada se cortó. Elena estaba a mi lado. «Tengo que irme, discúlpame con tu familia». Salí del recinto. La ceremonia continuó. Elena me acompañó hasta el carro. «Gabriel, ¿qué pasa?». «No lo sé. Luego te aviso». «¿Quieres que te acompañe?». «No, quédate».

Aquella mañana nos habíamos encontrado en el ascensor. «Epa, Alo. ¿Qué más? ¿Cómo está todo?». No se había afeitado en días, tenía ojeras azules, daba la impresión de que no había dormido en semanas. «Bien. ¿Pa' dónde vas? ¿Y esa pinta?», preguntó señalando mi *flux* de Montecristo. «Pa' una puta boda». «¡Qué ladilla!», dijo. «Sí, una ladilla. Una prima de Elena». «Tu novia, ¿no?». «Sí, mi novia». «¿Tienes gasolina?», preguntó con curiosidad. «Medio tanque, no he salido en toda la semana. No pretendo hacer veinticuatro horas de cola para tener gasolina en esta mierda. ¿Tú qué crees que pase?». «¿Con qué?». «Con todo... ¿Va a renunciar, van a dar un golpe, qué coño?». «Nada, Gabriel. No va a pasar nada. En este país nunca pasa nada». El ascensor se abrió en el piso cuatro. «Hablamos —dijo despidiéndose. Salió—. ¡Gabriel!», mencionó antes de que se cerraran las puertas. Tuve la impresión de que quería decirme algo importante; intentó abrir la boca. Inmediatamente se interrumpió. «Nada, pana, nada. Chao». Fue la última vez que lo vi.

¡Maldita ciudad! No pude salir de El Cafetal. Todas las calles estaban bloqueadas por vecinos furiosos. La radio anunciaba que la Marina Mercante se había sumado al paro petrolero. Había muchos rumores: suspensión de garantías, golpes, estados de excepción. La boda de la prima de Elena se celebró en horas de la tarde. La ceremonia civil tuvo lugar en el salón de fiestas de un edificio de San Luis. A pesar de mi empeño, no pude eludir el compromiso, fingí incisivos dolores de cabeza, apendicitis y cólicos pero Elena fue implacable, debía acompañarla al matrimonio de su primita. Hacía más de una semana que se había decretado la huelga general indefinida por lo que, entre otras cosas, no había gasolina en toda la ciudad. Las estaciones de servicio estaban colapsadas. Colas de cien vehículos, aproximadamente, trancaban las calles esperando la aparición milagrosa de los camiones cisternas. Además, un grupo de militares y payasos se instaló en la plaza Altamira. El este de Caracas fue decretado zona libre. Todas las tardes, tras las declaraciones de los dueños del circo, grupos de vecinos

airados salían a la autopista a lanzarles piedras a las tanquetas de la Guardia Nacional. Motorizados revolucionarios, desdentados y furiosos, disparaban al aire e intimidaban con sus tufos a la escuálida resistencia.

Cuando, hundido en la desesperación, salí de San Luis encontré guarimbas en todas las calles. Pude ver amas de casa armadas con bombas molotov, niñitos saltarines que gritaban ofensas rimadas. De frente, tropecé con el odio; un odio esencial, vivo. Mujeres embarazadas, varadas en el tráfico, suplicaban a los insensatos que abrieran los caminos a la Clínica Metropolitana o al Hospital Domingo Luciani pero la multitud exaltada había sacrificado el sentido común. A aquella inútil fiesta de matrimonio (se divorciaron al año siguiente) solo asistieron la mitad de los invitados, familiares y amigos íntimos. Volví a comunicarme desde el carro, la voz de Martín se colaba entre la turba: «Carlita se mató y Alejandro...». Llamada interrumpida. No soporté la incertidumbre. Con la mano derecha, a ciegas, busqué el número de Atilio. Me contó que estaban en el Hospital Clínico Universitario. El accidente ocurrió en la autopista Valle-Coche. Carla y Alejandro venían juntos, Alo se salió de la vía y chocó. El Corsa se clavó contra un árbol. El atajo fracasó: guarimba. No había paso. Regresé a la avenida principal. Atropellé a una vieja, no me importó. La señora tenía una bandera en la mano y, enfurecida, saltó sobre el capó. «No pasarás, chavista maldito», gritaba y golpeaba el cristal con el asta de su palo de gancho. Traté de retroceder pero un ejército libertario me impidió dar la vuelta. Aceleré y golpeé a la señora de lado. Más adelante, el retrovisor le quitó la banderita de la mano a una muchacha con la cara pintada de azul y el alma podrida por la impotencia; me deseó la muerte con un aullido atroz. Por todos lados aparecían círculos de fuego que imitaban las brechas del infierno. «Alo se mató —confirmó Martín en otra llamada—. A Carlita la están atendiendo».

Una tanqueta de la Guardia Nacional bloqueaba la salida hacia la autopista. Llovían bombas lacrimógenas. Los médicos de la Clínica Metropolitana, desesperados, trataban de pedir a los oficiales que no dispararan contra los pabellones de reposo pero sus súplicas eran calladas con balas. La calle se llenó de muertos vivientes, de hombres de las cavernas. Aquel día tuve la convicción de que Caracas era un lugar perdido para siempre, un supuesto paraíso en el que Dios, en lugar de hacer luz, pronunció un aciago *hágase la oscuridad*. Una piedra me destrozó el vidrio trasero, logré dar la vuelta, comerme la flecha y saltar hasta la avenida Río de Janeiro. Allí encontré otra maldita guarimba, otro bulto de *aliens* que brotaba de la tierra. Motorizados rojos pasaron a mi lado. Uno de los pasajeros me mostró una pistola y sonrió, no tenía más de quince años. *No sé que de Chávez*, logré leer en sus labios. Tuve que montarme por la acera y arrastrar una mesa en la que se recogían firmas para solicitar la renuncia de miles de políticos inútiles. «Ojalá te mueras, maldito, hijo de puta, chavista de mierda», esuché entre murmullos. Fue difícil sortear la zona de guerra, no había paso por ninguna parte. Las calles estaban cubiertas de basura y fuego. No sé cómo logré llegar hasta El Rosal. Ahí encontré la autopista desierta. En menos de diez minutos había llegado a la UCV, la magna casa que, para entonces, ya había sido vencida por las sombras.

Vi al señor Ramírez arrodillado al fondo de un pasillo. Se cubría el rostro con las manos, botaba lágrimas enormes: lágrimas de rabia, de incomprensión, de resistencia. La señora Lili, enfrente, permanecía impávida, sin expresión, parada como una estatua clásica. Sus ojos parecían enfocar otro mundo. Y vi a Martín con las manos en la cabeza y a Fedor con los ojos cerrados, como queriendo convencerse de que la realidad era un montaje. Y vi a Silvia mortificada, temblorosa, con los nervios marcados en el rostro. Ella, desde hacía unos meses,

trabajaba en el Hospital Clínico, era auxiliar de un doctor importante. Silvia recibió los cuerpos, fue ella quien atendió a
Carla y tuvo que reconocer el fallecimiento de Alejandro. Silvia
salió de una sala oscura, tropezó con algo y se cayó, se golpeó
la rodilla. «¡Coño!», gritó. No pudo pararse. Cámaras de televisión entraron al recinto. La protesta, a la altura de Plaza Venezuela, produjo un tiroteo con muertos. Las personas baleadas
llegaban en bultos, montadas en camillas. Silvia me puso la
mano en el hombro, nos vimos a la cara. Su rostro parecía un
retrato expresionista, un cuadro triste, en blanco y negro, en el
que algún artista maldito quiso tallar la esencia de la desesperación. «¿Cómo está Carl?», logré preguntar. Alguien la llamó
desde el fondo del pasillo, «Doctora Tovar, doctora Tovar». Se
sonó la nariz con la palma de la mano. Regresó al quirófano.

El señor Ramírez se fue; se levantó y se fue corriendo, gritando, maldiciendo. La señora Lili permanecía en su posición
estática, ausente, ida, arrancada del mundo. Tenía la boca abierta, los ojos secos. Enrique Vivancos apareció a mi lado. Me puso la mano en el hombro. «Hola, Gabriel, *mijo*». Y entonces
con un impulso infantil y temeroso, me apoyé en el hombro
de lo más parecido a mi padre, sin poder llorar, sin saber llorar.
Un nudo de candela se me formó en la garganta. No podía articular palabras. «¡La vida! —dijo Vivancos—. ¡Qué vaina con la
vida!». Una camilla mostró el rostro desfigurado de una mujer
embarazada cuyo vientre había sido atravesado por tres balas.
«¡Dios mío, cuánta crueldad!», mencionó Vivancos persignándose. Apareció Atilio. «Carla está fuera de peligro —dijo—. Su
estado es delicado pero parece que se salvará». La señora Lili,
entonces, salió de su aislamiento. «¡Silvia! —pronunció en voz
baja—. Silvia —repitió; acababa de verla al fondo del pasillo—.
Silvia, mi amor, quiero ver a Carla Valeria. Necesito hablar con
Carla». Intentó caminar pero sus piernas trastabillaron. Silvia
le sirvió de palanca, atravesaron el pasillo. Las vi perderse tras

una puerta blanca. Extraviado en mis cavilaciones tropecé con un periodista que le daba órdenes secas a un intrépido camarógrafo: «¡Ahí! ¡Ahí! —y señalaba un charco de sangre—. Allá —entonces, señalaba a una señora que, envuelta en una bandera, lloraba y mencionaba el nombre de su hija recién asesinada—. Graba allá —y mostraba al hombre mayor cuyo nieto fue atropellado en la trifulca—. ¡Good! —dijo el reportero—. Entrevistamos a cuatro viejas más y nos vamos, ¿okey?». Tropezamos de frente. Nos vimos a la cara. Lo insulté con la pupila. «¿Qué? —preguntó a la defensiva—. Yo solo hago mi trabajo».

III

«Me falta el aliento, la fuerza, la pasta,
las ganas de verte, el encanto, la salsa».
DAVID (ESTOPA)

1

Desperté en la estación de Barcelona Sants. El sueño vespertino provocó una impenitente sensación de bochorno. La seguidilla de tics nerviosos me daba aspecto de peligroso etarra. *¿Qué coño hago yo aquí?*, preguntó alguna voz. Caminaba con torpeza, con dolor en los tobillos. Me acerqué a un puesto de información turística y pagué siete euros por un mapa de la Ciudad Condal. La náusea retorció mis entrañas. Caminé en dirección al metro, línea cinco. Voces impertinentes acompañaban mi viaje al absurdo: «No tengo idea, supongo que me emborracharé con algunos amigos en un antro del Raval», gritaba la memoria. Tenía que encontrarla.

2

La vida no imita la estructura del relato policial. El entusiasmo ético por denunciar a la banda esclavista Los Caminos de la Libertad disminuyó ante los sucesivos fracasos. Confirmé que la página web había sido cerrada. Todos los *links, blogs* y foros que hacían referencia a la fraudulenta ONG habían expirado o habían sido censurados por administradores anónimos. No había héroes ni quijotes, ni hallazgos reveladores, ni frases sueltas que, como en las intrigas jurídicas, despiertan razonamientos laberínticos que soplan al oído el nombre del culpable.

El exceso de trabajo condicionaba nuestra búsqueda. No hay nada más aburrido que organizar un congreso. Cuando era estudiante pensaba que los congresos eran eventos solemnes, reductos de seriedad y organización ejemplar. La verdad es algo diferente: organizar un congreso es una mierda, una actividad invisible, alienante, mal remunerada y, en la mayoría de los casos, condenada por todos los participantes. A falta de quince días para la semana de tertulias en torno a las aspiraciones, promesas y entusiasmos de las juventudes hispanoamericanas quedaba por hacer el trabajo de carpintería: diseñar credenciales, comprar botellas de agua, confirmar el alquiler de las salas con Casa de América y el Instituto Cervantes, alquilar transportes, configurar los horarios en función de las deserciones e inclusiones de última hora. Y tras el desastre, Carla. Tras el papeleo, Carla. Tras la locura, Carla. En realidad, la ausencia de Carla.

Después de Liubliana, Carla desapareció. No respondía mis correos. Las contadas veces que lo hizo parecía estar fastidiada, aburrida por tener que cumplir con una insoportable diligencia. Aquellos telegramas me devolvían parte del sosiego. «No puedo escribir ahora, Hemicraneal. No desde acá, ten paciencia. Por favor, quédate tranquilo. Gabo, coño, me estás acosando, no me presiones tanto. Me asfixias. Trata de entender mi situación. Cálmate. Yo también te quiero. Hablaremos en Madrid. *Muak.* Tres besos, tu Negrita». El *blackout* me volvía loco. Perdí la noción de las cosas. Los celos, incontrolables, salvajes, ejercieron el dominio visceral de mi razón. Las madrugadas eran un trance de angustia, de caries, de cólicos. Buscaba el sueño en botellas de ron, en el Rivotril. No podía dejar de imaginarla, de recrearla desnuda entre las manos sin forma de Santiago. Ella lo miraba con afecto, lo tocaba, le hacía el amor, le pasaba la lengua por el cuerpo. Cada fotograma alentaba mi indigestión, mi neurosis, mi pérdida del apetito. Me cepillaba los dientes con brutalidad hasta sacarme sangre, me comía las uñas. Todos los días le escribía correos electrónicos extensos, dolientes, mortificados, suplicantes. Nunca respondió. Cuando llegó el día de su cumpleaños no había vuelto a saber de ella.

3

El Raval era un lugar repleto de bares, guiris, hombres estatua, mujeres estatua, japoneses, indigentes, italianos escandalosos, ancianos bicentenarios. Tomé el metro hasta la Plaça Catalunya. Uno por uno, exploré todos los bares de la Rambla. La buscaba con el empeño baboso de los locos. Mis ojos escudriñaban los recovecos de cada taberna, los rostros de las mujeres, de las viejas, de las niñas. Me llevaba las cosas por delante, un catalán me insultó cuando tropecé con su carro de la compra, me llamó hijo de puta. Sin embargo, cuando vio mi rostro desorbitado se disculpó con miedo. Era consciente de mi afición irracional, de mi enajenamiento. En algún bar cercano al mercado de San José me tomé una cerveza. *Cálmate, Gabriel, cálmate. Tranquilo*, decía un yo disminuido, imbécil, humillado por los otros yoes. Me temblaban las manos. Tomé dos Rivotril con Moritz. Entré a otra calle y proseguí la búsqueda. No quedó un solo bar de la Ciutat Vella que no hubiera recorrido hasta el fondo. No la encontré, no la vi por ninguna parte. Apareció la noche. Caminé por la ciudad extraña, en contra del mar, no quería ver el mar. Finalmente, cuando la resignación me hacía entender que lo más sensato era regresar a Madrid, me llamó la atención la voz desafinada de David, el vocalista de Estopa. Era un bar viejo, ubicado entre dos tiendas de chinos, cerca del metro del Liceu. Cuando entré escuché el final de aquella canción que narraba la historia de un dolor de cabeza. El lugar estaba lleno. Me senté en la barra con el entusiasmo pueril de los vencidos. Ordené una cerveza. El bar estaba repleto de esperpentos, de juventudes libertarias cargadas de humo, *piercings*, cuero y tatuajes ecológicos. Detrás de la barra, a la altura del techo, había un espejo; un espejo sucio, velado por parches de grasa y desgaste de viejos estíos. Volvió a sonar Estopa. A volumen estridente, casi a capela, se escuchó el hilo de voz de David: *Llega el momento me piro...* Y entonces la vi. Ahí estaba, al otro lado del espejo, sentada en una mesa grande. *Al filo de la mañana qué frío / que no me he puesto el sayo...* El reflejo me devolvió sus pupilas marrones. En su mesa había seis u ocho personas, a su lado estaba un muchacho catire, blanco leche, que la envolvía entre sus brazos. *Maldito*, me dije. Nuestras miradas coincidieron en el reflejo. El tiempo se detuvo. Los borrachos de alrededor se transformaron en muñecos de cera, en trastos, en pipotes. Solo la voz desafinada de Estopa, los versos horribles de «Me falta el aliento», sostenían la ansiedad de nuestro encuentro. *Me siento como un esperma esperando / en un tubo de ensayo / congelado pero vivo...* No podía apartar la mirada del espejo. La cerveza se me cayó de la mano. La botella, por fortuna, estaba vacía. Ella pidió permiso, se levantó. Tocó el hombro de su compañero, lo besó en la sien y caminó entre la multitud. Sus ojos seguían afincados en el espejo. Levantó el cigarro para poder pasar entre los tertulianos. Me tocó la espalda de manera discreta. Caminó hasta el fondo del pasillo. «Aseos», pude leer en una pancarta escrita a mano. Tomó una escalera de caracol. Pagué la cerveza. Bajé. *Se rompe el hielo si tiro un suspiro / que no hay nadie más por la calle / que yo solo pienso en canciones...* El subsuelo estaba oscuro, repleto de barriles. Dos puertas destartaladas, destruidas por la humedad, mostraban el camino a los baños. «*No funciona*», decía un cartel sobre el portal izquierdo. Caminé en círculos, no la vi. La desesperación regresó. «¡Carl!», grité como un maniático. *Y es que se me escapa el aire...* Entonces algo, una fuerza animal, me haló del brazo. Sus fauces afiladas me destrozaron los labios.

4

«¿Quién es?¿Spadaro?», preguntó Mariana. Sentí deseos de matar. Leer aquel estúpido nombre en una revista me provocó un irracional ataque de celos. Leí la noticia por casualidad, sobre una mesa de la oficina, en el catálogo de PhotoEspaña 2010: Círculo de Bellas Artes, Sala María Zambrano, exposición del fotógrafo argentino Sergio Spadaro. La memoria me insultó: besos en una machito roja, risas, tacto, sexo posible. Lancé la revista al suelo. El pasado también era mi enemigo. Improvisé madurez, respiré con calma. La serenidad pasajera, fingida, me obligó a confrontar la situación con paciencia. Recogí el catálogo, lo hojeé con extraña curiosidad. Leí la reseña sobre Spadaro. En la última página encontré una foto del artista, era un tipo delgado, anoréxico, cubierto de *piercings*, amanerado e intenso. Mariana regresó del cafetín. «¿Quién es? ¿Spadaro? —preguntó—. Su trabajo es muy bueno». «¿Su trabajo?». Colocó una taza de café sobre la mesa. «Sí, Spadaro comenzó haciendo series documentales muy interesantes en la Patagonia con algunas comunidades; ahora es más transgresor, creo. Es argentino, ¿no?». «No, es venezolano y era mi vecino». «¿De verdad? Siempre pensé que era argentino, tiene acento argentino». «¿Lo conoces?». «Personalmente, no. He visto su trabajo, he leído algunas entrevistas, ahora hace cosas raras, es interesante». «Nana, por favor. Hace pura mierda, escucha esto

—leí en voz alta un fragmento de la reseña—: "El artista, con el afán de desmitificar las falsas glorias de Occidente, interviene las fotografías con el dedo pulgar". ¿Qué pendejada es esa? Un carajo que le mete el *de'o* a la cámara no puede ser bueno». «Es que tú no entiendes —replicó—. Es una burla». Su refutación funcionó, me botó la piedra. Además de los celos, no podía soportar el elogio a la falsa inteligencia. «¡No, Mariana! No mientas, esto es una basura». Le mostré una foto pequeña del catálogo en la que aparecía la torre Eiffel tapada parcialmente, en la esquina superior, por un pulgar desenfocado. Según la revista, el proyecto se llamaba *Las siete maravillas del mundo intervenidas por el cuerpo*. «Mariana, dime, por favor, que esto es una basura». «No, no lo pienso así, es transgresor, está bien». Leí, entonces, la segunda propuesta: «*La muerte del artista*. "Siguiendo la escuela holandesa del *protagonisticidio*, iniciada por Martijn Hendriks y, con el mismo sentido lúdico que el español Sergio Belinchón, Spadaro se ha planteado suprimir las imágenes de los protagonistas en los más representativos filmes hispanoamericanos" —interrumpí la lectura, permanecí mirando el artículo, comentándolo incrédulo—. El cabrón agarró las películas de Gardel y eliminó a Gardel; las de Cantinflas y suprimió a Cantinflas. Coño, Mariana, ¿me vas a decir que esta mierda es arte?». «Reconoce que es interesante», dijo sentándose y agarrando una tijera para dar forma a unos rótulos con los nombres de los participantes. Lancé el catálogo sobre la mesa. «Ah, ya entendí», comenté en voz baja. «¿Entendiste qué?». «Solo te haré una pregunta: ¿si el artista que interviene las fotos con el pulgar y borra a los actores de las películas fuera blanco y heterosexual opinarías lo mismo? ¿Si fuera un tipo normal en vez de tener este millón de *piercings* y el pelo verde te parecería arte?». «¿A qué llamas tú normal?». «Nana, jódete». Me miró con odio. Nos quedamos callados por un rato, ella trabajando en la carpintería de última hora y yo

mortificado por la posible promiscuidad de Carla. «No sabía
que Spadaro fuera venezolano. Es raro, ¿no? Si es venezolano,
¿por qué dice ser argentino? ¿Quién, en su sano juicio, puede
querer ser argentino?», preguntó al rato. «No es tan raro, tiene
mucho sentido». «¿Te parece? No conozco a ningún peruano
que quiera ser argentino. ¿Cuál es el sentido?». «Está muy claro, Nana. Si eres venezolano, gay y fotógrafo, solo puedes aspi-
rar a hacer fotos para bodas, bautizos y fiestas de quince años.
Serías un héroe de provincia, un engreído muy reconocido en
la farándula local, la estrella de páginas nulas como Sinflash.
com, nada más. En cambio, si eres argentino, ya lo ves, te in-
vitan a Photoespaña. Si eres argentino, puedes llegar a ser alguien». «Los venezolanos son gente muy rara», agregó. Abrí
el catálogo, volví a ver la foto del perfil. Faltaban dos días para el cumpleaños de Carla. Mariana me pidió que revisara un
presupuesto. Entré en Internet. Lo primero que hice fue abrir
la página web del AVE.

5

Sus dientes me hicieron daño, me mordió la lengua. Sus manos buscaron mis nalgas. Sus dedos alterados se deshicieron
de la correa y del cierre. Caminamos sobre charcos de orina.
En torpe retroceso entramos a un cubículo inmundo. «¡Cógeme!», dijo volteándose, levantándose la falda. Y Estopa: *Porque
me falta el aliento / la fuerza, la pasta, las ganas de verte, / el encanto, la salsa, la luz de mis ojos, / mi as de la manga, / tus ojitos rojos / me faltan, me faltan...* La falda se le enredó en la ca-
dera. Mi mano derecha encontró su sexo. Con fuerza bruta
empuñé su ropa interior, jalé hasta arrancarla. Su pie derecho buscó apoyo en la poceta, en el borde de la taza salpicada
de ocre y pelos espirales. «¡Cógeme duro!», repitió a mi oído,
clavándome las uñas. Mi pantalón se cayó, se mezcló con el

agua del piso. Entré en su cuerpo sin revuelos, sin resistencia. El estremecimiento la hizo gritar, su rostro deforme buscó apoyo en mi oreja, los dientes tiraban a morder, los colmillos me rasguñaron la cara. «¡Más duro!», dijo. Luego me escupió. *Porque me falta el aliento / la fuerza, la pasta, las ganas de verte, / el encanto, la salsa, la luz de mis ojos, / mi as de la manga, / tus ojitos rojos, / me faltan, me faltan...* Dio la vuelta, se me colgó del cuello. Apoyó sus sandalias en la pared falsa, en la plancha de metal repleta de escritos ordinarios. Su lengua se hundió en mi garganta, no podía respirar. Me dio una cachetada. Volvió a escupirme e, inmediatamente, a lamer los pedazos de saliva dispersos en el rostro. La penetré con el instinto de las bestias, con violencia. Me hizo un chupón en el cuello, su mano derecha me pellizcó la espalda, empeñó sus uñas en mis tetillas hasta sacar sangre. «¡Cógeme más duro, coño!», gritó. Y su solicitud me volvía loco, enfermo, sádico, demonio. La tensión bajó con la música de fondo, con la estrofa lenta. Recuperé el aire apoyado en sus senos cubiertos, en su camisa transpirada. *Madrugada de hielo / alguien que se arrastra a ras de suelo / ya debe entrar el sol / por tu ventana azul / y yo, en el ascensor / ¡qué cara, qué estúpida expresión! / menos mal que ya no estás tú...* «Feliz cumpleaños, Carl», logré decir sin aire. «Cállate —respondió sin mirarme, empeñada en el movimiento—. ¿Qué coño haces aquí?». «Tenía que verte, tenía...». «Cállate y cógeme. Cállate y pégame. ¡Anda, pégame! —respiración brusca—. ¡Pégame, coño! Quiero que me caigas a coñazos, anda». Tomó mi mano derecha y me obligó a abofetearla. «¡Duro!», dijo. Apenas acerqué la palma a su rostro, no quería hacerle daño. «¡Pégame duro, coño!», repitió. Esquivé su súplica con besos, con la lengua haciendo círculos desesperados. Sus manos bajaron, me apretó los testículos con furia, parecía querer arrancarlos. Me miró a los ojos. Tenía la mirada de una serpiente. *Tengo un reloj que se para, / siempre que tú de mí te separas / y anoche se paró a las dos / las dos nos separó a los dos.* Un movimiento lento produjo otro gemido, volvió a colgarse de mi espalda, su cabeza se apoyó en mi hombro, la euforia devino en sexo lento, en abrazo *soft*. Pude leer, entonces, algunas de las pintas dispersas en la pared metálica: «Aquí folló Kike»; «Viva México, cabrones»; «España, una y libre»; «Visca Catalunya». «Te amo», gritó con dolor. Sin anuncio previo, se me vació el cuerpo. Un golpe de corriente me hizo salir de ella mientras el agua tibia, amarilla y viscosa, le manchaba la ropa y le resbalaba por las rodillas. Terminó la canción. Buscó algo con qué limpiar. No encontró nada. En la caja de papel higiénico solo había un gargajo seco, un preservativo usado y una pinta a favor de la independencia de Cataluña. Con el dorso de su mano recogió los restos, luego se limpió en mi pantalón. «Vete, Gabriel, vete. Te prometo que te escribiré en estos días». «Ven a Madrid». «Santiago está arriba. Vete, por favor». «Prométeme que vendrás a Madrid antes de irte». «Te lo prometo, ya cambié el pasaje, pero por favor, vete ya». «Te amo», volvimos a besarnos. Su pantaleta estaba rota, en vano trató de calzarla. Utilizó la pieza para limpiar sus piernas y luego, tras enrollarla, la lanzó en el fondo del váter. Salimos del cubículo, los ruedos de mi pantalón estaban empapados. Sonaba, para entonces, otra canción de Estopa: «Luna lunera». «Vete», gritó. Salí. En la escalera tropecé de frente con el muchacho rubio, Santiago. Pedí disculpas tras el choque. Luego lo vi a la cara: joven, niño, ingenuo. Él también se disculpó por el tropiezo. Inmediatamente me perdió de vista. Regresé a Madrid con la triste indumentaria de un mendigo. Cuando llegué a mi casa, Elena estaba durmiendo.

IV

«De esto se trata el altruismo».

El Indio Aurelio

1

«Bicho, apestas. ¿A ti qué te pasó? ¿Te meó un perro?», preguntó Fedor. Cuando me monté en el carro me entregó una bufanda del Getafe y un abrigo estridente. Eran aproximadamente las ocho de la mañana. El frío me infiltraba los huesos. Encontré mis ojos en el espejo retrovisor; el derecho estaba podrido, rojo. Fedor manejaba por los lados de Tirso de Molina. La piel de mis brazos tenía la textura del pegamento, como si me hubieran dado un masaje con pega Elefante. El sabor de Carla permanecía dentro de mi boca. El Ruso escuchaba un partido de fútbol por la radio. «No precisamente un perro», respondí. Fedor se burló. Nada podía borrarme la sonrisa. Finalmente, había terminado el congreso.

2

El Indio Aurelio era un americano impreciso. No tenía nacionalidad. Era un hombre sin raíces, sin patria, sin conflicto identitario. Sus modismos universales no permitían atribuirle un origen. Sus rasgos indígenas contrastaban con su marcado acento castellano. El Indio, según sus propias palabras, vivía de beca en beca, de magnate altruista en institución ecológica. «Yo me chupo la pasta de todos esos cabrones que quieren salvar al mundo —decía si conflicto—. ¿Qué voy a hacer, Guerrero? De algo hay que vivir. Yo he sido maya, azteca, quechua, aymara, mapuche, guajiro. Para estos europeos todos los indios somos lo mismo; no saben nada. A esta gente solo le interesa el amarillismo histórico. Yo, humildemente, me limito a hacer mi trabajo. A veces echo el cuento de cuando mi abuelito fue sacado de su choza, allá en la montaña, en la inocente montaña, por un despiadado ejército gringo. Otras veces denuncio a la despiadada multinacional que taló la tribu de mis ancestros. Siempre habrá, Guerrero, dos o tres viejas aristócratas que lloran con estos testimonios. Luego, tras secarse las lágrimas, hacen el cheque, eso es lo que al final importa. ¡Quita esa cara, Guerrero, todo es mentira! Mi abuelo es un viejo borracho que vive en Getafe, mi tribu es Vallecas; siempre ha sido Vallecas. Se supone que tengo familia en Ecuador pero yo a esa gente no la conozco. Lo que pasa es que a estos vigilantes de la cultura les encanta darse golpes de pecho, quieren enmendar la historia, todavía se comen el cuento de que América era el paraíso. Yo lo tengo muy claro, si mi falso testimonio puede hacer que el nuevo rico de turno o el aristócrata en decadencia nos entregue un poco de dinero para ayudar a quien de verdad lo necesita, al que se deja la vida montando una escuela en un pueblo que no le importa a nadie, entonces, miento, a eso me dedico. Esa gente invisible, Guerrero, es la que de verdad trabaja; no estos farsantes a los que solo les interesa salir en la portada de *National Geographic*. Yo solo respeto a las personas que de verdad comen mierda. No tolero a aquellos que solo quieren hacerse la foto al lado de un mojón». Era un tipo muy particular, escandaloso, fofo, en algunas cosas me recordaba a Atilio. Mariana no soportaba su sarcasmo; todos los comentarios del Indio le provocaban repelencia. «Gabriel, por favor, aléjalo de mí. Que no se me acerque», me dijo cuando Aurelio apareció en la oficina, un día antes del inicio del congreso.

Conocí al Indio Aurelio en uno de aquellos eventos fantasmas que, en mis años de estudiante, organizó la Fundación Carolina. En esa oportunidad, llegué tarde a la ponencia, me senté en la última fila del auditorio, al lado de un indio. Desde el primer momento me llamó la atención. La persona a mi lado no mostraba el más mínimo interés por la exposición del sociólogo invitado, parecía estar enfocado en sus manos, en una oración extraña, en un juego. Me costó percibir que aquel personaje, envuelto en una colorida ruana, sostenía entre sus manos un Game Boy, jugaba *Fifa 2008*. «Coño, perdí, qué cagada», dijo al terminar su partido. El expositor era mediocre, leía tiradas de texto, mal escritas y saltarinas, en una presentación de PowerPoint. Aurelio se burlaba; decía que el PowerPoint era el mejor amigo de los ignorantes. En aquella jornada, el Indio sería el expositor de cierre, antes de él hablaría un popular antropólogo argentino. «Dígame este —dijo Aurelio cuando, entre aplausos, se levantó el siguiente orador—. Yo conozco a este sinvergüenza, créeme, va a echar el cuento de cuando su tatarabuelo fue engañado por el gobierno de Roca para invadir y exterminar a los desvalidos ranqueles; va a contar cómo lloró leyendo *La expedición* de Lucio Mansilla. Tiene como veinte años echando el mismo cuento. Lo peor es que le pagan por eso». Dos minutos después, el orador recitó su historia lacrimógena. «Mucho gusto, Aurelio», me dijo el Indio antes de retirarse. Había llegado su turno, debía caminar hasta el estrado. De repente, ocultó su rostro con una manta y se echó colirio. «¿Doy lástima?», me preguntó. «¿Perdón?», respondí confundido. «¿Que si doy lástima? —repitió—. La cifra del cheque es directamente proporcional a la lástima que le inspires a los nuevos ricos. Hoy seré guatemalteco, maya-quiché, contaré la historia de cuando escapé de una masacre, cojearé un poco, le diré a esta panda de sinvergüenzas que tengo restos de metralla en el tobillo. No dejes de observar a la vieja de aquella esquina —me dijo en voz baja señalando a una señora trigueña—. Llorará y después me dará un cheque de cinco cifras que la absolverá de pagar impuestos. Habrá limpiado su conciencia y nosotros podremos echarle una mano a algunas familias en desgracia. De esto se trata el altruismo».

3

La encontré en la Puerta del Sol. Fumaba a la sombra del Madroño. Cuando la vi, no pude evitar la risa tonta. Me invadió una especie de laberintitis. Tropecé con un vendedor de oro. La perdí de vista por segundos. Sentí pánico. En su lugar apareció un hombre disfrazado de Winnie Pooh. Sus dedos me taparon los ojos, «Hola, Hemicraneal», escuché de repente. Nos besamos como adolescentes en celo. Ella saltó sobre mi cintura, se quedó colgada por un rato. Perdí el equilibrio, terminamos apoyados sobre el busto del oso. Un japonés que se hacía una autofoto nos insultó en su jerga. Volvimos a besarnos. Lamí el perfume concentrado en su cuello, le mastiqué la oreja, amase sus senos. «¡Señor Hemicraneal, cálmese, por favor!», dijo traviesa. «Estás hermosa, Carl». «Y tú estás muy delgado. Estás pálido, Gabo». Se acercó, me mordió los labios. «Anda, vamos a emborracharnos», dijo a mi oído.

4

Primera Jornada del Congreso. «Hay personas que confunden la tolerancia con la estupidez —dijo el Indio Aurelio—. Los ecologistas, por ejemplo. Esos *hooligans*, si pudieran, meterían preso al hombre de las cavernas por haber dibujado bisontes en las piedras». El congreso comenzó un lunes. Ese día Carla confirmó su visita. El próximo viernes, antes de regresar a Caracas, llegaría a Madrid. La semana fue eterna, las jornadas de reflexión en torno a las oportunidades y propuestas de las juventudes hispanoamericanas fueron un trámite lento e insoportable. El congreso fue un desastre, faltaron ponentes, los horarios no se cumplieron. Hubo problemas con el hotel, la madrugada del miércoles varios de los participantes regresaron borrachos y vomitaron el ascensor. Mariana estaba histérica. Eleonora trabajó con fiebre. Solo pude soportar aquel espectáculo por la simpática y lacerante compañía del Indio Aurelio; sus abrasivos testimonios eran lo único que lograba distraerme, aislarme de Carla, moderar la ansiedad.

«¿Sabes para qué sirven estos congresos, Guerrero? Para limpiar conciencias y no pagar impuestos. Aquí todo el mundo se cree Fray Bartolomé de las Casas. Te explicaré cómo funciona este asunto —estábamos ubicados en la parte de atrás, teníamos una vista general del auditorio de la Casa de América—. ¿Ves la primera fila, al lado de Kyriakos? Ahí están los invitados institucionales, la gente con dinero. Esa es la gente que le interesa a los organizadores. Los sientan ahí, los aburren con ponencias sociológicas, antropológicas, les hacen ver que los latinoamericanos saben deletrear su nombre, conjugar un par de verbos, los hacen llorar con el testimonio de algún jodido y luego les piden dinero. El europeo paga porque se siente responsable, porque se convence de que efectivamente Cristóbal Colón jodió a esa pobre gente y, además, porque no sé qué rara trama leguleya hace que ciertas donaciones o ayudas sociales los exima de pagar impuestos —señaló, entonces, otra parte del auditorio—. En medio se sientan los estudiantes de maestría y doctorado. Estos son los peores, todos se creen sabios, se leyeron cuatro libros, subrayaron algunos párrafos de las *Culturas híbridas* de García Canclini y con eso pretenden explicarte el sentido del mundo. Siempre debes desconfiar de los estudiantes, Guerrero: hombres, mujeres, homosexuales, blancos, negros, indios... No es cuestión de razas, es un asunto de pedantería. ¿Gente seria? Sí, por supuesto que los hay, pero suelen ser los tímidos, los que prefieren escuchar antes que discutir cualquier vulgaridad. La mayoría solo viene a estos eventos a beber gratis, a comer gratis, a conocer chicas y a cumplir con el manual del buen filántropo: hablar mal de la familia Bush y denostar la riqueza del Vaticano. Si haces eso, entonces, eres admitido. Luego, en la parte de atrás, se sientan los viejitos inútiles. Estos son los participantes que pagan una entrada para escuchar estas pendejadas. Se trata de gente que no tiene oficio, de amas de casa, de jubilados. Son los que creen que el Río Grande y el Paraná son lo mismo, que Montevideo es una provincia mexicana, que José Alfredo Jiménez compuso un joropo llamado "Volver" y luego se mató en un accidente de avión en Medellín. En general, Guerrero, estamos rodeados de gente que sí, es verdad, quiere salvar el mundo, pero solo quiere hacerlo para salir en los créditos de la película».

»¿Tú sabes cuál es el problema de América, Guerrero? El complejo. Somos unos acomplejados. Eso es todo. No es España ni los Estados Unidos quienes nos señalan y nos dicen: ustedes son mestizos y son brutos o ustedes son indios y son brutos. ¡No! Somos nosotros los que no nos tenemos fe, los que luchamos contra nosotros mismos, los que no soportamos que uno solo de los nuestros tenga una opinión diferente, mucho menos éxito. No hay nada más intolerante contra un latinoamericano que otro latinoamericano. Mira bien esta sala, Guerrero, he estado muchas veces en lugares así. Allá está el sociólogo chileno, más acá la antropóloga argentina, el educador mexicano, el documentalista brasilero, el periodista tico, el escritor colombiano. ¡Dígame estos! Los colombianos creen que la expresión agua tibia es una metáfora inventada por García Márquez. Le conozco los discursitos a todos, siempre dicen lo mismo. Esta gente sigue llorando porque Francisco Pizarro mató al sinvergüenza de Atahualpa. ¿Tú ves a los japoneses llorando por Hiroshima y Nagasaki? Lamentablemente, en América Latina los políticos y los académicos han hecho de la quejadera un paradigma. Esta gente sigue pensando que los responsables de los problemas contemporáneos, la pobreza extrema, la exclusión y la miseria son Hernán Cortés y Cristóbal Colón. Así lo enseñan en las escuelas; tras doscientos años de vida independiente a nadie se le ocurre asumir la responsabilidad. Muchas veces, después de escuchar estas ridículas ponencias, me pregunto: ¿Qué carajo tengo que ver yo con esta gente? ¿En qué me parezco a este argentino pedante, a este venezolano bruto, a este hondureño necio, a este colombiano prepotente? ¿Y sabes qué es lo peor, Guerrero? Que siempre encuentro algo en común y ese algo es, justamente, el complejo, la convicción de nulidad, la debilidad como principio, el saberte limitado por tu condición de vencido, el saber que, a menos que prive un criterio de eso que llaman discriminación positiva, perdimos el partido. Ya lo verás, seguramente lo harán el último día. Como cierre a estas jornadas de autobombo y lástima les encanta ofrecer definiciones de América. Ahí saltan de primeritos, emocionados, los sociólogos; son aficionados a la invención de lenguaje: "América Latina es la periferia desterritorializada, la conciencia híbrida de un mestizaje y la naturalización del concepto de arraigo". Luego saltan los poetas; este grupo es de lo peorcito, los tipos no se han enterado de que Pablo Neruda murió y, montados en esas tarimas, inventan cantos generales de inocencia, de culpas ajenas: "Nosotros los latinos no partimos un plato, somos buenos, nos han jodido siempre, tico tico solorico".

Y, entre otros, los periodistas. Lo de los periodistas es una vergüenza, se sienten portadores de la verdad, todos se creen Kapuscinski, se las saben todas más una y les encanta explicarle a
la gente cómo se ha de vivir. Yo, Guerrero, con humildad y modestia, sin afán de polémica, tengo una opinión muy personal
sobre lo que significa ser latinoamericano. Puedo decírtela sin
terminologías extrañas, sonetos forzados o recetas de vida. Es
algo muy sencillo: ser latinoamericano es, simplemente, saber
que en cualquier momento te pueden joder».

5

El afiche de Joaquín Sabina nos observaba con displicencia.
Cuando llegamos al bar sonaba la canción «El joven aprendiz
de pintor». Días antes de la llegada de Carla descubrí en Internet la dirección de una taberna: Peor para el sol, San Vicente
Ferrer, 6. La *Guía del Ocio* explicaba que en los años ochenta
aquel local oscuro había pertenecido al compositor de la canción maldita.

Parecíamos novios de colegio. Nos empotramos en una esquina. Durante horas, sin muchas palabras, nos dedicamos
a beber y a besarnos. El lugar estaba lleno. «Estoy borracha»,
me dijo al rato. «Te amo —gritó—. Escucha eso, por Dios», dijo dando una vuelta. *¿Qué adelantas sabiendo mi nombre?, cada
noche tengo uno distinto*, me cantó de frente. Solo movía los labios, modulaba susurros. Hincaba sus dedos en mi cuello, me
golpeaba con su aliento. *Peor para el sol / que se mete a la siete
/ en la cuna del mar a roncar / mientras un servidor le levanta la
falda a la luna.* Indecente, entonces, con la pupila ebria, tomó
mi mano derecha y la colocó entre sus piernas. Mis dedos hicieron presión sobre la tela caliente.

Salimos de Malasaña a la medianoche. Caminamos, nos
besamos en todos los portales, le compramos latas de cerveza

a un chino y nos las bebimos en callejones oscuros. Ella embuchaba y luego me pasaba el líquido. La última cerveza estaba batida, nos bañó por completo, nos reíamos como niños idiotas. Andábamos tomados de la mano, bailando canciones imaginarias, caminando hacia ninguna parte. En la calle Huertas apareció un letrero: «Karaoke». «Vamos», dijo. «No, por favor, Carl. No vamos a entrar a un karaoke». «Sí, vamos a cantar, anda». *Qué carajo*, me dije. Me arrastró hasta el fondo del antro. Ordenamos cerveza y nos mostraron un cuaderno repleto de títulos de canciones viejas. «¡Esta!», gritó señalando algo. Anotó el código en un papelito y se lo llevó al DJ. El lugar estaba repleto de mexicanos que cantaban rancheras, temas de Maná, de Marco Antonio Solís y de Paulina Rubio. Encontramos un rincón en el que seguimos besándonos con morbo. En los televisores aparecían paisajes bucólicos, maizales por los que corrían carajitos y perros. Luego, con efectos de circulitos, aparecían parejas haciendo sebo *soft*. Media hora más tarde llegó el turno de Carla. Las pantallas anunciaron su nombre. *Próximo tema: Carla. Intérprete: Olga Tañón. Canción: «Mi eterno amor secreto». Comenzará en diez segundos*. Me invitó a sentarme en un banco. Se escuchó el sintetizador, la distorsión de la bachata. Ella improvisó una coreografía. Grupos de borrachos aplaudieron su *performance*. La letra, en caracteres azules, apareció en la pantalla. Una pelotica roja se paseaba por cada palabra para indicar la secuencia. El DJ le entregó un micrófono. Me señaló con su mano derecha. Cambió su semblante y pausadamente cantó: «Voy a hacer... de cuenta que no exististe». Aplausos. Yo tenía la cara de *güevón* más solemne del universo, la miraba con la boca abierta, con las pupilas dilatadas; mis manos temblorosas daban la impresión de que padecía algún tipo de autismo. «Tú, de mí, olvida que un día me viste». Jugaba con sus movimientos, hacía gestos teatrales que reforzaban el hechizo. El televisor seguía mostrando paisajes amarillos.

«Ya lo ves, los dos nos equivocamos. / Y es mejor que otros caminos sigamos...». Su mano buscó mi quijada, la levantó con
inercia, me buscó los ojos. Salivaba como un perro sediento.
«Y que esta despedida, sea por el bien de todos, / inventaré algún modo para vivir sin ti...». Se doblaba y se aferraba al micrófono. Coro de mexicanos: «Te juró que nadie más...». Y yo
en las nubes, perdido, batido, golpeado, ebrio, *happy*, idiota.
«Te amará como yo. / Mas hoy, por ti mi pecho arde, porque
me duele decirte que a ti he llegado tarde...». Aplausos desde
la barra. Me dio un beso con sabor a ginebra. «Aunque no te
vuelva a ver...». Gañote áspero, desafinado, alto. «Quiero que
sepas que haré por ti mi viaje sin boleto...». Se dio la vuelta,
volvió a señalarme con malicia. «Y en la distancia siempre serás mi eterno amor secreto». «¡Bravo!», gritó un mexicano bo-
rrachísimo. Carla lanzó el micrófono sobre una silla, se sentó a
horcajadas sobre mis piernas, me metió la lengua hasta el esófago. «¡Quiero bailar!, Gabo. Llévame a bailar».

6

«Los Caminos de la Libertad. ¿Cuánto hay pa' eso?», preguntó en dialecto. Parecía conocer la jerga de Caracas. «¿Qué?»,
pregunté confundido. «¿Cuánto me vas a dar?». No respondí.
El Indio Aurelio continuó con su exposición. «Está bien, averiguaré quiénes son o qué es Los Caminos de la Libertad pero
tienes que pagarme. Yo valoro mi trabajo, Guerrero. Si quieres
que te invite una cerveza al salir de esta soporífera conferencia,
vale, te la brindo, pero yo mi trabajo no lo regalo. ¿De acuerdo?». «Eres un hijo de puta, Indio». Una señora nos mandó a
callar. «No me digas indio. Mira que te denuncio por racismo,
te quito los cuatro euros que tienes en el banco y te dejo en
interiores», dijo riéndose. Un jurista chileno exponía su tesis
doctoral: *Participación juvenil en los procesos electorales ocurridos*

en la frontera paraguaya-uruguaya durante los últimos años del siglo XIX. El concepto de juventud decimonónico. «¿Cuánto quieres?», pregunté mientras nos alejábamos de la grada. «No te voy a quitar mucho, tú eres un buen tipo. Es más te lo voy a poner fácil, dámelo en especies. Cómprame el *Pro Evolution Soccer*». «¿Qué?». «Sí, ya me aburrí del *FIFA*. Cómprame ese jueguito para la PSP y así nos arreglamos. Te tendré algo para pasado mañana».

Contaba los días para la llegada de Carla, cada tarde era una sucesión de ponencias insoportables, de lugares comunes. En medio del bochorno verbal, mi única distracción eran las atrabiliarias teorías del Indio Aurelio: «América Latina, tal como está, no tiene solución. A ese continente hay que tumbarlo y volverlo a hacer. Según mi humilde criterio, América Latina imitará los modelos de la historia universal. Creo que más temprano que tarde habrá un conflicto serio. Es la verdad, Guerrero, quita esa cara de asombro que lo que te digo tiene mucho sentido. Sería la primera guerra subcontinental. Habrá un eje martiniano-bolivariano integrado por Venezuela, Bolivia, Ecuador, Cuba. Colombia será la Polonia sudamericana; no te rías. Los conservadores perderán fuerza. Los militares vecinos invadirán esa mierda. Los ideólogos del desastre inventarán nominaciones rebuscadas para justificar la invasión. La OEA, como siempre, no hará nada, dirá que la ocupación del territorio es legítima y adecuada a los preceptos de su papel *tualé*: la Carta Democrática. Los ejes centroamericanos y sureños, sin embargo, no se comerán el cuento. El primer conflicto importante ocurrirá en la cuenca del Darién, será la batalla de Panamá sobre la que más adelante vencedores y vencidos escribirán himnos atribuyéndose la victoria. Yankees y europeos se alinearán a conveniencia. Las crisis económicas encontrarán en la guerra latinoamericana un mercado ideal para el tráfico de armas, contrabando y reajuste de las políticas internas. Brasil, por su parte, no participará. Los cariocas estarán pendientes de organizar sus Olimpiadas y su Mundial. Finalmente, cumplirán su sueño más preciado: desvincularse de América. Argentina establecerá una alianza inédita con Uruguay, Chile y el Perú. Paraguay no cuenta. Paraguay será la suiza de América, no por bonanza sino por nulidad. Los venezolanos tardarán en darse cuenta de que todo ese uranio piche que le habían comprado a Irán y todas esas metralletas de segunda que les habían comprado a los bielorrusos, no sirven para nada; todo ese armamento estará vencido, caduco. Habrá una crisis de armas. La guerra en el Caribe y en el Pacífico dificultará los suministros con Inglaterra o los Estados Unidos. América Latina deberá destruirse a sí misma con sus propios recursos, con su producto interno. Comenzará entonces la guerra por la mierda —se emocionaba, dramatizaba, hacía movimientos exagerados—. Los líderes políticos se darán cuenta del potencial bélico de la mierda y, más aún, de su bajo coste de producción. Se redactarán, entonces, leyes en torno a la recolección y selección del excremento. América Latina organizará ejércitos de infantería armados con bolsas de mierda. Se crearán catapultas de mojones, fusiles de mierda, minas de mierda, balas de mierda y misiles de mierda. Aviones venezolanos, cacharros de Aeropostal o Santa Bárbara, lanzarán bolsas de mierda en la plaza de Mayo, en el palacio de la Moneda, en la Casa Rosada, en el estadio Centenario. Los chilenos por su parte ametrallarán con mierda líquida, con bombas diarreicas, las columnas de Miraflores y el ocupado palacio de Nariño. Se escribirán himnos bélicos, fétidos, incendiarios, románticos. Bolivia, finalmente, encontrará la salida al mar. Una cloaca se abrirá desde Santa Cruz de la Sierra hasta el Pacífico, Antofagasta quedará convertida en un vertedero. Desde el Río Grande hasta la Patagonia la mierda lo destruirá todo y, entonces, Guerrero, solo entonces, podrá algún pacifista, el

sociólogo de turno, reflexionar en torno a la identidad ameri-
cana. El ensayo, intitulado *Somos la misma mierda*, además de
merecerle el Premio Nobel de la Paz, le permitirá construir la
imagen de una nueva América en la que todos seremos hermanos sin importar los orígenes, el color de la piel, la posición
social, el partido político y el género. Será el fin de las fronteras. La mierda será nuestra igualadora social». Terminó la conferencia. El Indio Aurelio aplaudió con entusiasmo. «Veré qué
puedo averiguar sobre tus Caminos de la Libertad —agregó—.
No te olvides de mi *Pro Evolution Soccer*».

7

Sonaba un estridente *reggaeton*. Llegamos a Sol a las tres y media. Un borracho del camino nos había recomendado un bar
de salsa. Pagamos la entrada. Carla empezó a moverse sola, a
levantar sus brazos, a regalarme su cintura. Con la torpeza de
un tarado, improvisé el único paso de baile que había aprendido en mi vida, una especie de saltico, hacia adelante y hacia
atrás, legado por mi educación escolar de Proyecto 1 y Los Ilegales. Carla se burló. «Así no, mi Gabo. Anda, perrea». «No sé
perrear», grité. El ruido no nos permitía escucharnos. «Es fácil. Ya verás que sí sabes». «No, no tengo idea, te lo juro. Nunca
en mi vida he bailado *reggaeton*». «Ven acá», dijo aferrada a mi
oído. Me agarró el pantalón por la hebilla de la correa. Caminamos al centro de la pista. Parejas morbosas se tocaban con
desparpajo. Tomó mis manos. Me pidió que envolviera su cuello. Luego se volteó. Clavó las nalgas en mi cintura, se acomodó en la erección. Apoyó su espalda contra mi pecho. Recostó
su cabeza en mi hombro. Buscó mi oreja con sus labios. «Es
fácil, Gabriel. Solo tienes que hacer algo», logré escuchar. No
paraba de moverse. Sus brazos parecían nadar en medio del aire. «¿Qué?», grité estático. «¡Cógeme!». «¿Qué?». «¡Cógeme!».

Entendí su indirecta. Bailar *reggaeton* resultó sencillo. El simulacro se transformó en cadencia. Solo debía penetrarla en falso. Cinco minutos más tarde, entre acrobacias y estocadas imaginarias, me había transformado en el clon de Daddy Yankee. Mis manos alzadas imitaban las suyas. Un espejo distante me devolvió mi rostro gritando alguna letra aprendida por la fuerza: «Lo que pasó pasó, entre tú y yo». El sudor le resbalaba desde la cabeza. El cansancio cayó de repente y nos sentamos a besarnos, a tocarnos con deseo, a repetirnos bajito nuestras más personales cursilerías porno.

Escuchó los primeros acordes y se volvió loca. «¡Marc Anthony!», gritó. Me tomó por las manos, me arrastró hasta la pista. «Esta canción es para ti, mi amor», me dijo al oído. Su ternura me conmovió. Aquel *mi amor* me sacó baba, casi me provoca un ACV. El baile se hizo solo, sucedió, sabíamos hacerlo. Nuestros pies se movían al ritmo de la conga. *Mirándote a los ojos se responden mis porqués. / Me inspiro en tus palabras y mi casa está en tu piel. Que tierno amor, mi devoción, viniste a ser mi religión / mi dulce sentimiento...* Envolvió mis sienes con sus manos sudadas. Enterró el marrón de sus ojos en mis ojos. Las rodillas se tocaban con sapiencia, mi mano en su cintura imponía el paso lento, el baile sacro. Susurró la letra; Marc hacía la segunda voz: *De nada me arrepiento / que vivan los momentos en tu boca y en tu cuerpo / Mujer...* Paso atrás. Vuelta. Parecíamos egresados de una academia de salsa casino. La solté por un instante. Giró, volvió a mis brazos. Improvisamos una vuelta perfecta. *Valió la pena, lo que era necesario para estar contigo amor / tú eres una bendición / las horas y la vida de tu lado nena / están para vivirlas pero a tu manera. / Enhorabuena, porque valió la pena.* Se retiró de mi mano. Dio media vuelta bajo el arco de mis codos alzados, la reencontré con la izquierda, libre. Y de nuevo al abrazo. *Las horas y la vida de tu lado nena / están para vivirlas pero a tu manera / Enhorabuena...* La percusión aceleró el movimiento, el salto leve, el golpe de los tobillos contra el suelo. Volvió a besarme con furia. «Te amo, Lola», gritó con Marc en el medio del coro. Al final de la canción nos quedamos abrazados sobre la pista. Habló a mi oído, en voz baja: «Gabo, vámonos. Quiero tirar».

8

«Petróleo, doñita, petróleo», respondió el Indio Aurelio antes de contarme sus hallazgos. La antropóloga argentina nos miró con desprecio. «Cuánta ignorancia», dijo. Desapareció. La mesa redonda titulada *Perspectivas de desarrollo continental* fue un desastre. En medio del debate, tras un equívoco sobre los prefijos ibero, latino e hispa, los ponentes comenzaron a insultarse. El encuentro con la antropóloga argentina sucedió después de la trifulca. Había oído hablar de ella, la había visto interrumpir algunas mesas de debate. Mariana me contó con cierta ironía que, dado que yo era venezolano, la señora tenía muchas ganas de conocerme. Era una mujer extrovertida, madura; tenía cuarenta y tantos años pero se vestía con faldas *teen*, mínimas. Siempre tenía algo que decir, algo que refutar. Durante todo el congreso la evité con educación. El penúltimo día, sin embargo, al salir del baño, me la encontré de frente. «¡Señor Guerrero!, —me dijo—. Mucho gusto, soy fulana de tal, antropóloga argentina egresada de la Universidad de La Plata con una tesis sobre el concepto de Nación en la zona del Chaco». Tenía el típico acento del estereotipo, el canto exagerado de milonga. «Mucho gusto», me presenté. «Debe ser muy difícil para usted vivir en la capital del Imperio, más aún después de que el reyezuelo este mandó a callar a su presidente. ¡Dígame usted, siglo XXI y viviendo en una monarquía! ¿No hay que ser estúpido? Mucho primer mundo, mucho liberalismo, pero mucha estupidez, ¿no le parece? —asentí a todos sus comentarios—. Quería conocerlo personalmente para expresarle mi satisfacción por todo lo que está sucediendo en Venezuela, por la personalidad de su presidente. Aspiro un liderazgo parecido para la Argentina». *Coño'e la madre*, me dije. *Qué ladilla esta doña.* Enunció un decálogo completo sobre las bondades de la Revolución. Me explicó por qué Hugo Chávez era un hombre inteligente, altruista, único. Lo comparó con Gandhi, con el profeta Mahoma, con Jesús de Nazaret. «Sí, sí, sí», replicaba ausente, tratando de distraerme con el futuro inmediato, con un encuentro romántico a la sombra del oso del madroño. «¿Y usted qué piensa, joven? Me imagino que ha de estar orgulloso». Silencio largo. «La verdad, no», respondí tranquilo. No me interesaba discutir, solo quería quitármela de encima. Pude ver al fondo de la sala la silueta facinerosa del Indio Aurelio. Lo saludé desde la distancia, le lancé una mirada suplicante. «¿Cómo que no?», gritó la doña. «No, no me gusta —dije por reflejo—. No comparto el proyecto político bolivariano». El Indio Aurelio se paró a mi lado. La antropóloga me miró con indecisión. Alzando las manos, recitó: «¡Algo bueno tendrá que tener Hugo Chávez para que una familia honesta, de probada rectitud, como la Kirchner lo apoye! —en realidad, dijo lo *aposhe*—». El Indio Aurelio tomó la palabra. Le puso la mano en el hombro y la obligó a darse la vuelta: «Petróleo, doñita, petróleo». Se fue molesta, indignada, diciéndole al aire que no podía soportar a las juventudes de derecha. «Todas las antropólogas están locas, Guerrero. No le hagas caso. Por cierto, tengo información sobre tus Caminos de la Libertad. Pero primero que nada, arreglemos nuestros asuntos. ¿Dónde está mi *Pro Evolution Soccer*?».

»Inversiones Madagascar, ¿te suena? —preguntó—. ¿En qué andas metido, Guerrero? Estuve en el Registro Central, hice algunas preguntas, hay información extraña, cosas irregulares. La inscripción de esta fundación no cumple con el procedimiento habitual. Te explico cómo es el asunto. Haz de cuenta que tú quieres fundar una ONG, pongamos... no sé... que tú quieres luchar por la supervivencia de... del oso panda. ¡Gabriel Guerrero quiere luchar por la conservación del oso panda en el islote Cornetto del Polo Sur! En ese caso, al menos acá en España, tendrías que inscribir tu proyecto en el Registro Nacional de Asociaciones, un organismo que depende del ministerio del Interior. Primero debes inscribir la ONG como fundación de utilidad pública, es decir, explicarle al mundo qué coño le aporta un oso panda a la humanidad y por qué carajo alguien debe perder su dinero en la conservación de esa especie. En segundo lugar, tu organismo no debe tener como fin ningún tipo de lucro, esto es, olvídate de crear la marca comercial Hamburguesas Oso Panda ni de andar inventando franquicias. Debes, además, exponer en cuatro pasos cuáles son tus objetivos filantrópicos. ¿Qué sé yo? —engolaba la voz—. Yo quiero salvar al osito panda porque eso evitará el efecto invernadero o porque hará felices a los esquimales. Listo —carrasposo, continuaba—. Finalmente, y este es un requisito importante, la fundación debe estar constituida por cinco personas. Por ejemplo: Gabriel Guerrero, Al Gore, Pepito de los Palotes, Jacques Cousteau y Bob Esponja; esos nombres deben estar en el registro. Cada tres años, tu fundación deberá dar cuenta ante la Inspectoría del trabajo sobre sus avances, presentar el cronograma de los proyectos y mostrar un informe sobre el uso del dinero que hayan recibido por medio de donaciones, empresas privadas, etc. Si la ONG fracasa, como muchas de estas agrupaciones, la fundación se clausura o se le traspasa el patrimonio a otra asociación civil más pequeña, a otro proyecto, a una nueva ONG. Es decir, cuando te des cuenta de que tu oso panda se está comiendo a los atunes rosados y debas enfrentarte jurídicamente a la Sociedad protectora del atún rosado, lo más seguro es que, en lugar de perder

tus ahorros en un pleito jurídico, decidas invertir tu espíritu altruista en salvar a los dragones de Cómodo o al pájaro Chogüí,
crearás entonces la fundación Dragones de Cómodo Somos
Todos o Chogüí, Chogüí, Chogüí. ¿Todo claro, Guerrero? ¿Alguna pregunta?». Negué con el rostro. En la tarima, al fondo,
Mariana pedía silencio para iniciar un nuevo ciclo de ponencias. «Los Caminos de la Libertad está cerrada, fue clausurada
hace más de tres meses. Se inscribió como fundación cuatro
días después del terremoto de Haití. No tiene miembros fun-
dadores, eso es muy raro, Guerrero; no aparecen nombres. En
todos los documentos aparece como única figura una persona jurídica, algo que se hace llamar Inversiones Madagascar.
Antes de cerrar, Los Caminos de la Libertad traspasó todo su
patrimonio a otra ONG, también registrada por Inversiones
Madagascar, llamada El Vuelo de las Gaviotas. Esta ONG, escúchalo bien, se inscribió en el Registro Central una semana
después del terremoto de Chile. Los objetivos de ambas fundaciones aparecen en los formularios: ayuda y soporte para la
reubicación de damnificados, primeros auxilios, reagrupación
familiar, asesoramiento pediátrico y psicológico. La descripción del asunto es políticamente correcta, abstracta. Esto también es raro. Por lo general, este tipo de documentos suele ser
exhaustivo; están redactados por *hippies*. Al filántropo de oficio
le gusta contar con pelos y señales todo lo que quiere hacer, todas las focas a las que quiere salvar, todos los pueblos a los que
pretende llevar electricidad, comida o agua potable. En el caso de Inversiones Madagascar la información es escueta, pobre, no dice nada. Solo citan cuatro puntos mal redactados sobre el deber ser de cualquier organismo de cooperación. Hay
otra cosa interesante, escucha esto: el capital de El Vuelo de
las Gaviotas fue traspasado por Los Caminos de la Libertad; el
patrimonio de Los Caminos de la Libertad fue traspasado por
otra fundación llamada Eco-Vida, registrada por Inversiones

Madagascar en 2004, una asociación que tenía como propósito ayudar a las víctimas del tsunami en Indonesia. Esto no es todo, el capital de Eco-Vida fue traspasado por El Corazón de la Tierra, un organismo inscrito en el año 2000 con el fin de brindar ayudas a las víctimas del terremoto de Turquía. ¿Adivina quién la inscribió? Inversiones Madagascar, por supuesto. El protocolo es el mismo: tragedia, inscripción de la fundación, penetración del territorio, extracción de materia prima, cierre y a esperar a que la naturaleza haga el trabajo sucio. ¿Extracción de qué?, te preguntarás ¿Cuál es la materia prima? Le comenté el asunto a un amigo que trabaja con los salesianos, un tipo serio, un güey que estuvo en Haití, en el Índico, un carajo al que le ha tocado comer mierda. El tema es delicado. Se trata de un rumor confirmado, confirmado pero tácito: tráfico humano, Guerrero, específicamente niños menores de doce años. Ocurre en los hospitales o centros de acopio. Los responsables aprovechan el caos de las primeras semanas para invisibilizarse. Llegan con la Cruz Roja, con Save the Children, con cualquiera, después del desastre las fronteras están abiertas. En esa situación, Guerrero, nadie está pendiente de controlar quién es quién. La fortaleza de estos hijos de puta es el caos. Quince días después, tras los censos de supervivientes, desaparecen los niños. Hay evidencias concretas. Ha sucedido en Turquía, en el Índico, en Haití y recientemente en Chile. Cuando hay ruido desaparecen. Hubo un caso importante, una ONG falsa en los Estados Unidos. ¿New Life Children's Refuge? Algo así. Escucha esto: el escándalo con los misioneros gringos sucedió en mayo de 2010. Eso llamó la atención de la prensa, se publicaron artículos incendiarios, ensayos, se mandaron cartas a la Unesco. Los Caminos de la Libertad cerró, casualmente, en el mes de junio, un día después de que declararan culpable a Laura Silsby. Mi amigo el salesiano me cuenta que estas cosas pasan a diario, que todo el mundo sabe

lo que sucede pero que es mejor callarse. Solo hay que sentarse a esperar a que ocurra un terremoto, un tsunami, un hu-
racán o un deslave. Es ahí cuando entran los hijos de puta. El
procedimiento es el mismo: fachada legal, tragedia, constitución de ONG, entrada, extracción, distribución, compra-venta,
negocio. Fin. Ahí tienes a una exitosa organización altruista.
¿Qué hacen con los niños? Eso no lo sé. ¿Trabajo, prostitución,
adopción ilegal? Esa parte te toca. Lo que soy yo no me vuelvo a aparecer por el Registro ni de vaina, ni porque me regales
la Wii. Seguramente, si tienen que joder a alguien, joderán al
indio. Tengo todas las de perder, soy mensajero y además indio. No, Guerrero, esta gente es poderosa, no cuentes conmigo. Es todo lo que pude averiguar. Ahora, por favor, entrégame
mi *Pro Evolution Soccer*».

9

Hicimos el amor con euforia, como bestias hambrientas. La
desnudé en las escaleras de su hostal. Todo sucedió detrás de
la puerta. El segundo acto ocurrió en la cama: «Ven acá, sube»,
le dije. Haciendo eses arrastró su sexo a través de mi pecho,
dejó una mancha de agua sobre la nuez. Mis mejillas ásperas
rasguñaron sus muslos. Yo permanecía acostado, apenas in-
clinado en el cabecero de la cama. Ella, con la rodilla doblada
sobre mi hombro, trataba de ganar equilibrio. La lengua logró
hacerse espacio entre la piel rosada, viva. La punta de mi nariz se irritaba con el roce de sus vellos cortos. El clítoris gigante, visto en gran angular, saltaba de los dientes a la encía. Mi
rostro desaparecía en medio de la presión. Sus manos buscaban apoyo en la pared. Su cintura empujaba mi cara mientras
balbuceaba palabras incompletas. Me retiré para tomar aire.
La saliva y el sudor se juntaron en un único caldo. Nuevamente, la arrastré hasta mi boca. La penetré hasta sentir un agudo

dolor en la lengua, una especie de calambre. Sus pliegues tuvieron un pálpito. Tuvo, entonces, un ataque de risa. «Gabo,
tengo un problema», dijo con voz de niña mala. «Dime, Carl»,
dije con los labios anestesiados. «Tengo que hacer pipí». «¡No
me jodas!». Siguió riéndose. «Es en serio. Tengo que ir a hacer pipí». Ignoré su solicitud. Arrastré mi lengua bífida hasta
los bordes; exploré el fondo sur, el punto más oscuro. «¡Gabo!
Es verdad, tengo que ir», dijo suplicante. Sentí la angustia de
un enfermo, el hambre de un parásito. «¡Méame!», grité. Tuvo
otro ataque de risa. «¿Qué? ¿Estás loco?». Con los ojos cianó-
ticos repetí mi solicitud: «¡Quiero que me mees!». «Gabo, estás loquito». «Es en serio, cállate y méame». «¿De verdad? No
sé si pueda, no estoy tan borracha. ¡Bah, qué carajo! Espera.
Creo que para poder hacer eso necesito ayuda. Tú cállate y sigue haciendo lo que estás haciendo», dijo. Me mostró su mano abierta enfocando su atención en los dedos medio y anular.
Me empujó la cara hacia lo profundo. La lengua le llegó a la
aorta. Gritó. Maldijo. Buscó apoyo en la pared. Respiraba con
dificultad. Toda mi boca estaba dentro de ella. Se retiró con un
gemido animal, sus entrañas hicieron ruido. Y de repente, a
presión, un chorro ardiente se me estrelló en la cara. Todo el
cuarto se salpicó. Cayó de espaldas sobre la cama con el sexo
palpitante, como haciendo muecas. Perdí la visibilidad en el
ojo derecho. El brote de su vientre no cesaba. Tenía los ojos en
otra dimensión. No paraba de tocarse. Perdió el aire. Parecía
que iba a explotarle el pecho. «¡Mierda! ¡Mierda! ¡Mierda! —
gritó sin vergüenza—. ¡Coño'e la madre! ¡Dios!». Y otro golpe
de agua le salió desde lo hondo. La cama era un desastre. «¡Me
vas a matar, Gabriel Guerrero! ¡Te pasaste!», dijo con la respiración entrecortada. Busqué sus labios sucios, la besé con la
ansiedad de un adicto. «Sabes a Nestea», dijo burlándose, todavía sin aire. A pesar del cansancio, la erección regresó. Busqué espacio entre sus piernas empapadas. «No se te ocurra,

Gabriel, estoy muerta. No puedo más». Volví a penetrarla. Se le trancó el pecho. Estocadas violentas le voltearon los ojos. Le limpié el cuerpo con mis besos. «Te amo», repetí cien veces. El frenesí me hacía olvidar el trasnocho y el incisivo olor a tamarindo. Su sexo era gigante, tenía la impresión de que si perdía el equilibrio, podía caerme y desaparecer en sus entrañas para siempre. Interpretó la rendición de mis ojos. Me pidió que acabara sobre su pecho. La ronda previa me había dejado vacío, casi seco. El orgasmo, intenso, tuvo un efecto breve: apenas un sorbo, una mancha discreta que se estrelló sobre sus senos y que luego restregó contra mi cuerpo. Seguimos revolcándonos en medio del charco, sucios y felices, tragando con delicia los brotes de almíbar agrio que se empozaban en nuestros recovecos; parecíamos luchadores sumergidos en barro. Solo al rato, con el amanecer golpeando las cortinas cerradas, pudimos hacer un balance del desastre.

El cuarto era un sauna. Mi franela estaba tiesa y amarilla. Además, se me perdió una media. «¡Maldita sea!», dije tratando de recuperar algo. El pantalón se había salvado, solo había algo de humedad en la pierna derecha. Me ardían los ojos. El espejo del baño me devolvió el rostro de un enfermo de conjuntivitis. El ojo derecho, rojísimo, picaba hasta el dolor, provocaba sacarlo de la órbita y rasgarlo contra la pared. «Siéntate», me dijo soplándome. Abrió la ducha, entró. Se quejó por el frío con groserías tropicales. «¿Qué hora es, Gabriel?». «No sé. —Busqué mi reloj—. Siete y diez —dije algo mortificado—. Se supone que debería regresar a mi casa. El problema es que te measte sobre mi camisa». Sacó la cabeza burlándose. «No seas ordinario, Gabriel. Yo no meo, yo hago pipí. Y no me eches la culpa. Aquí el enfermito eres tú. Ven conmigo», dijo tomándome de la mano. Entré con ella en la ducha diminuta. El suelo se llenaba de aguas negras. «¿Y qué le dirás a tu esposa por regresar recién baña'o?», preguntó echándome champú.

«No sé, ya inventaré algo. Hoy era la fiesta de cierre del congreso, me quedé con el grupo. No hay mucho que decir». «Congreso, ¿qué congreso?». «Un congreso, nada importante. Necesito ropa. No tengo ropa. Hace frío». «¿Está muy sucia?», preguntó con asquito. «La franela parece un coleto, perdí una media, el suéter apesta». Interrumpió mi denuncia con un beso. «Te amo», gritó. «También te amo, Carl. Carla, te prometo que...». «No prometas, nada. No la cagues. Así está bien. ¿Cómo regresarás a tu casa, mi amor?». «Creo que solo tengo una alternativa».

Cuando lo llamé eran diez para las ocho. Fedor, por fortuna, estaba despierto. Estaba viendo un Palmeiras-Botafogo que Teledeporte transmitía en diferido. «¿Qué pasó, bicho, cómo está la vaina?», pregunté con vértigo. Sabía que en las mañanas acostumbraba estar de mal humor. «Coño, va ganando el Botafogo cero-uno. Gol de Leo Silva, *off side* en mi opinión. Partido lamentable». «Fedor, sé que es tarde o temprano, equis, pero... necesito un favor». Llegó a los quince minutos, me llevó una chaqueta y una bufanda del Getafe. Dos horas más tarde, Carla salió para Barajas.

V

«Esto no lo arregla ni que entre Di Stéfano».
FEDOR

1

Ocurrió lo que más temía. Carla regresó a Caracas y dejó de responder a mis mensajes. Aparecía eventualmente con insípidos emoticones, monosílabos o frases de plantilla. Había perdido el entusiasmo, dejó de contarme su rutina, de pedirme descripciones del mundo, de dedicarme canciones aleatorias. Su ausencia provocó una acelerada y creciente desesperación. Le escribí más de cien correos, la llamé a todas las horas, la seguí por todos las aplicaciones de Facebook, Twitter y Messenger. Respondía con indirectas, con afecto efímero, sin contenido. Muchas veces hice el camino de Madrid, la peregrinación desde el oso del madroño hasta el viejo hostal de Tirso de Molina. Encontré consuelo en la barra solitaria de Peor para el sol, el bar de Malasaña donde ejercimos el rol de amantes. Borrachos sabineros padecían sus penas en silencio. Todos los días al salir de la oficina me ocultaba en ese bar. Bebía y recordaba. Bebía y la imaginaba, la inventaba, recreaba su risa, el marrón de sus ojos. El resto del mundo me daba lo mismo. La vida real solo estimulaba mi indiferencia. La pesquisa en torno a los tratantes de almas se estancaba. Las pistas facilitadas por el Indio Aurelio, si bien explicaban cuál era el origen y la estrategia de los desalmados, no me permitía establecer conclusiones sobre su identidad o planes de expansión. La situación con Elena no cambiaba. El matrimonio era la inanidad, el no saber cómo hablar, el almuerzo frío. Cuando eventualmente cenábamos en la calle, parecíamos esas parejas de viejitos que se sientan a comer sopa y a ver pasar el tiempo.

«Rodrigo —ese era el nombre del barman de Peor para el sol—, hay una canción de Sabina que me gustaría escuchar», comenté alguna noche. «¿Cómo se llama?». «No sé, no tengo idea». «Está difícil, viejo. El repertorio es grande», dijo sonreído. «Es algo sobre un encuentro, dice que esa noche van a salir. Sabina va a salir con una jeva, con una mujer quiero decir, entonces la ciudad colapsa». Alzó los hombros. «Ni idea», agregó. «Los carros no prenden, las adolescentes besan a los artistas, cierran los teatros, hay huelgas o no sé qué, solo porque esa noche estos tipos se verán». Rodrigo no supo responderme. «"Esta noche contigo" —gritó un borracho vecino—. *Track* 1 del CD *Esta boca es mía*, 1994». El obeso beodo le dio un coñazo a su mesa y siguió durmiendo. «Ya te la pongo», dijo el tabernero uruguayo. Buscó en la pantalla del iTunes. Y recibí la puñalada, el golpe bajo, la cortada en el vientre, la erección noble, el corazón con aftas, la maldición de la guitarra: *Que no arranquen los coches, / que se detengan todas las factorías, / que la ciudad se llene de largas noches / y calles frías.* Sentí el nudo en la garganta. *Que se enciendan las velas, / que cierren los teatros y los hoteles, / que se queden dormidos los centinelas / en los cuarteles.* ¡Qué mierda!, me dije. Sentí el sabor del excremento en el paladar, como si masticara pedazos de basura. La segunda estrofa me provocó una obstrucción intestinal, apenas podía caminar. Salí de Malasaña. Atravesé Chueca. Pasé por delante de una santamaría sobre la que, en caracteres gigantes, podía leerse un solitario «Se alquila». Todavía quedaba la sombra del nombre, del comercio ausente: «El club de los poetas publicistas». Recordé el beso seco del Diablito, la saliva incómoda. «Entonces, ¿vienes a mi casa?», había preguntado el infeliz. Excreté el pensamiento, la memoria aciaga. Apenas cerró la puerta me empujó contra la pared; era delgado pero tenía mucha fuerza. Abrió mi boca con su lengua, el *piercing* en el labio me dio un corrientazo, su mano derecha palpó mi entrepierna. Y dejé que sus mejillas limaran mis labios, que su mano envolviera mi sexo tibio. *Maldito Diablito*, me dije. Lo aparté de un coñazo, un coñazo leve pero intenso. Volvió a empujarme. Dijo cualquier cosa, dijo que tenía que confrontar mi verdadera identidad, salir del clóset. «Ándate pal coño'e tu madre —le dije limpiándome la boca con el dorso de la camisa—. Entrégame lo que me ibas a entregar y aléjate». No sé si mi rechazo del amante, si mi insoportable vergüenza, estuvo condicionada por un prejuicio machista. Simplemente no me gustó, no lo disfruté. Quizás si Diego Forlán me hubiera empujado contra la pared de un agujero negro de la calle Pelayo, la historia habría sido diferente, pero el *Diablito* no había despertado la más mínima sombra de deseo. Mi rechazo pareció ofenderlo. Me entregó un *pen drive* barato. Dijo que dentro había dos documentos en PDF. Nunca más volví a verlo.

2

«Tómate tu tiempo, Gabriel —dijo la señora Lili—. Llévate lo que quieras». Me senté en la orilla de la cama. No podía borrar de mi cabeza la foto del féretro. Su rostro no tenía marcas ni rasguños ni costras; parecía dormir, perdido en un sueño apacible. Al mirarlo, tenía la impresión de que en cualquier momento el cristal se empaparía con su aliento. Dos semanas después del accidente una grúa llevó el Corsa hasta el estacionamiento del Inírida. El vehículo permaneció varado en la esquina del sótano durante quince días. El lado izquierdo estaba destrozado. El volante se había partido en dos. Pude ver el *airbag* del copiloto empapado de sangre, los trozos de cristal forrando los asientos. «Llévate lo que quieras, tómate tu tiempo», repitió la señora Lili. Sus palabras confrontaron mi ensueño. La habitación estaba caliente. Las paredes tenían tonalidades sepia. No quería estar ahí. Solo fui hasta el apartamento porque la mamá de Alo me lo pidió. La señora Lili me dijo que en los próximos días se mudarían del edificio; quería que la ayudara a recoger las cosas de Alejandro. Caminé por los bordes de la repisa. Encontré objetos de significado privado, patrimonio de nuestra juventud discreta: el balón Golty firmado por los cinco (la pelota con la que habíamos ganado la final del torneo interresidencial contra el Centauro. La misma que, tiempo después, Fedor rescató de la tragedia de La Guaira), el álbum Panapo del mundial Francia 98, los tazos, las viejas tarjetas telefónicas, el CD de los Enanitos Verdes. En la segunda gaveta, debajo de las camisetas de fútbol, encontré algunas fotografías: gente del Inírida, Carla niña, tardes de colegio... La última me llamó la atención: el Ruso Fedor a la izquierda, aburrido de posar, mira para otro lado, un triángulo de sombra le tapa la cara, no se le ven los ojos. En el otro extremo, cansado, buscando el aire con bocanadas desesperadas aparece el Gordo Atilio, se sienta en una escalera y sostiene entre sus manos una arepa envuelta en papel de aluminio. Al centro, con risa fresca, Martín Velázquez lanza su brazo derecho sobre mi hombro. Su otro brazo se apoya en la espalda de Alejandro. Solo me llevé el balón y la foto de grupo. Me despedí de la señora Lili en el balcón. Pregunté por Carla. Me asomé a su cuarto y desde la distancia oscura distinguí la silueta de un maniquí. Olor medicinal. Yesos. Andaderas. Tenía el cabello corto, una cicatriz inmensa le atravesaba el cuello. Me acerqué con cuidado. Respiraba con dificultad. Dormía profundamente, con el pecho inflándose a ritmos extraños. La besé en la cabeza. *¡Qué linda era! Siempre fue muy bonita.* Me fui. Los Ramírez se mudaron la semana siguiente. No volví a pensar en Carla. Me casé y me fui de Venezuela. Años después alguien me habló de un programa llamado Facebook. Nunca imaginé que al inscribirme en esa estúpida página me afiliaba a la inevitable perdición. «No les creas nada a las vainas del siglo XXI —solía decir Fedor—. El siglo XXI es una mierda».

3

«La verdad es muy sencilla: tú eres un *güevón* y Carla Valeria es una puta. Eso es todo», dijo Fedor durante el intermedio de un Real Madrid-Osasuna. En los últimos meses, el Ruso se había convertido en mi más preciado confidente. Nos reuníamos en La Latina, en la Cava Baja, en un bar cuyo nombre ostentaba el jamón como predicado. Él siempre se sentaba en la mesa del fondo, al lado del televisor. Fedor escuchaba mis testimonios con la atención adscrita a los partidos. Yo hablaba, él escuchaba con la solemnidad de un cura, no decía nada; a veces interrumpía mis parlamentos para sugerir estrategias de ataque, refutar alineaciones o denunciar la ignorancia de los comentaristas. Con un *no joda* seco y un golpe a la mesa celebraba los goles de su equipo, el Real Madrid. Cuando le conté que había reencontrado a Carla Valeria por Facebook no mostró el más mínimo entusiasmo. «Esa carajita siempre fue una loca», fue lo único que dijo. «A mí esa mierda de Facebook no me gusta —agregó al rato—. Nada me molestaría más que encontrar a un buen amigo de preescolar y darme cuenta de que se ha convertido en un idiota». A Fedor no le gustaba hablar de Caracas. Venezuela era una mierda, no había más que decir. Para él, ese era un tema muerto. De vez en cuando citaba algún relato del Inírida o un cuento escatológico de Atilio, pero aquellos episodios parecían suceder en otro lugar, en otro tiempo, en otra dimensión. Él había logrado adaptarse por completo a la lógica castellana. Se apropió sin conflicto del tiempo verbal antepresente, el vocabulario, las eses y las interjecciones airadas. Entre nosotros, sin embargo, persistía la jerga. Conmigo no fingía.

Le conté a Fedor mi pesar por Carla, mi desesperación, mi estancamiento, mi ascenso a Bruselas, mi fracaso con Elena. El Ruso solo veía el fútbol, a veces asentía o negaba. Aquel día, en el intermedio del Madrid-Osasuna, justo cuando entrevistaban a Jorge Valdano en el palco presidencial, Fedor habló con contundencia. «Mira, chamo —mano en el pecho, coñazo a la mesa—, yo te voy a decir la verdad. Creo que nadie te la ha dicho pero a mí me parece que todo está muy claro. La verdad es muy sencilla —me señaló con aprehensión—. Tú eres un *güevón* y Carla Valeria es una puta —silencio largo—. Esa carajita jugó contigo, se empepó, te cogió y te mandó a la mierda, eso es todo. Acéptalo, te cogieron y te mandaron pa'l coño. Tú eras el tipo grande amigo de su hermano, el tipo arrecho que vive en Europa y trabaja con la Unesco. Le dabas queso, vino, te cogió y se meó en ti, literalmente. Nada más. Si tú te enamoraste de esa carajita, eso solo tiene una lectura posible: ¡Eres un *güevón* con ojos! Como te diría el Gordo, quien por cierto creo que se pasará por Madrid el mes que viene, el que se acuesta con muchacho amanece caga'o. ¡Qué va a estar siendo madura esa carajita, Gabriel, por Dios! ¿Tú eres pendejo? Esa es madura pa' lo que le conviene, de resto no tiene ni idea. ¿Qué ella no lo ha tenido fácil? Es verdad. ¿Qué lo de Alejandro fue muy fuerte? ¿Qué después peló bolas el viejo? Lo concedo y lo entiendo. Pero tú mismo has descrito muy bien cuál es la situación. ¿Qué mariquera es esa de que ella tiene un novio en

Barcelona, va a visitarlo y viene aquí a Madrid a darte el culo?
¿Tú has visto en un espejo la cara de *güevón* que pones cuando hablas por el fulano BlackBerry? Provoca arrancártelo de las
manos, lanzarlo al Manzanares y luego caerte a coñazos. Hermano, escucha. Te lo digo en serio, te conozco desde que te conozco y nunca, nunca, Gabriel, te habías comportado como lo
has hecho ahora. ¡Eres un pendejo paradigmático! ¿Y Elena?
¿Y Bruselas? ¡Bruselas, Gabriel, Bruselas! A un don nadie como tú —dedo índice en el pecho, incisivo—, a un abogado de
medio pelo como tú, egresado de una universidad mediocre
como la UCV, Unesco o Unicef o qué sé yo qué coño, le está
ofreciendo casa y trabajo en Bruselas. ¿Y tú quieres mandarlo
todo a la mierda por una carajita caga leche? ¿Tú estás loco? —
coñazo a la mesa, la cerveza se rebosó y se botó—. Yo te voy a
decir una vaina, Gabriel. Si tú te divorcias de Elena y renuncias
a Bruselas por una carajita loca, solo porque la caraja te mea y
a ti esa vaina te da queso, yo no te hablo más. Y te lo repito, es
la verdad. Es la única verdad: Carla Valeria es una puta y tú solo eres un pendejo en una lista. Esa es de las que le gusta co-
leccionar pendejos. Cuando se ladille de ti se comprará otro. Y
mira —señaló la pantalla— ya empezó el segundo tiempo, a
ver si estos tipos hacen algo aunque no sé, con lo mal que están jugando, esto no lo arregla ni que entre Di Stéfano».

4

Nos casamos en la iglesia Santa Mónica. La recepción tuvo lugar en el Centro Portugués. Nunca le propuse matrimonio. El
determinismo de nuestro noviazgo nos arrastró sin resistencia hasta los tribunales y el altar. La boda era parte del libreto.
En Caracas, al menos, era lo que hacía todo el mundo: tras obtener el título universitario, el siguiente punto en el orden natural de las cosas era el matrimonio. Un día cualquiera Elena

comenzó a hablar de madrinas portuguesas, de viajes de novios por el Caribe, de pasapalos, de orquestas mediocres, de la
sala de fiesta del Centro Portugués. Elena quería irse de Venezuela y dada la solidez de nuestra relación yo iba incluido en el
paquete. El viejo Rodrigues decidió cerrar sus oficinas en Caracas, dijo que retomaría sus actividades comerciales con algunos familiares en Portugal. Nuestro plan, el primer boceto de
exilio, pasó por Lisboa. La beca de la Fundación Carolina, sin
embargo, sugirió la alternativa de España.

¿*Cooperación Internacional? ¿Salvar el mundo?* No sé por
qué opté por esa beca. Mi vocación altruista, si bien era espontánea, no tenía un proyecto concreto; carecía de fines, de interés real. Me dejé llevar por el diseño de una página web, por
una información engañosa que contaba con palabras amables
recetas de equidad, salud y desarrollo. Me sedujeron los eslóganes, las fotos de grupo con niñitos risueños, con cooperantes felices. Siempre fui una persona sin grandes vocaciones,
sin noción del horizonte. Inscribí esa beca como pude haber
inscrito cualquier otra. Yo también, sin reconocerlo, estaba
cansado de Caracas. Sé que, en el fondo, solo deseaba escapar
de la ausencia dañina de Alejandro, del ruido de los vidrios en
mis pesadillas, de lo que quiso decirme en el ascensor. La vieja adolescencia aparecía ante mis ojos como un reino perdido,
como un paraíso en alquiler.

La Nena Guerrero no puso ningún tipo de objeción a mi
matrimonio. «Elena es una buena muchacha. Si tú la quieres,
está bien. Haz lo que te parezca más conveniente», fue lo único que dijo. Mi mamá había cambiado. El tiempo dislocó su
belleza, los años le hicieron trampa. Se convirtió en una señora mayor, en una doña amable. La pedantería cesó y mudó en
cariñosa timidez, en silencio tolerante. Ella seguía dando clases de inglés por las tardes a los adolescentes inútiles, a los
nuevos miguelachos y doneros, a los malandros del futuro. La

Nena, poco a poco, se había acomodado a las rutinas de Santa Mónica. Atrás quedaron los tiempos de las fiestas galantes. Comenzó a frecuentar a las vecinas más humildes, a participar en la junta de condominio y otras actividades sociales. Hizo yoga, taichí, cursos de cerámica. La frialdad hogareña, sin embargo, seguía intacta. En la casa seguía siendo la Nena distante, gélida. «Si te quieres ir, vete. Entiendo que las cosas acá no están bien», dijo cuando le planteé la idea del exilio. La señora Cristina me mostró más afecto al despedirse. Nunca entendí la educación sentimental de la Nena Guerrero. Hasta el día de su muerte mi madre me trató como a un extraño.

5

El espejo de un bar me devolvió el rostro de la Divina. El hallazgo me tomó por sorpresa. Había buscado a Carla en todos los espejos de todos los bares madrileños. Nunca la encontré. El congreso terminó y los días comenzaron a repetirse. Desarrollé hábitos de alcohólico. La autodestrucción se convirtió en un objetivo noble. Comencé a escribir el *Recetario del amor* en cuadernos y servilletas... Una mierda: chatarra, lugares comunes flagrantes, derrotas disfrazadas de felicidad. Llegaba tarde a la casa, borracho. Procuraba regresar cuando tenía la certeza de que Elena estaba durmiendo. No quería escucharla, no quería verla. Peor para el sol se convirtió en una parada obligatoria. Me sentaba en la barra hasta perder el sentido, a padecer con dolor físico las estrofas radioactivas de «Esta noche contigo». Luego caminaba por calles oscuras, sin destino. Entraba a bares inhóspitos, poblados de parejas en celo, ingenuos traficantes, prostitutas nóveles, nerviosas y sin talento. Fumé, fumé mucho. Carla seguía ignorando mis mensajes, respondiendo eventualmente con emoticones o plantillas. Uno de esos días, en algún bar de San Vicente Ferrer, mientras recitaba una canción imaginaria de Estopa, cuando quería arrancar a Carla Valeria del tiempo, levanté el rostro y busqué su cara en el espejo. Fue ahí donde encontré a la Divina, a Adriana, la mejor amiga de mi esposa.

¡Sorpresa! Había levantado el rostro buscando la silueta de Carla pero al otro lado del bar, enredada en los brazos de un gigante, encontré a la esposa de Ramiro. Ella también me miró. Sintió vergüenza, se arregló la ropa, le dijo algo al amante. Tuve un ataque de risa. Se fueron. Al día siguiente, durante la cena ritual, actuamos con indiferencia. En el momento de la despedida, mientras Ramiro atendía una llamada y Elena pasaba por el baño, me dijo que necesitaba hablar conmigo, que quería darme una explicación. «No tienes que explicar nada, Adriana. No he visto nada. No pasa nada». «No, de verdad. Quisiera hablar contigo». Quedamos en vernos al día siguiente, en un cuchitril del centro.

Fumaba, lloraba, parecía una actriz de telenovela. Me recordó las viejas siluetas de Mimí Lazo, Ana Karina Manco y demás glorias de mi remota provincia. Ordenamos cervezas. Traté de calmarla con lugares comunes. «Debes pensar que soy una puta», dijo entre mocos. «Yo no pienso nada, Adriana. Además, ¿qué importa lo que yo piense?». «Héctor es un viejo amigo, lo reencontré por Facebook. Fuimos novios hace años». «Maldito Facebook —le dije—. Deberían meter preso al pendejo que inventó esa mierda». Ahí, más o menos, logré sacarle una sonrisa. «Ojalá pudieras entender, Gabriel. Tú no sabes lo que es vivir con Ramiro; él parece perfecto —su rostro improvisó una rotunda negación. Estrelló la colilla contra el cenicero—. Los únicos momentos de equilibrio de nuestro matrimonio son las cenas con ustedes, nada más. De resto, ese carajo ni me mira. Nosotros no tenemos lo que tienen Elena y tú». ¿Y qué coño tenemos Elena y yo? No quise formular la pregunta en voz alta. «Se les ve en los ojos. Ustedes se quieren, ustedes están embobados como dos niñitos y eso es lo que más me gusta de nuestras cenas —se rió sola—. A veces me burlo, les digo los Perfectos. ¿Sabes por qué? —silencio—. Ramiro los admira. Siempre me compara con Elena, dice que ustedes sí saben ser felices, que no solo piensan en el dinero, que saben estar ahí, juntos en las dificultades. Nosotros no tenemos eso, Gabriel. Hace mucho tiempo que Ramiro y yo dejamos de ser un matrimonio. La última vez que tiramos fue cuando quedé embarazada de Jessica, hace más de un año. Solo estamos juntos por las niñitas». No había forma de pararla, fumaba con ansiedad, con prisa mortificada. Encendía un cigarrillo detrás del otro y los dejaba incompletos sobre el cenicero de cobre. «Y las niñitas... Esto te va a sonar cruel, no quiero que suene así pero no sé cómo decirlo, ojalá me entiendas. Amo a mis hijas, quiero a mis hijas pero, coño, Gabriel, yo... yo... —se le trancaban las palabras— yo tenía una vida. ¿Me entiendes? Yo tenía una carrera, yo hacía vainas». Sabía que Adriana era publicista. Había trabajado en Caracas con la Procter & Gamble. Luego, después de la mudanza, hizo algunos estudios de *Marketing* en Francia. «El año pasado intenté incorporarme como *freelance* en un proyecto de revista. Me pidieron un diseño, algo sencillo, una vaina en la que trabajé durante muchos años y que dominaba de atrás pa'lante. No pude escribirlo. No pude, coño —cambió de cigarrillo—. Me senté frente al computador y no pude escribir nada. Era como si se me hubiera borrado todo, era como si todas las aplicaciones de InDesign se hubieran convertido en marcas de compotas, en precios de pañales, en parlamentos de *Dora, la exploradora*. Yo no tengo vida, Gabriel, yo... Y ahora Ramiro quiere tener otro hijo, porque él siempre soñó con una familia grande, quiere el puto varoncito. Y de fondo, la crisis, la puta crisis, no tenemos dinero para mantener a una persona que me ayude en la casa. Hay una señora que va los martes y los jueves pero no me doy abasto Gabriel, no puedo, de verdad no puedo. Perdóname, coño... no sé qué pasó —traté de hablar. No me dejó—. Héctor apareció por Facebook, me dijo que estaba en Madrid. Cuando me di cuenta ya le había mentido a Ramiro, le dije que había ido a visitar a un familiar. Y, qué carajo, la cagué. Me metí en una situación de la que me cuesta salir y que me gusta, que disfruto, que me hace sentir... no sé... viva. Maldita sea». Sentí la vibración en el BlackBerry. *¿Carla?*, gritó mi ansiedad, *ojalá fuera Carl*. Perdí el interés por la respuesta de Adriana. Moderé mi entusiasmo. Esperé a que terminara con su desahogo. «Lo más difícil es verles las caras a las niñitas, eso me hace sentir como una mierda. Ramiro me da lo mismo. Él, mientras tenga una conexión a Internet y un iPhone, es feliz. Héctor no es nadie, nunca hizo nada, nunca terminó nada; es un mamarracho, un pela bolas, un loco, pero ese carajo así, diciéndome pendejadas, que soy bonita, acariciándome el pelo, tomándome la mano mientras caminamos... no sé, Gabriel. Las mujeres sí somos pendejas, ¿verdad?». Alcé los hombros. *No son las únicas*, quise responder. «Dame un minuto, Adriana», dije para revisar el BlackBerry. Era un correo electrónico. No era Carla. *Coño*, me dije. El mensaje era de Silvia Tovar. Silvia me contaba dos o tres anécdotas intrascendentes, episodios simpáticos que olvidé. Al final, en postdata, decía que pasaría un par de días por Madrid, dijo que le gustaría verme. Eliminar mensaje: clic. Adriana parecía más calmada. Se hacía tarde para ambos. Pedimos la cuenta. «Elena y tú, por fortuna, se tienen el uno al otro —dijo antes de despedirse—. Ella siempre me cuenta que eres súper detallista, que siempre estás ahí. Ojalá yo tuviera eso».

6

El exilio está ensamblado sobre la base de un mito: el resto del mundo es un lugar mejor. Me fui de Venezuela con la convicción de que hacía lo correcto. Tardé mucho tiempo en darme cuenta de que Caracas, como un cáncer inoperable, estaba enredada en lo más profundo de mi memoria. Mi Caracas, lo sé, es una geografía fragmentaria, incompleta, tendenciosa. Mi centro se ubica al final de la avenida Teresa de la Parra, no tiene plaza ni parlamento. Me costó entender que la tragedia del exilio la escriben las cosas invisibles, los pequeños detalles que pasan desapercibidos. No todo el mundo se da cuenta de que lo que duele, lo que se echa de menos, es la belleza espontánea de lo insignificante.

Los cuatro, lo que quedaba de nuestro grupo, coincidimos por última vez en el cumpleaños de Martín. El luto limitó la celebración a dos pizzas de Papa John's y una caja de cervezas. Ese día, Fedor contó su decisión. Haría una maestría en el Instituto Cervantes de Madrid: enseñanza del español como lengua extranjera. «Sé que suena aburrido pero ahí hay plata. Siempre habrá algún animal que quiera aprender esta sobrevalorada lengua», dijo. Me sentí bien ante la idea de la futura compañía, por la mudanza común. «Invité a unos culos», dijo Martín mientras revolvía las piezas de dominó. Nos reímos en silencio. Fedor y Atilio se vieron a la cara con la sana sonrisa de las burlas viejas. «De pinga, Martín, de pinga», dijo el Gordo palpándole la espalda. «¡Salud!». Y chocamos los vasos. Tras el golpe de vidrio sentí una corriente de tristeza, una especie de infarto emocional, una incómoda sensación de renuncia.

Los dos meses que, tras el matrimonio, permanecimos en Caracas vivimos en la casa del papá de Elena, en El Marqués. El viejo ya se había mudado a Portugal. El día del cumpleaños de Martín, temprano, regresé a Santa Mónica. La Marco Antonio Saluzzo estaba colapsada. Estacioné en el centro comercial. Enrique Vivancos salía de Farmatodo, lo saludé desde lejos pero no me reconoció; siguió de largo hasta la Bolet Peraza. Más adelante, lavando carros, tropecé con el desahuciado

Miguelacho. «¡Ese, Gabriel! ¿Qué dice?», me saludó con una mueca. El edificio había perdido color; las paredes, vapuleadas por la humedad, mostraban el esqueleto de ladrillo. El Inírida sufría una irreversible osteoporosis. También vi el quiosco de los peruanos, el letrero desvencijado de la panadería Crea, las rejas marrones de las Residencias Lazo Martí comidas por el óxido. Caminé las calles de Santa Mónica con la convicción de que, durante mucho tiempo, no volvería a transitarlas. En ese recorrido caí en cuenta del cruel significado de lo efímero, de la belleza inherente a un desvencijado camión de frutas o el rostro cavernario de la señora Eva, inmortal figura regente del quiosco matutino de la calle Lisandro Alvarado. Caminé con hastío, observando con morbo todos los detalles de un universo que daba por supuesto, de las cosas que siempre estaban ahí y que, de un día para otro, se harían invisibles. Saludé a todas las personas que conocía de vista pero cuyos nombres ignoraba, compañeros de la farmacia Carol, de colas en el Banco Mercantil, de pasillos del Luvebras, de las sillas altas en la carnicería Arcoíris. Todos le mandaban saludos a la Nena Guerrero, los más cercanos me deseaban buen viaje. «Ojalá nosotros pudiéramos irnos», decían algunos. Elena odiaba Caracas, contaba los días para escapar. Yo sabía perfectamente que esa ciudad estaba maldita. Sabía que la vida no tenía valor; que, en cualquier momento, una bala perdida podía destrozarme la cabeza; que mi fallecimiento sería solo una gélida cifra en una estadística inútil e incompleta. Sabía que el poder estaba en manos de un grupo de mercenarios. Creí saber tantas cosas... Pero, maldita sea, cómo me dolió partir; qué difícil fue entrar a Maiquetía con la certidumbre de la fuga, con el decreto de expulsión, con el título nobiliario de extranjero.

Quizás, ninguno de nosotros supo asimilar la muerte trágica de Alejandro. No hablábamos de eso como no hablábamos de nada que pudiera delatar intimidades. Por fortuna, para la circulación de las ideas, existía el béisbol y el desgobierno, la liga española, el cine. Las alegrías y las desgracias eran efecto directo de nuestras conversaciones en torno a la nada, de nuestra falta de contenido. Martín, mi pareja de juego, se acostó con el doble cuatro. «No llevo», dijo Atilio. Bajito, de fondo, sonaba un CD de Fito Páez. «Coño —dijo el Gordo—. Súbele. Alo se tripeaba esa canción». Martín se levantó y caminó hasta el equipo de sonido. Los tres observaban sus piedras en silencio. Me provocó abrazarlos, decirles que los echaría de menos, contarles que extrañaba a Alejandro, que me habría gustado hablar con él, recuperar el tiempo perdido pero sabía, o sospechaba, que interpretarían aquel gesto como una mariquera, como una sensiblería impertinente. «Tú no juegas», dijo Fedor imperativo, cuadrando el juego por los tres. Martín volvió a sentarse. *¿Qué es lo que busco, qué echaré de menos, qué es lo queda atrás, qué vendrá?*, preguntó una de mis voces, la más prepotente, la intensa. No supe responder. *¿La quietud, la tranquilidad, la emoción pasajera, jugar dominó con estos pendejos?* Sonó el intercomunicador. «Deben ser las pizzas —dijo Atilio—. Anda, Martín». Se levantó a disgusto. Caminó hasta la ventana, desapareció detrás de la pared. La melancolía no dejaba de incomodarme, de hacer preguntas necias. No quería creer en la fugacidad del pasado, en la ausencia definitiva de Alejandro. Me costaba pensar que todo lo que habíamos sido quedaría oculto entre la niebla, en otro lugar, en otro tiempo. *¡Qué mierda!*, me dije mientras contaba las piedras y pensaba en la posibilidad de trancar el juego. Fue cuando, de la manera más sencilla, Martín Velázquez me explicó su concepto de la felicidad y del arraigo. En ese momento lo entendí... Martín regresó a la sala saltando, con la sonrisa tapándole la cara. Saltaba y daba vueltas. Registré la escena en cámara lenta. Estaba espléndido, infantil, alegre, libre. Corría por la sala mientras gritaba: «¡Los culos! ¡Los culos!

¡Los culos! ¡Vinieron los culos!». Grabé en *slow* los rostros de Atilio y Fedor: risas vulgares, de saliva, de bocas abiertas. Busqué la silla vacía de Alejandro pero solo encontré la mirada de la ausencia. «¡Los culos! ¡Los culos!», insistía el otro improvisando un baile de merengue. Entendí que la felicidad, en ocasiones, suele disfrazarse de pendejada, de experiencia inútil, de un limitarse a estar ahí; que en esta intrincada película, como diría Andrés Calamaro en una canción que años después me dedicaría la niña más hermosa del mundo, no se trata nada más que de vivir.

7

«Gabriel, vas a decir que estoy loca. Creo que me están siguiendo. Tengo miedo», dijo Mariana a través del teléfono celular. Me levanté de la mesa, me llevé por delante una bandeja con calamares fritos. Atilio dijo alguna indecencia. «¿Qué pasó?», preguntó Elena. Me aparté para buscar un punto del restaurante en el que hubiera mejor señal. «Agarra un taxi, vente para acá —dije—. No. Estoy con unos amigos. Un amigo de Caracas vino de vacaciones y salimos a tomar algo». Hice un paneo por la mesa: Ramiro, Adriana, Elena, Fedor y Atilio. No era el mejor lugar para incluir a Mariana pero fue lo único que se me ocurrió. Le di la dirección del restaurante y tranqué. «¿Quién?», preguntó Elena. «Nana». «¿Viene para acá?». Puso cara de asco; se levantó arrecha, corrió a sentarse al lado de Adriana. La salida con Atilio coincidió con una de las cenas habituales entre Perfectos y Divinos por lo que resultó inevitable mezclar los grupos. Atilio exponía las últimas noticias, habló de la boda de Martín Velázquez, contó que en dos meses el enano se casaría con uno de aquellos culos que alguna vez se había aparecido en su casa durante una partida de dominó. En algún momento lo llamamos. Los tres hablamos con él, lo insultamos, nos burlamos del estrabismo de su novia, lanzamos invectivas amistosas, le dimos el pésame por la libertad perdida. Atilio contó que había terminado la carrera, que estaba trabajando en el Pérez Carreño y concursaba para una importante plaza en una clínica del este. Fedor y Atilio, a pesar de sus temperamentos disímiles, conservaban las afinidades de la infancia. Cuando coincidían, por un amorfo proceso de mímesis, empezaban a hablar el uno como el otro. Fedor se vulgarizaba y Atilio hablaba de manera pausada, como eligiendo las palabras. En la esquina de la mesa, Elena parecía divertirse con los cuentos de Ramiro. Mariana tardaba, me preocupé. Llegó quince minutos después. La presenté con incomodidad. Ordenamos cervezas.

«Paranoia —dijo—. A lo mejor me lo inventé. Creo que me estoy volviendo loca». Elena y Adriana conversaban en el rincón. Ramiro se acercó a Fedor y Atilio. El Gordo, como era habitual, después de la tercera cerveza comenzó a contar historias de mierda. Mariana estaba pálida, anémica, transparente. «Son mil cosas, Gabriel —me miró con atención—. Kyriakos me despidió. Me botaron esta mañana. No hay recursos, el centro no es sostenible. Trabajaré un mes, luego me iré. Supongo que fuiste el afortunado». Afirmé con incomodidad, con vergüenza. Le conté sobre la oferta de Bruselas, la plaza en la Unesco. «Tómalo —dijo sin rencor—. Siempre es bueno saber que hay una buena persona dentro, alguien en quien se pueda confiar —pausa—. ¿Cómo estás?», preguntó orientando el rostro hacia el grupo distante. «Igual—respondí—. Lo mismo. Nada». Atilio contaba la tragedia de su estreñimiento. Ramiro se doblaba de la risa y Fedor consecutivamente hacía preguntas didácticas. «Ayer me acordé de ti. Pasó algo gracioso, triste y gracioso. Fue Eleonora quien me lo contó». «¿Qué pasó?». «¿Recuerdas el caso de las tarjetas de crédito? Nuestra primera discusión importante». Afirmé. «Coño, Atilio —dijo

Fedor, la discusión se escuchaba en toda la mesa— yo quiero hacerte una consulta sobre un asunto desagradable. Es algo que me pasó hace poco y pensé en ti. Sé que tú debes tener alguna alternativa». «¿Y quién fue? ¿El ucraniano, el boliviano o el español?». Mariana se rió a disgusto. «Atilio, ¿qué propones cuando a uno le dan ganas de cagar en una casa ajena y cuando llegas al baño te das cuenta de que la poceta es blanca? Te cuento lo que me pasó...». Traté de ocultar la bulla con el cuerpo, de ponerle *mute* al escándalo. «Desmantelaron una banda en Tetuán —me dijo. No entendí su indirecta—. Fueron los tres, Gabriel. Había tres integrantes: un español, otro boliviano y otro ucraniano». «¡Qué bolas!». «Coño, estaba en casa de una amiga y me dieron ganas de cagar. Fui al baño, cagué, pero la poceta era blanca y esa mierda quedó toda sucia. No me quedó más remedio que hacerme el loco. Tú, sabio Atilio, ¿qué propones en estos casos?». *Coño'e la madre*, me dije al escucharlos; me daba mucha vergüenza con Mariana. Hacía rato que Elena y la Divina se habían sumado al coro de los feriantes. «En esos casos —respondió el gordo—, lo que vale es la propulsión a chorro. Cuando la poceta es blanca y la casa es ajena la única estrategia legítima es la propulsión a chorro», repitió. Mariana parecía ignorar la ponencia. Fedor expelía el inimitable pitido de su risa. «¿Y tú qué harás, Nana?», pregunté dándole la espalda al agorero escatológico. «Creo que tomaré la oferta de Bolivia, me voy de esta mierda. Esto es... más de lo mismo. Lo peor es que van a cerrar el centro. Eso sí me pesa, me pesa por Vero que trabaja como un burro, por todas las personas a las que hemos podido ayudar y que podríamos ayudar. El animal de Kyriakos no ve eso. ¿Qué va a pasar con esa gente, Gabriel? ¿Qué va a pasar con Vero? Eso no es lo más triste: Emilio y Yago consiguieron ascensos. A uno lo mandan a Washington y el otro pasará a dirigir una campaña de no sé qué con la OIJ. Eleonora también se quedará sin trabajo». «¡Propulsión a chorro! —repitió el Gordo—. Esto es muy sencillo. Claro, esto solo vale para los machos, las mujeres tendrán que aplicar otra vaina. La cuestión, como les decía, es muy sencilla. Una pregunta, Ruso: ¿cuando una caga, mea? ¿Sí o no? ¡Maestro!, pana ¿Cómo es que te llamas tú? Ramiro, ¿no? Ramiro: ¿Cuando uno caga, mea? ¿Es o no es verdad?». Ramiro asintió. «¿Qué vamos a hacer con lo otro? ¿Con lo de Javi, con lo de Savard?». «No sé, Gabriel. No sé. ¿Conoces a la periodista Lydia Cacho?». «Lo que hay que hacer en esos casos es cagar, sí, pero en lugar de mear con la cagada, aguantar las ganas, apretar ese vejiga. Uno caga —Atilio hacía la mímesis innominable— y aprieta esa vejiga, no joda». Carcajadas. «He oído hablar de ella pero ni idea». «Es una activista, escritora. Ha publicado cosas importantes sobre prostitución, tráfico humano y pederastia. Conoce a mucha gente y tiene experiencia. Dictará unas conferencias sobre Derechos Humanos en la Complutense. Le escribí un correo describiéndole muy por encima el asunto. Me gustaría hablar con ella, puede darnos algunas pistas. Me gustaría entregarle lo que tenemos». «¿Y qué tenemos, Nana?». «Es verdad, Gabriel. ¿Qué tenemos?», dijo con sarcasmo. «Luego, uno se limpia su culo, se levanta y hace un análisis de la situación. Una manchita por aquí, otra por allá. Es ahí cuando aplica la propulsión a chorro. ¡Se agarra el machete y a pegarle manguera a esa mierda!». Carcajadas estridentes. «¿Qué le pasa a tu amigo troglodita?», preguntó Mariana. «Nada, no le hagas caso», dije tratando de aguantar la risa. Las anécdotas más inmundas, en palabras de Atilio, cobraban dimensiones de teatro clásico. «Siento que llegamos a un punto muerto, no sé por dónde continuar. Nadie sabe nada, nadie quiere hablar», continuó tras la interrupción. «¿Qué pasó hoy al salir de la oficina?». «No lo sé, Gabriel, a lo mejor no era nada. Creo que me estoy volviendo loca. Solo era un grupo raro, tres o cuatro personas. No sé. Paranoia», dijo. «Ja, ja, ja. Pegarle manguera esa mierda», repitió Ramiro con el rostro desencajado. Adriana lo miró con amor, en realidad, con odio. «Escucha, Nana, hagamos algo. Esto lo pensé desde un principio pero a falta de respuestas no te había comentado. Desde que empezó todo este desastre le escribí a la profesora Irene. En su despacho me dijeron que estaba en Italia pero supe por Aurelio que el fin de semana regresó a Madrid. Voy a hablar con ella, le expondré todo lo que sabemos, lo que ignoramos, lo que nos parece raro». «Gabriel, por Dios, ¿qué puede hacer ella? La profesora Irene tiene como cien años, está fuera del lote». «Sabes muy bien que conoce a todo el mundo, podría orientarnos un poco». Atilio comenzó a contar otra historia. El BlackBerry vibró en mi bolsillo. A mi pesar, me acostumbré a la ausencia de Carla. Aunque lo deseaba con todas mis fuerzas sabía que el nuevo mensaje no sería de ella. Correo electrónico, Silvia: «Estaré en Madrid pasado mañana, espero que podamos vernos». Eliminar mensaje: clic. «¿Les conté la vez que me cagué en un taxi?», preguntó Atilio risueño. Mariana parecía abstraída, ausente. Elena nos miró con desprecio. «Nana, escucha. Hablaré con la profesora Irene. ¡Hey! Mírame, estoy contigo. Te ayudaré con esto. ¿Todavía cuentas conmigo?».

VI

«Gabriel, coño, haz memoria. ¿Qué recuerdas del accidente?».

SILVIA TOVAR

1

«Ojalá solo hubiera sido el accidente», diría Silvia. No creo en los presentimientos. Ignoré las náuseas. Atribuí el desmayo matutino al metabolismo mediocre. La profesora Irene me citó en su casa, en el barrio de Majadahonda. Pasé por la oficina temprano. Pancartas gigantes denunciaban el cierre del centro. La oficina era un desastre. Eleonora me entregó un centenar de documentos viejos. Firmé sin leer. «¿Estás enfermo?», no respondí. El espejo del baño me devolvió el rostro de un hombre con ictericia. Enjuagué mi cara. Fui al bar de los viejitos. Mastiqué un bocadillo de jamón rancio. Aquella noche, tras la reunión con mi antigua mentora, debía encontrarme con mi amiga Silvia Tovar. Poco a poco, se fue soltando la locura.

2

El tiempo, con mala saña, se burló de Silvia. Nos encontramos en Plaza España, al lado de la fuente. Ya para entonces era un hombre con miedo, paralizado por los últimos sucesos. La reunión con la profesora Irene dio lugar a noticias inesperadas. Cuando por mero protocolo decidí encontrarme con Silvia, tenía la plena convicción de que el mundo había sido sacudido por un tsunami. Me quedé parado frente a la fuente con el pensamiento muerto, delirante, lento. «Hola, Gabriel —me dijo una gorda con el rostro comido por el acné—. Estás igualito». Entonces la vi. Silvia, mi novia primeriza, la prima de Carla. ¡Cómo dolía pensar en Carla! Cómo dolía ser consciente de su indiferencia. El viejo cariño rompió el encantamiento, la fealdad se transformó. Tras un abrazo honesto y un beso en la mejilla se convirtió en la Silvia del recuerdo. «Estás demasiado flaco, pareces anoréxico. Sí, lo sé —agregó— todos los kilos que perdiste tú los agarré yo. Los años, Gabriel, los años». «¡Qué bueno verte!», le dije. No mentía. Su aparición me haló por los pies. Por un momento, sentí que regresaba al mundo. El grotesco monólogo de la profesora Irene logró disiparse. La memoria, con modales ordinarios, trajo retazos de un Inírida estival, de una sexualidad inocente escondida en un cuarto de La Guaira. «¿A dónde vamos? ¿Quieres tomar algo?». Caminamos por Martín de los Heros. Nos emborrachamos en el Café de los Artistas. Aunque logré distraerme con su compañía todavía tenía miedo, mucho miedo.

3

Un enano asiático abrió la puerta de la casa, parecía tener algún tipo de retardo. Lo seguí por un pasillo, me abandonó en una sala minimalista, iluminada e incolora. «Siéntese. La profesora bajará en unos minutos», dijo tragándose la r. Esperé diez minutos. Tenía sueño. Había dormido fatal. Las noches sin Carla me habían convertido en un maniático. Un sonido extraño, de disparo láser, distrajo mi bochorno. El ruido, una especie de trueno, seguía de manera intermitente. Me levanté y caminé hasta la sala vecina. Encontré un televisor gigante con imágenes *vintage*: patos que caían batidos sobre un bosque de cuatro colores. El Nintendo estaba en el piso, un cable negro salía desde la caja y se extendía hasta las manos del curioso mayordomo asiático. Sostenía una pistola anaranjada y disparaba a la pantalla, los patos caían. Un perro sabueso anunciaba los aciertos. Regresé a la sala con el sonido del videojuego revolviendo mi memoria. *¿Duck Hunt?*. La profesora Irene apareció de repente. «¿Cómo estás, Gabriel? Siéntate». Obedecí. Una insoportable fanfarria anunciaba la muerte de los patos.

Pareciera que ya nadie es feliz, me dije mientras escuchaba el testimonio de Silvia. Narró su vida sin entusiasmo. Éramos autómatas, miserables por convicción. Los momentos de sosiego eran contados espejismos. Las alegrías eran eventuales ficciones. Quería saber de Carla, preguntarle por Carla. Pero Silvia necesitaba hablar, explayarse en el recuento de una juventud perdida, un matrimonio falso y una maternidad que se había convertido en la única razón para no regresar a Venezuela. Habló de Londres, de la bella Londres, de su odio por Londres. Y el rostro, el mismo rostro que yo había besado y que me había iniciado en los misterios de la sexualidad humana, tomaba formas grotescas, animales, mamíferas. Su cabello estaba muerto, tenía la textura de las servilletas usadas. Sus dedos, aferrados a la cerveza, mostraban nudillos enormes y cutículas rotas con sombras de sangre. Recordé nuestras tertulias tremendistas, nuestras madrugadas de Messenger. Entendí que aquella sexualidad desesperada, el juego morboso de nombrar el cuerpo y estimular la imaginación con el placer fugitivo de un coito virtual no era más que un melancólico artificio, un síntoma del cáncer de los solitarios. Sin darnos cuenta, se nos habían pasado los trenes del tiempo, éramos la sombra chinesca de una mujer y un hombre. Cuando me invitó a su

hotel, arrastrando la borrachera por las transversales diminu-
tas de la calle Princesa, no pensé en la satisfacción de un deseo escapista y aleatorio. Mi encuentro con Silvia me hizo caer
en cuenta de mi pobreza, de la estupidez esencial. Su figura
de sebo, su espíritu demacrado, disuelto en el testimonio de
la profesora Irene, me hizo sentir una profunda repulsión por
la existencia. Sabía que nunca tendría el valor para suicidarme
pero algo dentro de mí se resistía a continuar. Mientras ella
narraba sus desventuras y el amargo complejo de su maternidad, yo solo podía pensar en Carla. El alcohol me acercaba a
Carla, la madrugada me traía su nombre. «No sé nada de Carla Valeria», dijo cuando le pregunté. Compramos una botella
de *whisky* malo en el negocio de unos chinos, bebimos de pi-
co. Llegamos a su habitación. Sacó un viejo iPod que conectó a
dos cornetas pequeñas. Colocó una selección de tangos. «¿Qué
sabes de tu tía Lili? —le pregunté—. Supe que el señor Ramírez se murió hace tiempo». «Ese hijo de puta —fue lo único
que dijo. Al rato, agregó—. Mi tía está jodida, siempre ha estado jodida. Y mi tío José Alejandro... —silencio. Gardel: "Cuesta abajo"—. Por mí que se pudra en el infierno. ¡Perdóname
Diosito!», le hizo un gesto de súplica al cielo. Tras santiguarse
volvió a pedir perdón. «¿Por qué dices eso?», pregunté curioso, casi dormido, recostado en su hombro. «Gabriel, por favor.
No quiero hablar de Carla».

Le conté todo. Empecé por Javi, por sus hallazgos. Hablé
de Los Caminos de la Libertad, de las pesquisas inútiles, de las
trabas, de la impotencia. Me dejé llevar por la confianza, por la
certidumbre de que su tutela podía darnos algún tipo de luz.
Ella escuchaba en silencio, parecía asentir, a ratos perderse.
Era una persona mayor, con la piel arrugada y manchada, con
la espalda elíptica. «¿En qué puedo ayudarte, Gabriel? ¿Qué
puedo hacer por ti?», preguntó de repente, interrumpiendo mi
denuncia. Volví al caletre, recité mis nociones elementales en

torno al deber ser. Hizo un gesto con sus manos. Al principio no percibí su solapado interés. «¿Sabes quién fue la persona que habló con Javier Cáceres?». «No», dije la verdad. No lo sabíamos. Mariana y yo nunca habíamos logrado identificarlo. Retomé mi monólogo ético. «Gabriel, basta —replicó ella. Pude intuir, por el sonido *mono*, que murieron dos patos—. Gabriel, ¿qué estáis haciendo?». «¿Qué quiere decir?», pregunté aturdido. «Mariana y tú, ¿qué creéis que estáis haciendo? ¿A qué estáis jugando?».

Nos besamos sin ganas de besarnos, como siguiendo un libreto mediocre inspirado en las necesidades de los tristes. Carlos Gardel cantaba «A media luz». Nos tocamos a disgusto. Ella me quitó la camisa con fuerza bruta, torpe. Sin interés apoyó su cabeza en mi pecho, su lengua áspera me lijó el cuello. Luego se retiró. «Gabriel, ¿te puedo pedir algo sin que te arreches?». «Dime, Silvia». «No tiremos, no quiero tirar. ¿Sí?». Besé su cabellera grasa. «No importa, está bien». «Solo necesitaba esto. Estar así, estar con alguien. Tengo un siglo sola. La soledad es una mierda». La melancolía ensució el cuarto de recuerdos, de nombres viejos, de anécdotas. Manipulé las historias del Inírida con la intención de regresar a Carla. Le conté que la había encontrado por Facebook, le dije que estaba muy bonita. «Carlita estuvo enamorada de ti toda la vida. Esa carajita te adoraba». Fingí sorprenderme. «Ya se habrá olvidado de mí», dije. «Eso no se olvida, créeme. Puede cambiar pero no se olvida. Yo nunca he podido olvidar a mi primer amor de Caracas, mi primer beso. Era el tipo más bello de toda Santa Mónica, lo veía y me volvía loca. Era más carajito que yo pero, tú lo sabes muy bien, siempre he sido una asalta cuna». «¿Quién?». Soltó una carcajada. Carlos Gardel: «Sus ojos se cerraron». «Elías, el del Centauro». «¿Elías, el Donero? ¡Qué bolas!». «Sí, ese pobre diablo. Era lindo, súper lindo. La última vez que fui a Caracas pasé por la principal de Santa Mónica y lo vi. Idéntico, vuelto mierda, eso sí, *escoñeta'o*, sucio, viejo, pero con el mismo Tucán amarillo estacionado al lado del centro comercial vendiendo donas». «¡Qué mierda!», comenté. Tras una breve pausa retomé el verdadero conflicto, el único conflicto. «Después del accidente todo cambió. Nunca más volví a ver a los Ramírez. Supe que se mudaron hacia La Tahona, supe lo del divorcio. A Carlita no la vi más nunca. Háblame de ella. ¿Qué fue de ella?». «Pásame la botella —dijo. Embuchó un trago—. Esa carajita está loca, es un peo, le pasaron demasiadas vainas. Ella, por lo menos conmigo, se cerró, no la conozco, es una extraterrestre. En parte la entiendo, lo que le pasó es muy fuerte y lo que hicieron los viejos, tanto mi tía Lili como el güevon de José Alejandro, coño... es arrecho». Pensé en el accidente. Recordé el *airbag* empapado de sangre. El testimonio de Silvia, sin embargo, se salía un poco de mi esquema, algo no calzaba. «Sí, me imagino que lo del accidente ha tenido que ser muy fuerte, Alo se le murió al lado». «No es solo el accidente, Gabriel. Ojalá solo fuera el accidente». La curiosidad me trancó el pecho. Carlos Gardel comenzó a cantar «Mano a mano».

«A tu edad, Gabriel, todo parece ser blanco o negro. Las cosas no son tan sencillas como tú las ves o como las ve Mariana. Sé que es difícil para vosotros entender lo que estamos haciendo pero, créeme, lo que hacemos está bien, es lo correcto —volvió a sentarse—. Eres un chico inteligente. Esperamos que tomes una decisión acertada. Ahora te estamos dando una oportunidad en Bruselas. Es importante ocupar espacios institucionales. Nos gustaría contar contigo. Es tu decisión». Seguían muriendo patos. No lograba articular palabras, ni preguntas, ni inferencias. La profesora Irene, abstraída, dejaba sus ojos en el mango del bastón. «Estás confundido, hijo. Lees demasiados periódicos. El problema de fondo es mucho más grave. Te han pervertido los vicios de la democracia». ¿Aló?, me dije. *¿De qué...?* Ni siquiera sabía qué preguntarme. Quise fumar, palpé mis bolsillos. No tenía cigarros. La ansiedad me hizo reventarme los nudillos. El pie derecho inició un baile solitario. «La democracia y la buena voluntad no son compatibles. En nuestros días, la política se ha convertido en artes plásticas, en un culto a la forma. La política solo existe para complacer la moral de la prensa. El mundo real funciona de otra manera, Gabriel. La verdad no está en los periódicos. La información, por desgracia, se ha convertido en un mal necesario. Tú no puedes juzgar el trabajo que hemos venido haciendo desde hace muchos años. La Mariana Briceño de turno no puede señalarnos. Nosotros ofrecemos alternativas humanitarias a miles de personas, a individuos abandonados en su desgracia. Esas personas, Gabriel, nos deben más a nosotros que a Dios. Él los abandonó».

Silvia regresó del baño, engulló un trago. «¿Te acuerdas de Sergio Spadaro?». La pea se disipó. Gardel se lamentaba al fondo: *Rechifla'o en mi tristeza, te evoco y veo que has sido / en mi pobre vida paria / solo una buena mujer.* Volvió a sentarse. Tenía los ojos glaucos, ebrios. Parecía enfocar su atención en otro contexto. «¿Qué recuerdas del accidente, Gabriel?». «Poco, casi nada», dije por impulso. La memoria apretó *rewind*. Alejandro apareció en el ascensor del edificio. Rápidamente se borró su silueta. *Tu presencia de bacana / puso calor en mi nido / fuiste buena, consecuente, y yo sé que me has querido / como no quisiste a nadie, / como no podrás querer.* «El trabajo real, Gabriel, te guste o no, exige tomar decisiones que a primera vista pueden parecer odiosas e, incluso, inaceptables. Pero si queremos vivir en un mundo mejor, hay que actuar. Algún ensayo mediocre o un sobrevalorado periodista utilizará palabras como tráfico, esclavitud, pederastia, trata. Son los grandes tópicos con los que se seducen los reaccionarios. Con su vocabulario de manual de Sociología pretenden ignorar realidades atroces; la situación es mucho más compleja», dijo la profesora. Silvia no sabía expresarse, trató de escapar del relato. «¿Por qué quieres hablar de esta mierda? Por Dios. ¡Qué ladilla!». «Cuéntame, por favor. Es importante». «Prométeme que no mencionarás a nadie una sola palabra de lo que te diga. Ellos lo quisieron así. Ellos le jodieron la vida a Carla». «Silvia, por favor, ¿de qué coño estás hablando? ¿Quiénes?». «Sus viejos y el hijo de puta de Sergio Spadaro». «¿Qué coño tiene que ver Sergio con la muerte de Alejandro? ¿Qué se supone que...?». «Gabriel, coño, haz memoria. ¿Qué recuerdas del accidente? ¿Qué recuerdas del carro, de Alo, de Carla? ¿No hubo nada que te llamara la atención?». Y Gardel: *Hoy sos toda una bacana, / la vida te ríe y canta, / los morlacos del otario, / los tirás a la marchanta / como juega el gato maula / con el mísero ratón.* «No recuerdo nada, Silvia, recuerdo muchas cosas pero no sé, no tengo idea. Todo aquello...». «No somos ingenuos, sabemos que el mundo está lleno de individuos desalmados. Colocamos a las personas en hogares estables, hacemos un estudio previo de los lugares de acomodo, nuestras niños no van a casas de putas ni a lupanares. Creamos núcleos familiares, Gabriel. ¿Crees que un niño que nace en uno de esos lugares malditos tendrá algún tipo de posibilidad, de desarrollo personal? ¿Sabes cuáles son los índices de mortalidad infantil en esas papeleras? Podría presentarte a muchas personas, Gabriel, que hoy día tienen una vida, una vida que nosotros les dimos. Si no hubiéramos actuado, se habrían muerto de hambre o de disentería. Esa es la verdad». «Pasaron muchas cosas antes del accidente. El accidente no fue una casualidad —un eructo interrumpió su parte. Agarró la botella; empeñó un trago denso, largo—. Yo estaba haciendo una pasantía en el Clínico cuando me llamaron. Fue mi tía Lili quien me avisó; estaba loca, histérica, desesperada: Alejandro y Carlita habían tenido un accidente. Una ambulancia los estaba llevando al hospital. Caracas era un desastre, estaba el peo de la

gasolina, del paro, el Clínico estaba colapsado. Alejandro llegó
muerto; se mató en el acto, se desnucó. Y Carla... Carla —se pasó la palma por el rostro—. El doctor Ascanio, mi supervisor,
fue el que atendió a Carla. Estaba hecha mierda, estaba muy
golpeada. ¿Recuerdas a Alejandro en la funeraria? —no respondí—. ¿Cómo estaba? Dime algo, Gabriel, abre los ojos, coño». «Parecía que estuviera durmiendo, idéntico», logré decir,
las amígdalas ataron un nudo de corbata, la saliva se convirtió
en ácido. «El carro solo tenía un golpe lateral. Dijeron que Carla no tenía el cinturón puesto. Mentira. Alejandro se mató por
el movimiento, se le partió el cuello. No tenía un solo hemato-
ma. Carla, en cambio, llegó vuelta mierda, *coñazea'a*, casi pierde la córnea. Tenía la tibia rota. Estaba, además...». Se levantó.
Trastabilló y buscó apoyo en la cama. *Hoy tenés el mate lleno / de
infelices ilusiones.* Murieron cuatro patos. La profesora Irene
cambió el tono, pareció aburrirse. «Dile a Mariana que deje de
hacer preguntas, no perdáis el tiempo. Los periodistas no pueden tocarnos. ¿Para quién crees que trabajan esos sinvergüenzas? —se rió sola, como de un chiste interno—. Piensa, Gabriel, no seas estúpido. Solo tengo que hacer una llamada para
que ninguno de los dos volváis a trabajar dentro de la Unión
Europea. ¿En qué mundo vives, Gabriel? No tienes ni la menor
idea de cómo funciona todo esto. Te repito la pregunta —dijo
imperativa—: ¿con qué persona habló Javier Cáceres?». Escuché, entonces, como se apagaba el Nintendo. «Silvia, ¿qué...?».
No sabía qué preguntar, no entendía nada. Las pocas cosas que
parecían tener sentido colapsaban ante el relato del desastre.
«Los golpes que tenía Carla no fueron producto del accidente.
Si acaso habrá sufrido un rasguño, un latigazo, un coñazo leve». «¿Pero qué...?», interrumpí. Las palabras se me quedaban
en baba, en jergas taradas. *No me importa lo que has hecho, / lo
que hacés ni lo que harás.* «El doctor Ascanio la examinó. A Carla la violaron, Gabriel. Sergio Spadaro la violó, casi la mata, ese

hijo de puta la reventó a coñazos. Fue Alejandro quien la encontró. No sabemos exactamente qué pasó. Supongo que nervioso, tenso, no sé, con la hermana muriéndose en el asiento, perdió el control del carro y se salió de la vía. Se mató en el acto. Carla, a pesar de los golpes, estaba consciente. Ella llegó consciente al hospital. Sé que habló con sus viejos y les contó lo que pasó, yo la vi. Pensé que harían la denuncia. Es lo que se hace en estos casos, es el protocolo. Semanas después supe que Sergio Spadaro se había ido a Argentina». «No lo sé, no lo sabemos, es la verdad», respondí con la voz entrecortada. «Alfonse —dijo la profesora Irene dirigiéndose al mayordomo oriental—. Acompaña a Gabriel a la puerta, hemos terminado con nuestros asuntos —se levantó, caminó hasta mi asiento. Tomó mis manos—. Piensa en lo que te he dicho, piénsalo en frío. Nos gustaría que nos acompañes en Bruselas, sé que allí lograrás entender la importancia de nuestra labor». «Tú no la viste, Gabriel, coño, le jodieron la vida. El muy infeliz la destrozó por dentro. Carla tiene que vivir con esa mierda en la memoria. Carla... —se interrumpió—. Yo quería hablar con la policía, estaba dispuesta a ayudar a mi tía, a Carla. Recuerdo que mi tía me llamó, pasamos a tu lado, tú estabas con el viejo de la Bolet Peraza, ¿Vivancos? Sí, el viejito loco. "Silvia, no hagas nada, no digas nada", eso fue lo que me dijo mi tía Lili. "Ya hablamos con Carla, hemos decidido no hacer nada al respecto y quiero que respetes nuestra voluntad", eso fue lo que me dijo». Estaba anclado en el piso, con las palabras destruyendo el sentido del mundo, con las balas del tiempo perforándome el pecho. «Muchos años después, cuando le pregunté a mi tía por qué habían hecho lo que hicieron, me dijo que mi tío José Alejandro quería ahorrarse la vergüenza, que a nadie le gusta vivir con el rumor de que tu hija fue violada. ¿Puedes creer esa mierda?». *Mientras tanto que tus triunfos, / pobres triunfos, pasajeros / sean una larga fila / de riquezas y placer.* «Y no lo aguantaron, Gabriel, se separaron a los tres meses. Carla se fue a vivir con mi mamá. Lo que mi tía Lili me contó es que ya era demasiado fuerte asimilar la muerte de Alejandro, que no querían exponer a Carla a la vergüenza de la prensa, a las averiguaciones humillantes, a las preguntas incómodas, al qué dirán. Porque en esa mierda de país si te violan también pasas por puta. "Será más fácil para ella vivir si asume que eso nunca le pasó", me dijo mi tía Lili. Por eso no lo hicieron público». Traté de levantarme, me faltó el aire. Sentí vergüenza. No era cobardía, era una especie de asfixia, de golpe en el estómago. «¿Javier? —logré balbucear. Tenía muchas cosas en la cabeza, no sabía muy bien cómo articular el caos—. ¿Qué le pasó a Javier?». «El doctor Ascanio me dijo que, en ese tipo de caso, el silencio familiar era bastante común, que pasaba con frecuencia, que mucha gente prefería ahorrarse la vergüenza. Yo nunca hablé con Carlita de ese asunto. Ella y yo, como sabes, tenemos muy poca comunicación, la felicito en su cumpleaños, la saludo de vez en cuando y poco más. El tal Sergio era un malandro, él ya tenía una denuncia por agresión contra otra carajita en Santa Mónica. A Alo no le gustaba, él siempre trató de hablar con ella pero Carla Valeria se las daba de intensa, era, no sé... Hace poco leí que Sergio Spadaro es un fotógrafo arrechísimo. Ahora dicen que es argentino. Ya yo no sé qué pensar, Gabriel. El mundo está loco, está al revés. Cuando me contaron que mi tío José Alejandro se murió no sentí nada, sentí una especie de alivio. Yo sí creo que su silencio, que su vergüenza, le hizo mucho daño a Carla. Hay que ser mujer, Gabriel, tienes que ser mujer para entenderlo». Gardel terminó su lamento. El *random* tanguero se detuvo. Silencio largo. Silvia se acostó. Me quedé clavado en el suelo, sobrio, sin aliento, sin fuerzas para levantarme. Pensé en mi amor, en su historia triste, quise saltar el océano, abrazarla. Pensé en Alo, en su desesperada búsqueda de auxilio. «¿Cáceres? —preguntó ella sorprendida—. No lo sé —se rió con una mueca—. Entiendo. Sé lo que estás pensando. Por Dios, Gabriel, esto es Europa, no somos bárbaros. ¿Qué crees que es esto, Haití, Sudán, Venezuela? No somos asesinos. No sabemos qué le pasó a Javier Cáceres. Dijeron que se suicidó, ¿no? Respetamos la vida, Gabriel. Hay maneras mucho más civilizadas de inutilizar a aquellos que no comprenden nuestra tarea, de hacerlos invisibles, de convertirlos en nadie. No exageres, Gabriel. No te confundas». «¿Dónde estás? Es tarde», escribió Elena en el BlackBerry. No respondí. Silvia eructó. Se quedó dormida. Con un esfuerzo sobrehumano logré levantarme. La arropé, la besé en la sien. Necesitaba hablar con Carla, buscarla. Necesitaba entender. Llamé a Caracas. No me atendió. «Carla, mi amor, necesito hablar contigo. Es urgente. Avísame cuándo puedo llamarte. Te amo», repetí como un obseso, como un tartamudo ante la contestadora. «Kyriakos se pondrá en contacto contigo para formalizar tu traslado. No hables con él de estos asuntos, él solo es un gestor, un intermediario. Este trabajo requiere de muchos intermediarios, por eso nos interesa penetrar las instituciones. Si logramos colocarte en la Unesco, podríamos tener múltiples beneficios, todos: tú, nosotros y esas pobres víctimas a las que podemos darles la alternativa de una vida digna, la oportunidad que Dios les negó».

Al llegar a la pasarela de Arturo Soria tuve un ataque de vértigo, faltó poco para que me cayera a la autopista. Resbalé, caí de rodillas. «Adiós, Gabriel. No te equivoques. Piensa», dijo la profesora Irene. Silvia roncaba con estruendo. Parecía un animal enfermo.

Tercera Parte

Que se enfaden las flores,
que vuelven las cigüeñas al calendario,
que sufran por amores los dictadores
y los notarios.
Que se muera el olvido,
que se escondan las llaves de los juzgados,
que se acuerde Cupido de los maridos
abandonados.

Fragmento de la canción maldita.
Joaquín Sabina – Benjamín Prado

I

«*Ítaca debe ser una mierda*».

FEDOR

1

«Ítaca debe ser una mierda», repetía con insistencia la voz de
Fedor. La ventana ovalada mostraba los despojos de un cielo
rojo, un firmamento en decadencia. «En Ítaca no debe haber
nada», insistía con pedantería literaria. El Ruso tenía el hábito
del chiste erudito. «Los venezolanos nunca tuvimos una edad
dorada. No hay ningún lugar a donde regresar. Si Kavafis hubiera sido venezolano, le habrían entrado a coñazos». El calor
de Maiquetía me golpeó la cara. El acento alérgico, veloz, re-
volvió mis entrañas. Había pasado un mes aproximadamente desde que Silvia Tovar me contó la tragedia de Carla; desde
que mi mentora, Irene Massa, expuso los argumentos éticos
de su proyecto. El mundo había cambiado desde entonces. Todas las desgracias coincidieron en un único tiempo. Fueron
días inciertos, mortificados. El orden natural de las cosas me
llevó a Caracas. Debía conversar con la Nena, debía visitar lugares de reposo, debía tratar de entender a la niña más hermosa del mundo.

Carla Valeria dejó de hablarme. «Contigo todo es un drama, Gabriel. No te soporto. Hablar contigo siempre es una tragedia», dijo aburrida en nuestra última conversación. Un día
cualquiera me eliminó del BlackBerry. Más tarde, a través de
un aséptico correo electrónico, me contó que el aparato se le
cayó en un charco y que perdió todos los contactos. Cinco días
antes de viajar a Caracas hablamos por teléfono, la llamé desde el locutorio de la calle Goitia. «Haz lo que quieras, Gabriel.
Me da lo mismo. Yo saldré mañana para Barcelona, tengo planes». «¿Planes de qué?». «No te interesa». «Eres cruel, Carl».
«Y tú eres insoportable. Debo trancar. No puedo hablar ahora. Chao».

Maiquetía era bruma, bochorno, nubes sucias. La correa
del equipaje no funcionaba. Tras dos horas de espera supe que
había huelga de maleteros. Un malandro del Seniat imponía
revisiones humillantes. Una señora mayor reclamó airada-
mente el atropello. Dos militares, armados hasta los dientes,
la intimidaron con la vulgaridad de los mandriles. Un gestor,
funcionario del aeropuerto, me dijo que las maletas estaban
varadas en los aviones pero que él, dados sus vínculos con algunos representantes del sindicato, podría habilitar mi caso.
Pagué cincuenta euros, me entregaron la maleta en el estacionamiento. Atilio me esperaba en la salida. Me abrazó con efusión inesperada, justificada por el último golpe. Habían pasado demasiadas cosas. En esos días, por primera vez, quise
matar a Dios.

2

«Supe lo que pasó el día del accidente. Sé lo de Sergio... Lo lamento, Carl. Yo no sabía, mi amor, yo no sabía», dije a través
del teléfono. Un *llámame* seco, molesto, entró al BlackBerry en
el silencio atroz de una madrugada. Habían pasado dos días

desde mi conversación con Silvia. No había vuelto a dormir.
Fingí un ataque de tos. Me puse un suéter. La llamé desde la
planta baja. Todo daba vueltas. El hallazgo en Internet aceleraba mi insomnio. Atendió con fastidio. «¿Qué es lo que quieres, Gabriel? —preguntó molesta—. ¿Qué te pasa ahora? ¡Qué
ladilla contigo! ¿Ciento cuarenta y dos mensajes? ¿Estás loco?
¿Qué coño te pasa?». «Supe lo que pasó el día del accidente»,
respondí. El silencio fue largo. «Tú no sabes un coño, el día del
accidente no pasó nada. ¿Me vas a dejar vivir, Gabriel? Qué ladilla. Contigo todo es un drama. Ya. Supéralo». «Carla, por favor, ¿cómo pudo pasar?, ¿qué hacías tú ahí?, ¿por qué fuiste
a...? No entiendo». «Y no tienes un coño que entender. Déjame en paz, por favor. No te soporto». «Liubliana...». «Liubliana
fue una mierda». «Mi Carl...». «Ya pasó, Gabriel. Olvídalo. El
mundo no queda en Eslovenia. Crece un poquito, ¿sí? Nos di-
vertimos, pasamos un rato chévere pero ya, se acabó; tiramos
y fue de pinga. Por favor, deja de escribirme trescientos mensajes todos los días, pareces un enfermo. Tú no sabes absolutamente nada de mi vida. Yo no sé nada de la tuya. Dices que
te vas a divorciar pero todos sabemos que no te vas a divorciar
nunca. Y además me llamas, me acosas, me preguntas, me
exiges. Tú no tienes idea de lo que significa vivir en esta mierda». «Carla, solo respóndeme una pregunta, quiero saber, necesito entender...». La fotografía de la página web no se borra-
ba, aquella imagen atormentaba mi poca conciencia. «¿Qué
hacías tú ahí, mi amor? Si ese carajo te hizo tanto daño, ¿qué
coño hacías tú ahí?».

3

Ocurrió en mi imaginación: le disparé en la cabeza. Fragmentos de cerebro ensuciaron los fotogramas sin artistas, la sangre empatucó las siete maravillas del mundo intervenidas por

el cuerpo. Lo encontré en la sala María Zambrano del Círculo de Bellas Artes. Sergio Spadaro era un hombre pequeño y delgado, con cara de niño. Sus brazos descubiertos mostraban tatuajes prerrafaelistas, *piercings* artificiales le colgaban del rostro, su cabello tenía trazos azules. Un grupo de estudiantes atendía con emoción contenida a la burda exposición de su estética sin propósito.

En la entrada de la sala, en español e inglés, una leyenda mal redactada contaba la trayectoria del fotógrafo: Sergio Spadaro (Buenos Aires, 1981). En principio, se citaban algunos trabajos documentales realizados con comunidades de la Patagonia. Luego, contaba el fragmento, tras publicar un ensayo titulado *El sueño iberoamericano de Duchamp*, Spadaro inició su período experimental. Atravesé el pasillo con la determinación de un kamikaze. Sergio Spadaro tenía que morir. No solo quería matarlo, tenía la urgencia de provocarle dolor, de implosionarle el hígado. Anduve entre imágenes incompletas del cine latinoamericano: *El bolero de Raquel* sin Cantinflas, *Cuesta abajo* sin Gardel, *El pez que fuma* sin Miguel Ángel Landa. No esperaba encontrarlo. La exposición tenía más de un mes en Madrid, pensé que los fotógrafos homenajeados solo asistían a la jornada inaugural. Mi intención primitiva era la de quemar el Círculo, disolver en trementina aquellas láminas mediocres. La foto de Internet me había hecho perder la razón.

Inmediatamente lo reconocí. El odio mostró fragmentos sin censura: el cuello roto de Alo, el *airbag* empapado de sangre, las heridas de Carla. Nunca antes había sentido el deseo irrevocable de matar. Si hubiera estado armado, Sergio Spadaro hoy estaría muerto. El insomnio me daba el aspecto de un zombi. No había vuelto a afeitarme ni a cepillarme los dientes. *Hoy te vas a morir*, le dije al aire. El testimonio de Silvia se repetía con eco. Tropecé con una pareja de jóvenes anarquistas que reflexionaban en torno al fotograma de *María Candelaria* sin Dolores del Río. Sergio Spadaro me miró. Sus ojos de perro inflado en el hombrillo parecían penetrar mi pensamiento. Solo la voz de Carla me impidió matarlo de un coñazo, batirle la cabeza como si fuera un cerdo, convertir el Círculo de Bellas Artes en una fosa. Me quedé paralizado, se me congelaron los pies. Sergio me miraba con curiosidad, no daba la impresión de que intuyera su destino. Necesitaba hablar con Carla. La memoria del insomnio ofrecía extrañas evidencias. La página web me insultaba con sus imágenes. Solo Carla podía explicarme cuál era el sentido del mundo.

Tras mi encuentro con Silvia, mi obsesión llegó a niveles extremos. La desesperación destruyó mi sistema nervioso. Carla no respondía mis llamadas. Busqué en Internet todas las referencias existentes sobre el verdugo, Sergio Spadaro: Wikipedia, perfil de Facebook, Twitter, foros. Cuando encontré su página personal estuve tentado a reventar la pantalla de un coñazo, escupí sobre la *laptop*. Leí su insulsa biografía, exploré su catálogo mediocre, leí todo lo relativo a su participación en Photoespaña 2010. Su vulgar trabajo se había expuesto durante cuatro meses en la sede de La Caixa en Barcelona y en el Círculo de Bellas Artes de Madrid. A disgusto, leí críticas de entendidos en asuntos culturales que clasificaban el trabajo de Sergio como una de las más audaces propuestas del neocolonialismo emergente. Leí comentarios de aficionados, cronogramas para 2011, proyectos inconclusos. Finalmente, hice clic sobre el apartado titulado *fotos recientes*. La página tardó en abrir. La segunda carpeta de imágenes tenía el título PhotoEspaña 2010. Fue la primera que revisé: Sergio en Madrid, inauguración. Pintores extrovertidos lo abrazaban con risas idiotas, glorias de provincia compartían vino malo con el héroe. Otra carpeta: Caixa Forum Barcelona. El formato de las imágenes era el mismo: el saltimbanqui rodeado de acróbatas y fotógrafos mediocres. No podía controlar la taquicardia. Silvia le gritaba a mi cabeza: «Sergio Spadaro la violó, la reventó a co-ñazos». Me soné los nudillos contra la mesa, me mastiqué los cachetes con violencia, como un perro enfermo de rabia. Y, en medio del desastre, como una patada en las bolas, la vi. Tenía una copa de vino blanco en la mano; estaba parada al lado del artista. Los dos sonreían. A su izquierda, Santiago, el catire, completaba la foto de grupo. *Maldita sea*, me dije. «¿Qué...?», me pregunté en voz alta. Carla aparecía en otras tres fotos, en grupos grandes. Mamarrachos congénitos abrazaban al fotó-grafo. Carla Valeria parecía feliz. *Está loca*, me dije con arcadas, vomité sobre alfombra de la casa: bilis y kebap.

Desperté después del mediodía, Elena se fue a trabajar sin despedirse, sin decir nada, sin mirarme, sin insultarme por el hedor. Me tomé un vaso de agua y salí. Quería destruir para siempre la obra de aquel infeliz. Tomé un autobús al centro con la intención de provocar un incendio. No podía dejar de preguntarme —de preguntarle a la distancia—: «Carla, mi amor, ¿qué coño hacías tú ahí?», su intrincada respuesta no pudo convencerme.

4

«Tú no sabes nada, Gabriel. No tengo que responderte. Fui porque me dio la gana, porque Sergio es mi amigo. Ya. Supé-ralo. Te dije que estaba loca, ¿no? Piensa lo que quieras, me da lo mismo». «¿Santiago sabe lo que pasó? Es tan *guevón* co-mo para...». «No metas a Santiago en esto. Si lo vuelves a in-sultar, te tranco el teléfono y no volverás a saber de mí». Pau-sa larga. «Carl, por favor —me sabía vapuleado, sin voluntad, humillado, vencido—. Entiéndeme —insistía mortificado— ese tipo te hizo daño, te lastimó, te... », no me atrevía a uti-lizar la palabra más abyecta. Mi conservadurismo prevalecía incluso en los momentos de desesperación. «¿Me violó? ¿Te dijeron eso? —preguntó con arrechera—. ¿Con quién hablaste? ¿Quién te dijo la verdad, Gabriel? ¿Qué coño sabes tú de la verdad?». «Hablé con Silvia —dije bajito—. Ella me lo contó todo». «¿Y qué carajo sabe la *pajúa* de Silvia? Tú no tienes ni idea, Gabriel. No sabes nada. Ese día fue una mierda, chocamos, Alo se mató y no pasó más nada. Lo que haya pasado ese día no es problema tuyo». «Claro que es mi problema, Carl. Tú eres la mujer que amo y yo...». «Deja ya la ridiculez. Escúchate, qué amor ni qué coño'e madre. Tú no me conoces, Gabriel. Tú siempre has visto lo que has querido ver. Tú fuiste un error, una invención, un capricho de carajita. Me encantaría decirte que me sabes a mierda, que me aburrí como nunca en Liubliana, que te usé. De alguna forma me importas, pero por favor, Gabriel, no podemos seguir así. Deja de acosarme, por Dios, déjame respirar, deja de escribirme todos los días, deja de pedir explicaciones por todo lo que hago y lo que no hago, por lo que hice y no hice. Así no puedo, de verdad, no puedo». «Solo quiero saber cómo, después de todo lo que pasó, puedes seguir en contacto con Sergio Spadaro, cómo puedes...». «Gabriel, escucha con atención. Te guste o no esta es la única verdad, termina de creértela: Sergio no me hizo nada que yo no quisiera —tiro de gracia, corte digestivo, pérdida del sentido—. Y no te diré más nada. Deja el tema, por favor. Ciérralo —agregó—. Eres adulto, ¿no? Si te cuesta mucho entenderlo envuélvete en papel periódico, madura, ¡coño!». No pude responder, no supe responder. «Carl, yo...». «Tú y yo somos demasiado diferentes. Te lo advertí, te dije que no te enamoraras de mí». «Te amo», dije angustiado, sin poder llorar, sin saber hacerlo, con el fin del mundo escrito en la palma de mi mano. «Voy a trancar, Gabriel. Te pido por favor que no vuelvas a hablarme de ese asunto. Lo que te contaron nunca pasó, ese día no pasó, no existe». «¿Cuándo volveré a verte? Necesito verte. No me importa nada, perdóname. Está bien, Carl, no pasó, como tú quieras Negrita. No pasó nada, lo que tú digas. Solo sé que tengo que verte. ¿Cuándo...?». «No tengo idea, no lo sé... Vete a la mierda, Gabriel». «¡Aló, aló! Carla... Aló... ¡Carla!».

5

Sergio Spadaro se acercó con prudencia. Se me quedó viendo con la curiosidad de un alquimista. Yo estaba atornillado en el suelo, inmóvil, bruto, lelo. Ni siquiera podía mover los labios. No podía evitar imaginarla. Recordé su rostro fracturado, la cicatriz en el pecho, el yeso en la pierna derecha. *Carla, ¿por qué?*, me pregunté con la rabia mudada en incertidumbre. Sergio Spadaro se paró delante de mí. Me puso la mano en el hombro. En dialecto criollo, muy criollo, me preguntó: «Pana, ¿te sientes bien?». Su expresión cambió, pudo ver algo. Escudriñando mi cara, con un tono de voz agrio y sin tildes, me preguntó: «¿Tú no eres el hijo de la Nena Guerrero?». No respondí. Salí corriendo como un loco. Al llegar a la calle Alcalá recibí una llamada de Eleonora: «Gabriel, ¿sabes algo de Mariana? Estoy preocupada».

II

«Aquí en filantrolandia todo el mundo se conoce».

El Indio Aurelio

1

«Es importante, llámame —escribió Elena. Medianoche. Línea cuatro. Ida y vuelta: Pinar de Chamartín-Argüelles—. Gabriel, ¿dónde estás? ¿A qué hora vienes?». Mi cabeza era un caos. «Acá tienes todo el material necesario. Están redactando el contrato, evalúa las ofertas. Por ahora, es mejor que no regreses a la oficina. El cierre del centro ha provocado algunas protestas», dijo Kyriakos. «Gabriel, estoy preocupada por Mariana. Alguien la llamó y salió. No ha vuelto desde ayer», dijo Eleonora. Migraña. El vagón se detuvo en medio del túnel, las luces titilaron. «Guerrero, ¿en qué andan metidos tú y Marianita?», preguntó el Indio Aurelio. Elena, mensaje de texto: «Gabriel, por favor, ven a la casa. Es importante». El tren avanzó con lentitud. Adolescentes borrachos gritaban en el andén. «Sí, buenas tardes, ¿hablamos con Gabriel Guerrero? ¿Conoce usted a Mariana Briceño? —dijo la voz de un extraño. Neuralgia. Temblor en las manos—. Lo estamos llamando del Hospital La Paz». Tenía la boca rota, su oreja derecha estaba envuelta

en una gasa. Tenía los ojos verdes y acuosos. «Necesito que vayas al metro de Noviciado, a la transferencia con Plaza España.
Solo puedo confiar en ti», dijo Mariana. Mis manos sostenían
un sobre negro, pesado. El BlackBerry anunció otra llamada:
Elena. Ignorar. *Maldita sea.*

2

«Serán 18.000 euros mensuales. Solo hay que pagar dos o tres
impuestos». En la carpeta había imágenes de un dúplex en la
zona de Ixelles, uno de los barrios más elegantes de Bruselas. «Tendrás que viajar con frecuencia. Durante los primeros
meses harás un curso del idioma. Podemos, sin coste alguno,
incorporar a tu esposa. Eso sí, habrá trabajo, mucho trabajo.
Deberás coordinar varios equipos de cooperantes. Todas las
ayudas, programas, políticas culturales y demás asuntos que
tengan que ver con la zona del Caribe pasarán por tu escritorio. Mucha burocracia, Gabriel, pero sé que eso te gusta». Revisé sin entusiasmo el modelo de contrato. Los posibles honorarios, a primera vista, me provocaron un ACV. Hasta ese
momento todos mis salarios habían sido un referente de miseria. El griego explicó que los trámites para redactar el documento final tardarían entre dos y tres meses. Me recomendó
que revisara la oferta preliminar. Finalmente habló de la oficina. Confirmó el cierre del centro. Habló de las protestas. «El
asunto lo están cubriendo los medios. No regreses a la fundación. No hables con Mariana. Puede que a los jefes no les guste verte participar en ese asunto. No pierdas el tiempo, Gabriel, el centro cerrará». La reunión tuvo lugar un día antes de
la destrucción imaginaria del Círculo de Bellas Artes, antes de
la desaparición de Mariana, un día antes del desastre.

La lucidez vino de golpe. La voz de Eleonora ahuyentó los
demonios. La realidad tomó la palabra y se burló de mi cuento

con Carla. Fue un despertar, un giro en la conciencia. Hasta ese momento, mis mortificaciones tenían el respaldo de lo imaginario, de lo que pudo ser, de lo que pudo pasar, del testimonio a medias, del drama burgués, del amor imposible, del teatro. La desaparición de Mariana me obligó a salir de las tablas. Regresé al apartamento. Me afeité, me bañé, comí algo en El Museo del Jamón, me tomé un café grande. Llamé a Mariana a su móvil, a su casa. Ausencia. Sonidos analógicos. Llamé a Eleonora después del mediodía: «Nada», dijo. Ignoré las advertencias de Kyriakos y fui hasta la oficina. Bravo Murillo estaba colapsada. Dos patrullas policiales custodiaban las líneas de protesta. Cámaras de televisión aparecían al fondo. Aquella mañana se había convocado una manifestación para protestar contra el cierre del centro. La lealtad de los vecinos convirtió la calle en un hormiguero. Sentí vergüenza al atravesar aquel camino repleto de personas que solo pedían un lugar de auxilio, un espacio en el que los tomaran en cuenta. Pude ver a Vero, al fondo, dando una declaración airada a la gente de La Sexta Noticias. Había mujeres desnutridas, embarazadas, ancianos desorientados, africanos que hablaban dialectos extraños. Leí las pancartas, los reclamos, la súplica a las instituciones para que destinaran mínimos recursos a aquel insignificante centro de asistencia social. «Doctor, doctor —dijo alguien que no reconocí—. Yo sé que usted es amigo de la doctora Mariana. Gracias, muchas gracias. Dígale a la doctora que no permitiremos que cierren el centro, nosotros estaremos con ustedes», gritó. La multitud aplaudió las palabras del aparecido. Llegué a la oficina. Eleonora estaba sola, lidiando con diligencias atrasadas. «Cuéntame». Nos sentamos en la escalera. «Ayer trabajamos hasta tarde. A las once y media, más o menos, alguien llamó. Mariana salió corriendo. Esta mañana no vino. Ella y Vero habían quedado en encontrarse temprano, habían coordinado una reunión con algunos medios. No vino, Gabriel. Es muy raro». Mis ojos se posaron en la silla vacía de Javier Cáceres. Regresó el dolor de cabeza. Entré al despacho de Mariana. Sobre la mesa encontré dispersos algunos ensayos de Lidya Cacho: *Esclavas del poder, Memorias de una infamia, El poder que protege a la pornografía infantil*. Revisé las gavetas, exploré los archivos de su *laptop*, miré la papelera. Leí las contraportadas de los libros de Cacho, en el primero, como marcalibros, había una nota con letra de Mariana sobre la ponencia que la autora leería en un foro sobre Derechos Humanos que tendría lugar en el paraninfo de la Universidad Complutense. Traté de hacer un repaso. Carla tomó la palabra. *No me jodas, Carl*. Traté de sacarla, de borrarla de mi existencia graciosa. El BlackBerry hizo un sonido diferente: Caracas. Atilio. Cuando quise atender la llamada se cortó.

Nunca le conté a Mariana las cosas que me dijo la profesora Irene. Traté de disuadirla, de decirle que no podríamos hacer nada, que teníamos las manos atadas, que no habría caminos de la libertad ni seríamos justicieros aficionados. La verdad, tenía miedo. Quería protegerla. El vietnamita matapatos había logrado colarse en la fiesta negra de mis pesadillas. La última vez que hablamos la noté arisca, aburrida, resignada ante nuestro fracaso. El tiempo se hacinaba en el despacho. «¡Gabriel! —gritó Eleonora—. Tienes una llamada». No la escuché. «¿Perdón?». «Tienes una llamada en el teléfono fijo». «¿Quién?». «El Indio Aurelio». «Guerrero, salte de ahí». «¿Qué?» «Llámame desde una línea segura». «¿Qué?», repetí. «¡Pinche, cerote, que me llames desde otro lugar!».

3

Mariana fue agredida en el metro. Su vida no corría peligro pero le habían dado una paliza, tenía una costilla rota, le habían partido el labio y le arrancaron una oreja. A esas alturas, tras la advertencia de Aurelio, sabía que no podía ser casualidad, que aquel no era otro de los continuos ataques que los nazis ignorantes solían hacer en los rieles del inframundo. A las tres de la tarde llamaron del hospital La Paz. Eleonora y yo abandonamos la oficina. Tomamos un taxi. Una por una, con curiosidad infantil, repasé las palabras del Indio. Lo llamé desde un locutorio cercano a la Plaza de Tetuán: «Gabriel, ¿en qué anda metida Marianita?». «¿Por qué lo preguntas?». «¿Tiene que ver con tus Caminos de la Libertad? Guerrero, aléjate de eso, esos tipos no andan con juegos. Habla con la lesbiana y dile que se aparte». «¿Pero qué...?», no terminé la pregunta. «Mira, Gabriel, aquí en *filantrolandia* todo el mundo se conoce, todo el mundo sabe quién es quién. Esta mañana estuve en un centro juvenil de Getafe. Ahí trabajan varios amigos que hacen unos talleres de escritura y deportes con jóvenes irrecuperables. Como en todos lados, hay chavos buenos y chavos malos. Los chavos malos son muy malos, esos solo van al centro a comer, a buscar cobijas y carajitas con quienes revolcarse. Todo el mundo sabe que estos centros de acogida suelen utilizarse como puntos de sicariato, es una especie de sicariato civilizado, del primer mundo. Si le quieres dar unos coñazos a alguien, vienes le pagas al yonqui de turno y algún pobre infeliz recibirá una paliza. Nunca pasa nada, nadie dice nada. El muchacho cobra, luego viene, se come un plato de cocido y todos somos felices. Está circulando el nombre de Mariana, Gabriel. Alguien quiere joder a la lesbiana y si quieren joderla a ella, me imagino que más temprano que tarde querrán joderte a ti. Así que abre los ojos, cuídate. Olvídate de aquel asunto. Si esa gente se dedica a lo que los dos nos imaginamos que se dedica, es mejor mantenerse aparte. No quieras salvar al mundo, Gabriel. El mundo, tal como está, no tiene remedio. Vas a terminar con una puñalada en el estómago, cagando en un pañal el resto de tu vida y a nadie le importará». «¿Pero qué es lo que sabes Indio?». «Solo lo que te dije. Un yonqui del centro de Getafe me dijo que estaban ofreciendo dinero para hacerle pasar un mal rato a Marianita. Es todo. Si hablas con ella, dile que se mantenga al margen. Si las cosas se calman es probable que no pase nada. No sería la primera vez que todo se queda en un rumor».

«Llámame», escribió Elena. Un policía habló con nosotros. Nos explicó la situación. El caso, lamentablemente —dijo— era habitual. Ocurrió cerca de la medianoche. En el metro de Puerta del Ángel un grupo de adolescentes borrachos entró al vagón en el que se encontraba Mariana. Junto a ella había una señora dominicana, humilde, morena. Los muchachos comenzaron a incomodarlas. En el video de seguridad había quedado registro de la agresión. Según algunos testigos, los victimarios les preguntaron cuánto cobraban por mamadas, que por qué no se devolvían a sus países, que seguramente daban el culo por un euro, que América Latina era una fábrica de putas. Primero le pegaron en la cara a la dominicana. Mariana trató de defenderla pero la atacaron entre los cuatro. La golpearon, la patearon, le cortaron le cara y le dieron una puñalada. Nadie participó ni dijo nada durante la trifulca. Los pasajeros, indiferentes, siguieron atentos a sus lecturas. La navaja, por fortuna, no tocó órganos vitales. Antes de abandonarla en un charco de sangre le cortaron la oreja.

Elena: «Es importante, llámame. ¿A qué hora vendrás a la casa?». «Te escribo luego. No lo sé. Estoy en una reunión», respondí. «Nana —dije cuando despertó—. ¿Cómo te sientes?». «Como una mierda», logró balbucear, cuando hablaba le dolía el labio, la herida supuraba humores amarillos. «¿Fueron ellos?», le pregunté. Negó. Trató de hablar, tragó saliva. Le dolía todo el cuerpo. Se tocó la muñeca con los dedos. No entendí. «¿Qué hora es, Gabriel?». «Las cuatro y treinta», respondí. Agarró una bocanada de aire. «Noviciado», dijo. «¿Qué?».

«Tú —mencionó señalándome. Se le desfiguraba el rostro—. Logré salvar algunas pruebas, algunos documentos. Tenemos que entregárselos». «¿A quién? ¿Qué pruebas? ¿De qué...?». «A Lydia Cacho —interrumpió—, mañana en la Complutense. Ella lo publicará todo». «Nana, qué...». «No tengo tiempo para darte explicaciones ahora, Gabriel. A ti este asunto nunca te importó, de ser por ti no habríamos llegado a ninguna parte. Sé, te conozco bien, que la profesora Irene te dio información importante. Sé que tienes miedo, sé que no hablas por miedo. Hay gente que sí habló, hay gente que tiene más miedo que tú, hay gente que sacrificó más cosas que tú, que tiene más cosas que perder. ¿Crees que no sé que Kyriakos quiso comprarte la conciencia con 18.000 euros? Escúchame bien, yo confío en ti. Sé que tienes tus propios problemas y eso es lo que te ha mantenido con la cabeza en otra parte pero ahora te necesito. No me falles ahora, Gabriel, por favor. Necesito que vayas al Metro de Noviciado, a la transferencia con Plaza España. Ahí te entregarán algo, ahí está todo lo que tengo, todo lo que consiguió Savard. Mañana a primera hora debes entregarle ese material a Lydia Cacho». BlackBerry, Elena: «Gabriel, es en serio. Tenemos que hablar».

4

Línea cuatro: Pinar de Chamartín-Argüelles, ida y vuelta. Medianoche. Miedo. El día era interminable. Sostenía entre mis manos el sobre negro. Elena escribía con rara persistencia. Las voces se empeñaban en destruirme. «Carl, ¿estás? —escribí en el BlackBerry—. Perdóname, Negrita. No quise molestarte. Las cosas en el trabajo no están bien. Todo es un desastre. ¿Tú, cómo estás?». Imaginaba sus besos húmedos, remotos, su lengua ágil, su sonrisa perfecta. La visión del sobre, el labio partido de Mariana y los últimos sucesos reforzaban la claustrofobia. Jaqueca. Ardor en el ojo. Una gitana sucia cantó una nana tenebrosa y pidió dinero para una barra de pan. Llegué tarde a la reunión. Me perdí. Nunca había estado en la estación de Noviciado, la transferencia era enorme, laberíntica. Confundí la conexión. Un boliviano, armado de flauta dulce, tocaba «Moliendo café». No sabía qué esperar ni a quién esperar. «No te preocupes, lo reconocerás», había dicho Mariana. Esperé cuarenta minutos, vagué por la estación con la sospecha de que en cualquier momento tendría lugar un ataque suicida, de que todos los caminantes venían armados con revólveres. Elena escribía cada cuatro minutos: «Tenemos que hablar». «Doctor Guerrero —escuché. Me asustó, no lo vi venir. Una mano me palpó el hombro—. Doctor Guerrero, soy yo, Pablo. —¿*El yonqui Pablo?* Me costó hablar—. La doctora Mariana me pidió que le guardara esto. Se supone que tenía que entregárselo a ella hoy, acá. Mi señora me dijo que la doctora la llamó, que podía entregárselo a usted». Me entregó un sobre negro y aparte una bolsa con chocolates. «¿Cómo está la doctora? Supe lo del centro, no pude ir esta mañana porque tenía trabajo, pero cuente conmigo para defenderlo cuando lo necesite». Le di las gracias. Entré a la Línea cuatro y, perdido en mil cavilaciones, pasé en el vagón el resto de la noche: Pinar de Chamartín–Arguelles/ Arguelles-Pinar de Chamartín. Antes de las doce, Carla escribió: «perdóname tú, Hemicraneal. Creo que fui muy brusca, te dije cosas que no quise decir». «Te amo», escribí. Respondió con un emoticón sonrojado. Elena hizo la llamada número veintidós. Palpé el sobre cerrado. El tacto distinguió un CD, un *pen drive*, algunos papeles. Abrí la parte superior, saqué los primeros papeles, leí los títulos: cifras, entrevistas, estadísticas, conversaciones, mapas, nombres raros. Migraña. Me bajé en la estación de Arturo Soria, a dos cuadras de mi casa. Caminé sin prisa. Entré a un bar, pedí una caña. Me la tomé de un solo trago. Llegué al edificio. Llamé al ascensor. No podía controlar el temblor de mis manos. Todo se mezclaba: la oreja ausente de Mariana, el fotograma ensangrentado de *El hijo de la novia* sin Ricardo Darín, la voz de Carla. El ascensor se abrió, el sonido analógico denunció mi llegada a la tercera planta. No había puesto un pie en el pasillo cuando Elena abrió la puerta. Solo había cuatro apartamentos por piso, el espacio era pequeño. Cuando la vi supe que había pasado algo grave. No llamaba por necedad. «Gabriel, ¿has hablado con Caracas?». «No...». No tuve tiempo de preguntar nada. «Tienes que llamar a Caracas», interrumpió. «Elena, ¿que...?». Le costó responder: «Mataron a tu amigo Martín Velázquez».

5

Leí la información en el portal Noticias24: «En horas de la noche de ayer (20:40) fue asesinado el joven de 29 años Martín Alberto Velázquez Ferrer. La víctima, quien se desempeñaba como abogado para la firma Salgueiro & Brandt, recibió ocho impactos de bala. Velázquez fue interceptado por un grupo de antisociales en las inmediaciones de la panadería Danubio en la urbanización Santa Rosa de Lima. Velázquez aparentemente se resistió al robo de su vehículo (Yaris, placas THK-09J) por lo que los antisociales le dispararon. La compañera del abogado, identificada como Rebeca García Alcalá, recibió un impacto de bala en la cabeza aunque, a primeras horas de la mañana, esta redacción pudo saber que continuaba con vida. Las víctimas fueron trasladadas por vecinos del sector a la Clínica San Román. Velázquez falleció tres horas más tarde...». Vomité sobre el teclado. Las teclas se empatucaron de cerveza blanca, fragmentos de jamón, bilis y tortilla. Entonces ocurrió... Al principio no me di cuenta.

6

No sé exactamente lo que sucedió el día que asesinaron a Martín. Colapso nervioso, delirio alucinatorio, improvisó algún especialista semanas después. Imágenes fugitivas, intensas pero confusas, apenas me permiten contar la lógica del desmoronamiento. El relato de Elena y la destrucción de la casa completan el cuadro. Me fui. Dejé de ser yo, perdí el control de mi cuerpo. La racionalidad dejó de pertenecerme. Recuerdo que leí la noticia, arranqué la *laptop* de la mesa y la estrellé contra la pared. Luego me atacaron los perros.

«¡Quítamelos! ¡quítamelos!». Patadas, movimientos bruscos, espasmos. Agua caliente. «Gabriel, por favor, cálmate», voz de mujer. Elena, voz de demonio, voz de ángel, voz de mongólicos armados. Perros con rabia me mordían los tobillos, galgos de tres cabezas, colmillos feroces. Bachacos venenosos me destrozaban la espalda. «¡Quítamelos!, ¡quítamelos!». Una voz, al fondo, hablaba en castellano pero yo no sabía hablar en esa lengua.

Un perro negro saltó y me destrozó el cuello. No podía respirar. Lo destruí todo: adornos, vasos, portarretratos. Tomé una jarra de agua y se la eché encima al televisor. Los animales atacaron a Elena, quise defenderla; le di un golpe en la cara que la tumbó sobre la mesa. Las manos se me llenaron de sangre. Corrí a encerrarme en el baño pero el baño estaba lleno de animales salvajes. Los demonios me decían groserías horribles. Estaba solo, sin escapatoria. Los ladridos me hacían taparme los oídos. La única salida estaba al otro lado del espejo, detrás del lavamamanos. Ahí había luz. Salté. Mi cabeza se clavó contra el vidrio. La sangre comenzó a brotar desde la frente. «Gabriel, abre, por favor. ¡Gabriel!». Sentí las picadas en la espalda. Los bachacos me salían de los oídos, de la nariz, del culo; masticaban mi cuerpo hasta anestesiarlo. «¡Quítamelos!

¡Quítamelos!» Abrí el agua caliente de la ducha, me llevé por delante la cortina transparente, caí. La sangre corría desde la cabeza. Elena abrió la puerta, se resbaló. Me cagué de la risa. Saqué la lengua infecta, poblada de bachacos y la mordí, me clavé los colmillos en los cachetes. Toda mi boca estaba llena de insectos. Mis puños se empeñaron contra la pared, me destruí los nudillos con las baldosas rotas. El agua se llevaba los bachacos por el desagüe. No podía salir. Afuera estaban los perros, ladraban, me odiaban, querían matarme. Me envolví en los restos de la cortina.

Alguien llamó a la policía. «Todo está bien, no se preocupen. Gracias», escuché. Elena daba explicaciones inverosímiles. «¿Su marido la ha agredido?», preguntó una voz hosca. «No, disculpen la molestia». El diálogo a la distancia se disipó. Escapé de los perros. Me intimidó el cascabel de una serpiente escondida detrás de la poceta. Volví a cagarme de la risa. Alcé los ojos al cielo (al techo). Insulté a Dios. «Te voy a matar», le dije. Elena entró al baño con un vaso de agua. «Te voy a matar», repetí. Con fuerza inesperada me sostuvo entre sus brazos. «Cálmate, por favor. Ya pasó. Ya pasó, mi amor. Ya se fueron los perros, ya se fueron». Me dio una pastilla, la tragué con un buche del agua estancada en la ducha. «Elena, voy a matar a Dios». Ella tenía los ojos llenos de lágrimas. «Esperaré —repetí—, esperaré. Tendré paciencia. Escucha —le grité al vacío—. Esperaré a tu vuelta. Atrévete a encarnarte, maldito. Seré el primero en crucificarte. Apenas salgas del vientre de tu madre, de la puta de tu madre, te clavaré sobre un corcho como una maldita mariposa. Te voy a matar a coñazos...». «¡Gabriel, por favor, cállate!». Se me trancó la respiración. «¿Ya se fueron? —le pregunté—. ¿Los perros ya se fueron? Mi teléfono. Tráeme mi teléfono». Elena me soltó. Permanecí vigilante, rascándome las picadas de la espalda, observando el universo del baño, buscando culebras detrás de los muebles, tratando de entender el significado de los ladridos. Elena encontró mi celular en el piso, con la pantalla rota. A pesar de la fractura, todavía podía utilizarse. Estas cosas las recuerdo, ese momento lo recuerdo. La memoria me abandona en el agujero de la ducha, envuelto en una cortina transparente. El teléfono estaba en mis manos. Llamé a Fedor. No contestaba. Busqué los números de Caracas, mi frente no paraba de sangrar. Elena trataba de limpiarme la cabeza, rezaba, tenía los ojos cerrados. Parecía una niña que en vísperas de la primera comunión aprendía las oraciones al caletre. Logré levantarme. Imaginé a Martín caído, muriendo de dolor. Regresaron los perros. Grité mi rabia, mi odio, mi soledad, mi blasfemia. Excreté un *no* mortificado que me salió desde el hígado, desde los intestinos. Volví a llamar a Fedor. No contestaba. Caminé hasta la sala, encontré el desastre. Nuevamente, la memoria colapsa. *¿Qué pasó?*, me pregunté. *¿Qué...?* Me puse las manos en la cabeza. Traté de colocar las piezas en su sitio, de ajustar el cerebro, de atornillar cada lóbulo, de colocar la hipófisis en su diminuta cuenca. Dolor en las piernas. Algo me mordió el tobillo. Los perros furiosos me rodearon, gruñían. El aliento caliente, fétido, me hizo orinarme encima. Entre cristales rotos caminé hasta el sofá, salté, trataba de espantarlos con los cojines, con los portarretratos astillados. *Tiros, ocho tiros. Maldita sea.* Mocos de agua me colgaban desde la nariz. Mi mirada enferma recorría todos los escondrijos de la casa. Pude ver, al fondo, la carpeta negra de Mariana. Los perros la destrozaban entre sus fauces, dos rottweiler la trituraban, peleaban por ella. «No —dije—. Nana, tú no. Te dije que iba a protegerte». Caminé hasta la cocina revuelta. La gaveta se salió de su base y se estrelló contra el piso. Busqué una botella de aceite. «Tú no, Nana, tú no. No te van a matar», le grité al microondas. Agarré el sobre. Colmillos amarillos me destrozaron las manos. El dolor apenas me permitía caminar. Elena permanecía aferrada a su rosario. «A ti no te van a matar, Mariana. No te van a matar», dije en voz baja. Regresé al baño. Lancé el sobre en la ducha, abrí el contenido y lo esparcí sobre los restos macerados de la cortina: CD, *pen drive*, documentos, imágenes, trípticos. Empapé los papeles en aceite. Encontré el yesquero en mi bolsillo. Todo ardió. Elena trató de levantarse, de abrir la ducha. «¡No! —grité—. Tenemos que salvarlos, Elena, tenemos que salvarlos». El fuego se tragó las amenazas. Mariana podía vivir. Tenía la convicción de que le había salvado la vida. Me cagué de la risa. Elena, desesperada, lanzó toallas húmedas sobre la brasa. Regresé a la sala. Tomé el celular. Necesitaba hablar con la única persona que podía decirme la verdad. Las noticias eran una invención, una farsa, una burla de Dios; porque yo pensaba que Martín Velázquez era inmortal, que las balas eran objetos extraños e inofensivos, que la muerte violenta era un patrimonio de los otros. «Gordo», dije al escucharlo. «¡Gabriel!» Solo entonces acepté la derrota. El silencio, con intervalos de respiración torpe, fue el indicio de la humillación. Atilio intentaba articular palabras pero no le salía la voz. Los dos asistimos a un único e íntimo desconsuelo. Pasamos más de cinco minutos con los teléfonos en las manos, sin poder decir nada, con toda la tristeza del mundo radicada en el silencio. «¡*Marisco, marisco*! Mataron a nuestro amigo», logró pronunciar. Y nada más. Aquella sentencia ingenua tuvo el efecto de un estigma, de una revelación. Yo sabía muy bien todo lo que había detrás de esa frase. Sabía que esas palabras eran nuestro particular encomio, nuestro sentido pésame, nuestra forma de expresar el afecto. Sabía que esa oración tartamuda, sin aparente sentido trágico, era nuestra manera de concebir la desesperación. Cuando la escuché acepté el fin. Los aullidos, poco a poco, desaparecieron. Martín estaba muerto, lo entendí. Atilio no sabía decir otra cosa. Dos o tres veces, antes de trancar, fue lo único que dijo: «*Marisco, marisco*, mataron a nuestro amigo».

III

«Qué vergonha, Deepak Chopra é uma merda».
PAULO COELHO

1

DE: Mariana Briceño <nanabriceño22@gmail.com>
PARA: Gabriel Guerrero <gabo_guerrero@hotmail.com>
17:53 (hace 4 horas)
ASUNTO: Nada que decir

Me prometí que no iba a escribirte, que no te pediría explicaciones. Quise contarme la historia de que respetaría tu decisión, de que regresaría a Lima y que con el tiempo trataría de entender lo que hiciste. Escribir este correo es una humillación, un falso armisticio, un reclamo inútil ante un extraño, ante un desconocido al que le entregué mi confianza. No quiero escuchar tus razones, Gabriel. No quiero leerte. No quiero saber nada de ti. Hay, sin embargo, algunas cosas que necesito decir.

Quiero que sepas que estoy molesta, muy molesta. No sé qué le ocurrió a la persona que conocí hace algunos años, no sé dónde quedó aquel amigo tímido, burguesito pero noble, estirado pero sincero. Dices que destruiste el material, que no sabes qué te pasó, que lo hiciste por mi bien, que querías protegerme. No te creo, Gabriel. Ya ni siquiera sé qué creer.

Supongo que ya no se puede hacer nada. Me imagino que eso no te importa. Porque a ti no te interesa saber qué fue lo que le pasó a Javier, porque te resulta indiferente que Andrea Savard, agobiada por magnates indolentes, haya sido vetada en la prensa británica. Lee este artículo. Ahí se describe cómo un grupo empresarial la ataca por supuestos daños y perjuicios: http://www.bbc.co.uk/news/politics-journalist-12357672. Savard puso el dedo en la llaga con algunas denuncias sobre pornografía infantil. La acusación estaba ligada a importantes grupos de poder. La semana pasada la acusaron ante un tribunal civil por evasión de impuestos. Ayer publicó su última columna. Me imagino que tampoco te indigna, ni siquiera te hace ruido, saber que en el mercado negro noreuropeo el anticipo por un niño sano es de 300 euros, que ese dinero debe abonarse en una cuenta bancaria de Panamá, que el anticipo por un niño enfermo, desnutrido o anémico, es de 150 euros negociables según la dolencia. ¿Asequible, no? Los testimonios que decidiste destruir pertenecían a personas que arriesgaron mucho al entrevistarse conmigo, personas que tenían miedo, miedo real, que sabían que formaban parte de una trama perversa, que sabían que algo estaba mal. No quiero darte clases de ética. Entiendo que cada quien es libre de interpretar el mundo según su propio criterio pero esos criterios, Gabriel, deben tener límites. Hay cosas que sencillamente no pueden aceptarse. Hay cosas que yo por dignidad humana no puedo tolerar. Desde que, mortificado por los problemas con tu noviecita, entraste a mi oficina para contarme este asunto no he vuelto a dormir en paz. Cuando conversé con Savard entendí que nos enfrentábamos a un problema serio, a algo contra lo que valía la pena luchar. No sé por qué confié en ti. Entendía que tu vida minúscula, que tus problemas insignificantes, que tus dramas de amor y tu ridículo matrimonio te mantenían encerrado en ti mismo, asimilado a tu pobreza, a tu falta de vida. Nunca pensé, sin embargo, que fueras capaz de tomar partido por los otros. Nunca vi tu traición como una posibilidad. Yo creía en ti.

Yago, con pedantería criminal, me contó lo de tu contrato en Bruselas. Después te reuniste con la profesora Irene y cambiaste de actitud. ¿Qué te dijo? ¿Qué te ofreció? ¿Qué es lo que sabes, Gabriel? ¿Por qué hiciste lo que hiciste? El material que te entregué podía representar un primer paso, un grito, un llamado de atención, un aporte, una esperanza. Revisa los índices de orfandad en Chile, en Haití. Algunas madres han reconocido que a cambio de dinero, drogas o visas extranjeras han entregado a sus hijos a supuestas fundaciones. Esos hijos de puta se aprovechan de la desesperación de la gente. ¿Eso te parece correcto? ¿Te importa? ¿Vas a formar parte de esa mierda? Me imagino que pierdo el tiempo al contarte estas cosas. Tú tienes problemas más importantes, ¿verdad? Es bueno que sepas que más allá de tus narices existe un mundo. ¿Todavía te queda algo de conciencia?

No quiero que vuelvas a escribirme, no me busques, no respondas a este correo. Tú para mí has dejado de existir. La cagaste, Gabriel. Te burlaste de mi confianza, de mi amistad, de todas las cosas en las que creo y por las que he luchado durante muchos años. Lamento haber confiado en ti. Lamento haber perdido mi tiempo con esta amistad falsa, con tu cobardía, con tu falta de perspectiva, con tu indolencia.

Creo que te caería a patadas si te tuviera delante. Maldita sea, Gabriel... ¿Por qué? ¿Por qué...? Respóndetelo tú. A mí no me digas nada. Tú y yo no tenemos absolutamente nada de qué hablar.

Suerte en Bruselas.

Saludos a tu esposa y a tu amante. Toma una decisión y deja de hacer infelices a ese par de pendejas.

Mariana

2

Deepak Chopra habló en inglés. La traducción simultánea hizo referencia al hinduismo pop, la medicina natural y el misticismo minimalista. Reconoció, con ingestualidad ascética, que la expresión literaria de la llamada autoayuda tenía la misma legitimidad estética que cualquier ensayo de Sartre, diálogo platónico o novela de Flaubert. El público geriátrico, de andaderas y babas, aplaudió la ponencia. La sala estaba llena. Llegué tarde y no encontré lugar. Tuve que permanecer de pie, cerca de la entrada. El siguiente ponente fue Jorge Bucay: «Yo he sido payaso, he trabajado en un almacén, he sido vendedor ambulante. La vida me ha mostrado su peor cara pero al final he visto la luz», dijo compungido. Una viejita que se encontraba a mi lado lloró con efusión. Bucay contó los pormenores de redacción de sus *Hojas de ruta*. Al igual que Chopra, reconoció el compromiso literario de los creadores de la Nueva Era. Afirmó que Dostoievsky, Tolstoi, Thomas Mann y William Faulkner habían sido autores de autoayuda ya que habían enriquecido con sus reflexiones la finita conciencia de la humanidad. Mi libreta estaba en blanco, se suponía que debía tomar apuntes. Paulo Coelho fue recibido con una ovación impresionante. El autor hizo una semblanza antipática —casi toda leída— de sus *Historias para padres, hijos y nietos*. Repitió el libreto de sus predecesores. No dijo una sola palabra sobre sus *Valkirias*. «Gabrielito, lo más importante es el cóctel. Ahí es donde se hace la verdadera literatura. Tienes que conocer a estos grandes gurúes y decirles quiénes somos. Vientos de Cambio es el futuro, bla, bla, bla. Tú eres simpático, les caerás bien. Éntrales por ahí», había dicho Carnera. Al menos era algo con qué distraerme, algo que me mantuviera alejado del incómodo trance de pensar, de los problemas, del mundo, de la locura.

3

Dos semanas después del colapso Elena habló conmigo. Dijo que pasaría unos días en Lisboa, con su familia. Hablamos sin neurosis, sin agonías, con la convicción de nuestro fracaso y la leve esperanza del reencuentro. De alguna forma, por esos azares retorcidos que rigen el universo, el asesinato de Martín logró acercarnos. Los días de reposo nos dieron la oportunidad de reinventarnos, de seguir apostando por el frágil concepto de familia. Elena reconoció errores, admitió faltas inventadas. Acepté su única condición: ayuda psiquiátrica. Durante un tiempo impreciso visité a un terapista al que le conté algunas mortificaciones. Muchas cosas cambiaron en mi entorno. Mariana regresó al Perú. Kyriakos me explicó que la formalización del contrato con la Unesco tardaría algunas semanas. Presiones políticas impidieron el cierre del centro. A veces, algunas mañanas aburridas, me pasaba por la oficina para ayudar a Vero y a los nuevos juristas a clasificar los documentos viejos. Carla desapareció. Tras la muerte de Martín, hablamos por teléfono. Expresó su pesar con indiferencia, un pésame blando, sin emoción. Dejó de responder a mis correos, ya no había emoticones ni frases de plantilla. A veces, muy de vez en cuando, escribía un «Te extraño, Hemicraneal» seco, aislado. Fedor no dijo nada sobre el asesinato de Martín, nunca tocó el tema. Las veces que lo vi parecía preocuparse exclusivamente por los fichajes de invierno del Real Madrid. Los perros huyeron. Aunque aquella vez logré escapar, la locura me alcanzaría más adelante.

4

Deepak Chopra propuso un brindis. Solo permanecíamos en la sala escritores, libreros y editores hambrientos. Entregué las tarjetas de presentación de Vientos de Cambio. Alguien comentó, creo que fue el psicólogo Walter Riso, que había por ahí, en las mesas de las tiendas naturistas, un autor muy interesante llamado Jack Sheppard. La atmósfera bucólica me generó un incontrolable mareo. Quería renunciar para siempre a la parodia, al juego del mundo feliz. Le di la mano a Jorge Bucay, le pedí a Chopra que me firmara un ejemplar de *Las 7 leyes del éxito* y me dispuse a largarme. Tenía media hora para llegar el cine. Había quedado con Elena en asistir a la segunda jornada de un festival sobre Woody Allen. Antes de salir de la Fundación March, el cuerpo hizo un anuncio. *Meada preventiva*, como diría Atilio. Caminé hasta el baño del segundo piso. En la escalera tropecé con una muchacha parecida a Carla. Caminaba como Carla, tenía la mirada de Carla. En realidad no se parecía en nada pero había desarrollado el hábito de verla en todas partes. El dolor por su ausencia me pateó las entrañas. Tenía la voluntad de los muertos, el entusiasmo de los condenados a cadena perpetua, el orgasmo de los impotentes. Mi vida se había convertido en un aburrido monólogo. Entré al cuarto de baño. Llegué el urinario. Me bajé el cierre del pantalón. En esa curiosa circunstancia tuve una revelación. Paulo Coelho orinaba a mi lado. Su mano izquierda, apoyada en la pared, le brindaba equilibrio. Silbaba la «Garota de Ipanema», su orina estridente hacía la percusión. «¡Ahhh!», decía el brasilero. Se me trancó la vejiga, no pude orinar. La experiencia tuvo la contundencia de una epifanía: *Paulo Coelho mea*, me dije. *¡Qué fuerte!* El Gran Maestre se sacudió con saña. Caminó hasta el lavamanos, abrió el grifo con la muñeca y se empapó la punta de dos dedos. Luego buscó el calentador en la pared.

Por casualidad, nuestras miradas tropezaron. Yo permanecía frente al urinario tratando, en vano, de reencontrar mi fisiología. «*Qué vergonha, Deepak Chopra é uma merda*», dijo para sí. Salió y cerró la puerta.

5

Aproveché el reposo médico para escribir el *Recetario del amor* y montar la estructura del relato *Todos los caminos llevan al alma* (Carnera propuso el título durante su última borrachera). El terapista que siguió mi caso era un psicólogo mediocre, un joven mexicano que, en términos de McGraw Hill, describió la naturaleza de mis delirios alucinatorios como un efecto del estrés. Clonazepam y Sertralina se convirtieron en complementos vitamínicos.

Una noche con lluvia, después de mucho tiempo, Elena y yo volvimos a hacer el amor. «Gabrielito —dijo Carnera a través del teléfono—, no te olvides del encuentro en la Fundación March, es esta tarde». *Fuck*, me dije. Elena y yo habíamos quedado en ir al cine. Cines Verdi inició un ciclo sobre Woody Allen que aquella noche proyectaría la película *Hannah y sus hermanas*. Habíamos comprado las entradas por Internet. El festival de autoayuda era al final de la tarde por lo que, en teoría, tenía tiempo suficiente. Vimos la película de Woody. Comimos cotufas, bebimos Coca-Cola, al salir nos tomamos una cerveza. Parecía que éramos felices. De regreso a la casa caminamos tomados de la mano. Hicimos el amor sin asco, sin desprecio, sin compromisos generativos. Nos entregamos en un empeño falso por dar continuidad al matrimonio imposible, a nuestra comunidad disoluta abandonada a su suerte. No pude evitarlo. Lo hice sin mala fe. Simplemente sucedió: Elena no estaba. Mi entusiasmo se fundó en la remembranza de Carla. El seno blanco se tornó moreno, desaparecieron las pecas, el castaño claro se tiñó de azabache. Y Elena, por primera vez en mucho tiempo, dejó de atender al cronograma, se olvidó de los relojes y las posiciones fértiles. La niña más hermosa del mundo volvió a estremecerse en mis brazos.

La mañana siguiente, henchido por la calma y la humanización fisiológica de Coelho, redacté los últimos capítulos del *Recetario del amor*. Mis dedos patinaban sobre el teclado a una velocidad avasallante. Me sentí una especie de Cervantes de la Nueva Era. Quería escribir la última novela de autoayuda, convertirme en el paladín de la esperanza y los finales felices. Inventé un desenlace operístico, cursi, refrendado por epifanías predecibles y sostenido por un profundo sentido de lo melo. Elena salió a caminar, regresó tarde. Cenamos en La Nicoletta. Me contó que había decidido ir a Lisboa, que le gustaría pasar unos días con su familia. Nos besamos en la boca sin efusión ni morbo.

Cuatro días después recibí una llamada de Caracas. Reconocí inmediatamente la voz de la señora Cristina. Solía llamarme en mis cumpleaños y en las fiestas decembrinas. Habló de Martín, contó dos o tres anécdotas nulas y antes de colgar me expuso el motivo de su llamada. «Gabriel, hay una cosa que quería comentarte. Estoy muy preocupada por tu mamá». Tras entregar el primer borrador del *Recetario*, decidí viajar a mi ciudad.

Atilio me buscó en el aeropuerto. Lloró. El calor de Maiquetía me vació las entrañas. Carla estaría en Barcelona, no podría verla. Recordé nuestra última conversación telefónica: «Haz lo que quieras, Gabriel. Yo saldré mañana para Barcelona, tengo planes». «¿Planes de qué?». «No te interesa». Vi la cara del Ávila. *¡Qué difícil es regresar!* La voz de Fedor repetía impasible: «Ítaca debe ser una mierda».

IV

«Aquí todo el mundo está jodido,
¿rezas conmigo?».

ATILIO

1

«Mala no, quizás diferente», respondí a su incómoda pregunta. «No tengo remordimientos contigo, Gabriel. A veces pienso en Isabel. No me gusta como sucedieron las cosas con Isabel. Eso no estuvo bien». «¿Por qué no la llamas?». «Has visto demasiadas películas. Sé que es feliz donde está o al menos lo intenta. ¿Para qué voy a llamarla? Yo a Isabel no la conozco. A ti, en cambio, te conozco demasiado bien. ¿Qué te pasa, Gabriel? Y no me mientas. Mírame. ¿Tienes problemas con Elena? Todos los matrimonios tienen problemas. ¿Te vas a divorciar? ¿Quieres regresar?». «¿Regresar a dónde? ¿A esta mierda, a este desastre?». «No me expliques lo que es esto, yo sé muy bien dónde estamos. El problema no es Venezuela, el problema eres tú. ¿Quieres volver, Gabriel?». «No lo sé». «¿Y qué sabes? Tienes el carácter de tu padre». «Nunca me hablaste de él». «¿De quién? ¿De tu papá?». «¿Dónde está?¿Existe?». Tardó en contestar: «Estuvo preso en Miami hace algunos años. Después no sé, se borró. Tu papá era un sinvergüenza, un pobre diablo. La mejor decisión que he tomado en mi vida fue alejarlo de ustedes. No pierdas tu tiempo echando de menos a ese infeliz».

«Malestar general, nada serio», había dicho la Nena. La señora Cristina me habló de los mareos, de la pérdida de peso. Mercedes Guerrero aparentemente había dejado de alimentarse. Atilio también me comentó su preocupación; sugirió una evaluación médica que la Nena rechazó. Dijo que no había que sobrevalorar sus achaques, que si tenía algo grave prefería no saberlo, que para ella no había un analgésico más eficaz que la ignorancia. Mercedes Guerrero se había convertido en un esqueleto frágil forrado por una piel opaca, gris, con los poros hinchados. Tenía todos los síntomas de una persona enferma; sin embargo, desde mis primeros días en Caracas impuso el tabú: podíamos hablar de cualquier cosa excepto de su hipotético malestar. Hablamos en la casa, en el balcón, con los ojos afincados en la desolación aérea de Santa Mónica.

«No quiero hacerle daño a Elena. Ella ha sido...», dije de repente. «No me interesa saber lo que haya sido. Elena tiene a su gente, a su familia. No se va a suicidar, no se va a morir. No confundas las cosas. La vida real es mucho más rústica que la imaginación y tú siempre has perdido el tiempo imaginando tonterías. Además, si quieres abandonarla siempre puedes inventar la excusa de que debes atender a tu madre moribunda», dijo tranquila. «¿Qué?». «Nada, sería una excusa, una excusa verosímil». «Pero —intenté aprovechar su desliz— ¿De verdad estás enferma? ¿Tienes algo grave?», traté de disimular la preocupación. «Años, Gabriel, muchos años. Mi enfermedad se llama Tiempo». «¿Seguro? No me mientas». «Si Elena se pone muy fastidiosa, puedes decirle que tu mamá tiene cáncer en la matriz. Esas cosas íntimas siempre resultan creíbles para las mujeres. Funcionará». «Nena, en serio, ¿tienes cáncer?», me reí de su cinismo. Su gestualidad no permitía saber si decía la verdad o si mentía. «Ya te lo dije, Gabriel, tengo años. Y

aunque te parezca raro, aunque solo hablemos un par de veces y no sepamos nada el uno del otro, quiero que seas feliz.
Nunca te había visto tan demacrado, tan apagadito. Tú no eras
así —me sorprendió su observación. Era la primera vez que le
escuchaba un diminutivo—. Tú no eres esto. ¿O sí?». «Yo no
podría volver a Venezuela, no sé cómo puedes vivir en este lugar». «Este es mi lugar, Gabriel. Puede que te parezca ridículo pero yo pertenezco a esta ciudad, a Santa Mónica. Solo podría vivir en estas calles, con mi gente». «¿Tu gente?». «Sí, mi
gente. No sabría explicártelo. Yo sé que aquí la gente es buena.
Ríete si quieres, pero es la verdad. Este país puede cambiar de
nombre, pueden cambiarle la bandera, el escudo, la religión,
la lengua, pero sé que Santa Mónica siempre será la misma,
estas montañas, Gabriel... Ves, te lo dije, ya hablo como una
vieja sensiblera. Ni siquiera la Nena Guerrero puede luchar
contra las cursilerías del tiempo». «¿Cuál gente, Nena? ¿Cuál
bondad? Esto es una mierda. Aquí vive puro malandro, puro
delincuente, puro resentido. Ahí está el Miguelacho, igualito,
lavando carros en el Parsamón, Elías vendiendo donas en la
principal, el gordo Mantecada poniendo *piercings*. Esas son las
leyendas de Santa Mónica, aquí nadie vale nada. O, el peor de
todos, el impresentable del Caspa, Alfredo, que desde que es
ministro y está *enchufa'o* con el gobierno lo que hace es joder
a todo el mundo; leí algo sobre una lista, sobre unos maleti-
nes en Pdvsa. ¿Esa es tu gente? Además, aquí ya no queda nadie. Todo el mundo se fue. Fedor está en España, el viejo Aba-
día se mudó a Colombia, la señora Rosaura se murió, la señora
Lili, Alo... ». «No todos los muchachos son malos, no seas tan
severo. En el fondo, no son malas personas. Ellos no tuvieron
las oportunidades que tú has tenido, ellos cometieron errores.
¿Tú no los has cometido? ¿Tú aprovechaste las oportunidades
que tuviste, Gabriel, la beca, el matrimonio, la posibilidad de
mudarte a Madrid? A veces bajo a caminar; me siento en las

mesitas de la Alcázar, otras veces voy hasta la Élite, me gusta ver a las personas. La gente es la misma de siempre, nada ha cambiado». «Te van a robar como a una pendeja». «No, sé que no». «A un panadero de la Alcázar lo mataron hace como un año. Lo leí en Noticias24». «Sí, lo supe. Fue muy triste. No me hagas caso, Gabriel. Estos solo son los delirios de una vieja. Aunque puede que algún día, cuando pasen los años, entiendas lo que quiero decir. Quizás sea una tontería pero me gustaría morirme pensando que esta ciudad todavía tiene remedio, que los últimos años han sido un paréntesis, un apagón, quizás un llamado de atención ante tanta desidia. —Se apoyó en la baranda. Sostenía entre sus manos un vaso de agua. Me miró—. Gabriel, tienes que tomar una decisión. Si te vas a quedar en Madrid, quédate; si te vas a divorciar, hazlo, pero no vivas en esa indecisión. ¿Te has visto en un espejo? ¿Te has pesado? Hijo, das lástima. Los muchachos, esos muchachos que tú dices que no sirven para nada y que se ganan la vida con esos oficios innobles, parecen ser más felices que tú».

Fue hasta el baño. Regresó. No sabía qué preguntarle. Me di cuenta de que le costaba caminar. «¿Qué más sabes de Isabel?», pregunté sin intención. «Terminó el doctorado. Ahora es profesora de Biología en la Universidad de British Columbia, tiene dos niños, Cristian y Paul. Ha publicado artículos en revistas importantes». «¿Cómo lo sabes?». «Lo he visto en Internet, la citan mucho. Ahora va a publicar un libro». «¿Has hablado con ella?». «No, nunca más —le tembló la voz, aunque quizás me lo imaginé. Nuevamente, retomó su aplomo, su frialdad—. Gabriel quiero pedirte un favor: cuando pase lo que tenga que pasar dile a Isabel que estoy orgullosa de ella. No te va a creer. Pensará que solo tratas de compadecerla, de decirle algo que la haga sentir bien. Dile que me perdone por no haber creído en ella ni como persona ni como mujer. Por haber competido, por haber odiado su juventud, porque cada año que ella cumplía era un año que a mí se me iba, por haber disfrutado con su sobrepeso —pausa, expresión de disgusto—. Aunque mejor no le digas nada. No te daré esa responsabilidad. Ya tienes suficientes problemas como para que cargues con los desastres de mi conciencia. Me basta con que tú lo sepas, Gabriel. Para mí es suficiente con que tú entiendas que no soy un monstruo».

Su testimonio me conmovió, tocó algo, quebró algo. Se juntaron las tristezas, las pastillas, la muerte de Martín, la ausencia de Carla. Parado en el balcón de mi casa me sentí profundamente desvalido, humillado, niño. Hice un repaso por mi historia personal y no encontré ningún lugar en el cual apoyarme. Ella estaba orgullosa de Isabel pero sabía, en lo más hondo, que no sentía lo mismo por mí; yo no había hecho nada, yo no era nada. La Nena pareció interpretar mis pensamientos. Su instinto particular le hizo leer las acotaciones al conflicto. «¿Por qué te mortificas tanto? —preguntó—. Deja de darle vueltas a la cabeza. Yo no sé si estoy orgullosa de ti. Nunca me lo he planteado. Si quieres que te haga el numerito de la madre sensiblera, tendría que decirte que sí, que desde que te parí. Porque de eso se trata ser madre, ¿no? De decir mentiras blancas. Esa fue la parte que yo no entendí. A mí no me hace falta estar orgullosa de ti para quererte. Tú siempre has estado ahí. Tú eres una buena persona. ¿Qué es el orgullo? Dime, ¿qué es el orgullo? Eso es pura retórica, de la peor. En el caso de Isabel es diferente. Yo le di la espalda, le hice daño, la ignoré. Estuvo en mi vientre y eso la hace mi hija pero yo a Isabel no la conozco. Todo lo que logró lo hizo ella sola, lo hizo porque quiso. Gabriel, tú estudiaste Derecho porque yo te dije que estudiaras Derecho, te casaste con Elena porque a mí me pareció una buena muchacha. ¿Tu viaje a Europa?¿Tu beca? ¿De verdad querías eso? No lo sé, nunca le creí mucho a tu convicción por la Cooperación Internacional.

Me parecía más un asunto del deber, algo que pudieran ver y alabar los otros. Yo creo que tú te fuiste de Venezuela porque tenías miedo, porque Elena quería irse, porque nunca tuviste suficiente fortaleza para superar lo que le pasó a tu amigo Alejandro. Tú no decidiste irte, Gabriel. Tú escapaste». «Nunca te gustó Alejandro —dije con la garganta seca; no sé por qué dije eso—.¿Por qué?», le pregunté. «No lo sé —respondió sin interés—. Nunca me gustó su mirada. Mírame —reincidió—. Estaré orgullosa de ti el día que hagas algo por ti mismo. Algo que te inspire, algo que de verdad te guste, algo que te apasione, el día que vivas para ti. Ese día, esté donde esté, pasando frío o calor, estaré orgullosa. A Isabel no la quiero, no la quiero porque no la conozco, no sé quién es. Contigo es diferente, tú eres mi hijo. A fin de cuentas, Gabriel, no importa lo que yo piense. Orgullosa o no, sí me gustaría que pudieras ser feliz».

2

Martín Alberto Velázquez Ferrer (1981-2010). Atilio permanecía de cuclillas, quitaba hojas muertas de la placa. El sonido distante de un *reggaeton* quebraba la paz del cementerio. «El fin que viene». «¿Qué?», pregunté sin entender. «Este *güevón* se iba a casar el fin que viene». «Ella, ¿cómo está?», pregunté. «Jodida. Tiene una bala en la cabeza, la tienen en San Román. Nunca se despertó». «Apenas la recuerdo, la vi dos o tres veces. ¡Qué bolas! No lo puedo creer. ¿Y a los tipos qué? ¿Los agarraron?». «¡Qué van a estar agarrando a nadie! Ya estarán muertos. Ya los habrá matado otro malandro. Aquí las cosas son así». «¿Cómo está la señora Gloria?». «¿Cómo va estar? Jodida. Aquí todo el mundo está jodido. ¿Rezas conmigo?», preguntó al rato. Nos sentamos en la grama. «Sí, por qué no», mentí. Mis asuntos con Dios no habían quedado en buen término. Atilio cerró los ojos, movió los labios como si estuviera masticando un pedazo de pan. Se persignó. Caminamos en silencio. «Ahora vamos pa' donde Alejandro», dijo.

Regresamos al carro. Nos equivocamos de montaña. Tardamos media hora en encontrar la parcela. Ahí, al acercarnos, pude ver el perfil de un rostro conocido, el aire familiar de una vieja encorvada. «¡Señora Lili!», dijo Atilio complacido por el tropiezo. «¡Muchachos!», dijo ella sonriendo. Me costó reconocerla. El tiempo también se burló de ella. Su cara había sido tomada por un ejército de arrugas y manchas, en el párpado izquierdo tenía un acceso de pus. Nos abrazó con cariño. Reconocí a Carla en la quijada, en el color de los ojos. «Gabriel, mi amor, ¿cómo estás? ¿Qué haces por aquí? Sí estás flaco». Estaba vestida de negro, con un traje descolorido, convertido en gris. Me tomó las manos. Sus dedos tenían verrugas, callos. Se me quedó viendo con detalle, con afición. «Mi hijo te quería mucho —dijo serena—. Eras su mejor amigo». Volví a ver la mirada de Carla. «¿Cómo estás, Atilio? —preguntó con una sonrisa—. No me has llamado más, eres un ingrato». «He tenido mucho trabajo, señora Lili. ¿Usted cómo ha estado?». «Igual, igual». «¿Qué sabe de Carlita?», preguntó el Gordo sin malicia, ingenuo, ignorante. «Bien, ahora está en España. Tiene un noviecito». Nos despedimos con cortesía. Antes de irse me tomó por el hombro, me llevó aparte. «Gabriel, ¿cuánto tiempo estarás en Caracas?». «Quince días, creo. No más». «Me gustaría que pasaras por la casa. Te daré mi teléfono. Llámame. Sería bueno que habláramos un rato. Solo si quieres». «Claro, señora Lili, por supuesto. La llamaré». Se fue. Estuvimos un rato con Alo, en silencio, luego regresamos a Santa Mónica.

Caracas había sido destruida por las lluvias. La autopista del Este estaba rota, tapiada por lagunas. Las Rutas se desplomaron. Siguiendo la enumeración amorfa que tienen las colinas de Santa Mónica, la ruta cinco se desplomó sobre la nueve; la dos y la ocho quedaron aisladas. Toda la vereda de la Lazo

Martí, paralela al centro comercial, se convirtió en un camino colonial de piedras redondas y frisos de barro. El cerro detrás del Inírida se desplomó. El estacionamiento externo fue inutilizado, todo el edificio fue declarado como estructura de alto riesgo. Regresamos en silencio, sin música, sin radio, bordeando la ciudad por los contados caminos que habían logrado salvarse. Antes de cruzar al edificio, Atilio giró en la Bolet Peraza, dijo que quería comprar el periódico. Estacionó frente a los peruanos. La señora María, idéntica, vieja pero idéntica, con el cordial «Buenas tardes» que había repetido durante toda su vida, le entregó un ejemplar de *El Universal*. Atilio me pidió que revisara la página de deportes, quería saber qué habían hecho sus desahuciados Tiburones. Avanzamos. Al final de la vía pude ver los restos calcinados de una ranchera, un esqueleto de óxido estacionado sobre cuatro ladrillos. La casa del frente estaba abandonada, sus paredes húmedas tenían pintas de espray en contra del gobierno, todas las ventanas estaban rotas. Atilio parecía estar acostumbrado a la ausencia. «*Marisco* —le pregunté imitándolo, con curiosidad—. ¿Qué fue de la vida de Enrique Vivancos?».

3

La señora Cristina nos dio la dirección. Estacionamos detrás de la Plaza Tiuna. Casa Hogar Los Rosales, instituto geriátrico Pedro Pérez —no recuerdo el nombre exacto—. El timbre no funcionaba. Atilio golpeó la reja con el dorso de su reloj. Las paredes bajas estaban protegidas con picos de botella. Ancianos solitarios estaban sentados en la entrada, observaban el vacío, se reían de la nada, parecían conversar con el tiempo. Gatos negros se enredaban entre las piernas gangrenadas. Una señora gorda nos abrió con disgusto. Caminamos hasta la oficina principal. El olor medicinal empapaba la estancia. «Enrique está enfermo —nos había dicho la señora Cristina—. Tiene una enfermedad en la memoria, se le olvidaron las cosas, se le olvidan las cosas. ¡Qué ironía!, ¿no? Él que todo lo recordaba, que se conocía todas las historias y todas las leyendas de Santa Mónica no se acuerda de nada. Hoy ni siquiera se acuerda de mí», comentó incómoda, con vergüenza. Nos contó los primeros síntomas, las andanzas erráticas, los comportamientos extraños. Al parecer, caminaba por la ciudad sin horizontes concretos. Se volvió grosero, indiscreto, sarcástico y —según Atilio— atacón. Se empeñó en buscar a su hijo Luis por la parte baja de la Avenida Libertador. La señora Cristina nos contó que hacía más de un año le habían diagnosticado el Alzheimer. Grupos de vecinos, incluida la Nena Guerrero, hicieron una colecta, encontraron el ancianato de los Rosales y decidieron internarlo. «Nos olvidamos de él, Gabriel —había dicho con desgano, con remordimiento—. Ojalá que esas personas puedan ayudarlo». Nos dio la dirección de la casa hogar y se fue cabizbaja.

Tras quince minutos de espera nos recibió un muchacho, no tendría más de veinte años. Dijo que el doctor fulano no podría atendernos porque estaba ocupado, que él se encargaría de llevarnos a ver Enrique. Le decían Fernandito. Era voluntario, trabajaba con alguna fundación de ayudas para personas mayores. Atravesamos la sala. El salón principal estaba saturado de espectros, de objetos que alguna vez habían sido seres humanos, de personas sin sombra. Una vieja, abrazada a una andadera, lloraba con pataletas porque se había hecho pipí. Le pidió disculpas a Fernandito mortificada por sus esfínteres inútiles. El muchacho la abrazó con cariño. «No se preocupe, señora Josefina. Ya la vamos a atender. No llore. Es normal, siempre pasa. A mí también me pasa. Vamos», le dijo sonriendo. Se oyó una poceta. Un viejo salió del baño, empujaba una carretilla con un tanque de oxígeno. Cables transparentes le colgaban desde la nariz. «¿Cómo está, señor Antonio?

¿Cómo amaneció?», preguntó el enfermero. «¿Cómo voy a estar? ¡Mal! —dijo molesto—. ¿Cómo voy a amanecer? ¡Mal! No
hay nada más triste que despertar y ver la luz del sol. Otro día
más. Maldito sea el sol», dijo antes de irse refunfuñando. «Ahí
tienes a Fedor viejo», mencionó Atilio en voz baja. Llegamos al
patio trasero. «Señor Enrique —gritó Fernandito—, tiene visi-
tas». El muchacho señaló a un muñeco abandonado en la grama, a un espantapájaros.

Enrique Vivancos era un bulto de carne, una quijada que
temblaba y babeaba, unos ojos sin luz, una calva manchada
de costras. Fernandito se acercó a él, lo limpió con un pañue-
lo, lo ayudó a mover la cabeza. Atilio no pudo caminar, se quedó atornillado en la distancia. «Hola Luisito —me dijo el enfermo—. ¡Viniste, hijo! ¡Qué bueno!». «Son tus amigos, Enrique,
vienen a estar un rato contigo —dijo el enfermero—. Salúda-
los, anda». Fernandito lo ayudó a levantarse, le preguntó por
el dolor en la rodilla, colocó delante de él una andadera. «¡Fernandito!», gritó alguien desde el interior de la casa. «¡Ya voy!».
Tras acomodar a Enrique dijo que se ausentaría por cinco minutos, nos dejó solos. Atilio trató de acercarse pero los pies se
le quedaron pegados. Un nudo de aire caliente me envolvió el
esófago. La mano muerta del enfermo me palpó el rostro. Dijo incoherencias: nombres de frutas, letras de canciones, finalmente dijo que tenía que ir a Quinta Crespo a comprar pes-
cado. Volvió a sentarse. «Ay, Luisito, cuántas cosas tengo que
contarte. Ven». Con un gesto torpe me ofreció un tronco, un
pedazo de árbol que estaba frente a él. «Señor Manrique, señor
Manrique, espere», gritó Fernandito a un solitario caminante.

El enfermero regresó al patio. Llevaba en sus manos un
viejo equipo reproductor, un aparato viejo, ochentoso. «¡Ya se
la pongo señor Manrique! ¡Espere!», dijo. Admiré la paciencia,
la vocación, la buena fe. Yo nunca habría sido capaz de ali-
mentar a un anciano, de limpiarle la baba. Tenía la impresión,

incluso, de que yo nunca habría sido capaz de haber hecho nada por nadie. El señor Manrique, un anciano gordo y deforme, caminó hasta el final del patio, hacia el otro lado, ahí se montó sobre una silla. «¡Vamos, orquesta! Saluden al público —le dijo al vacío, haciendo un gesto al monte—. Tenemos que hacerlo bien». En su mano derecha sostenía un palo de gancho. Atilio logró caminar, saludó a Vivancos con una palmada en el hombro. Fernandito, a la distancia, enchufó el reproductor en un tomacorriente; introdujo un viejo casete y pulsó *play*. «¡Ya, señor Manrique! Cuando quiera», dijo. El anciano obeso, entonces, levantó el palo de gancho y dio dos golpes breves sobre un atril imaginario; luego, con sus manos, hizo un movimiento circular y enfocó su mirada en un violinista invisible. Entre distorsiones comenzó a sonar el «Adagio» de Albinoni. El señor Manrique dirigía una orquesta de zancudos, gardenias, jaulas de loros y hiedra podrida. La batuta de madera daba órdenes al vacío, las cosas respondían con arreglos barrocos. Fernandito volvió a nuestro lado. «¿No lo conocen?», nos preguntó. «Es Gilberto, Gil, Manrique. Fue un importante director de orquesta, muy reconocido internacionalmente, con premios, composiciones originales. Está internado desde hace más de cinco años, nadie lo recuerda. Si hubiera nacido en otro país, habría una plaza con su nombre pero... Perdón, nada», dijo tapándose la boca, avergonzado por sus reflexiones. Vivancos cerró los ojos, parecía tener sueño. El concierto permanecía al fondo, con la silueta distante de Manrique haciendo figuras en el aire. Vivancos no sabía responder a nuestras preguntas. Decía palabras solitarias, pensamientos amorfos. Atilio quería irse, estaba incómodo, triste. El Gordo palpó la espalda del enfermo, luego lo besó en la cabeza. Nos quedamos un rato con él tratando de reconocerlo, de pedirle que nos contara un cuento. Parecía dormido. Albinoni, de fondo, exploraba la real naturaleza de la melancolía. «Adiós, viejo», dije en voz baja. Le di la espalda. Se despertó, volvió a sentarse. «Lo va a hacer de nuevo, mira», dijo el enfermero que regresaba al patio con dos vasos de agua. «¿Qué?», pregunté confuso. «Escuchen, es muy bueno». «El Adagio» era el *soundtrack*. Enrique Vivancos cambió de expresión, levantó la mano derecha, forzó una expresión histriónica: «A lo mejor nací cincuenta años antes de lo debido... A lo mejor se me extravió el mundo. En ocasiones veo el mapa de Australia, Elvira —hacía señas al aire—, por hablarte de un lugar lejano, y pienso que allí debe existir otro como yo, en alguna calle de Sídney, un fabricante errático, un vendedor de soluciones, un australiano falsificador. Me acerco a la gente y cinco minutos después estoy explicando algo... como si me diera pena. La gente se ruboriza, Elvira, y en lugar de hablar, respondo, explico y reparto pedazos de mundo, con la única intención de que me perdonen. Y me provoca gritar: ¡Qué mal viven! ¡Qué mierda de vida viven! —apoyándose en la andadera logró levantarse. Otros ancianos se sumaron al público—. ¡Nadie me pide explicaciones! ¡Nadie se interesa por mis explicaciones, y yo pido perdón por ser testigo de esa tontería! Así pasó con María Luisa... ¿Qué hacemos, Pío? ¿Cuándo nos vamos, Pío? ¿Cuándo nos casamos, Pío? Y yo cerré los ojos y me vi en la calle de Gato Negro con los libros y la infinita seguridad de estar equivocado...». Cayó sobre la silla con un ataque de tos. Los otros viejitos aplaudieron. El señor Manrique pidió silencio. «¿Qué...?», logró preguntar Atilio. «Es *El día que me quieras* —respondió Fernandito—. Todos los días nos recita un fragmento. Es una obra de ¿Cabrujas?». La tos pasó, las manos se le llenaron de mocos. Al recuperar el aire, Enrique Vivancos me llamó, hizo una seña silente, me pidió que me acercara. Acercó su boca a mi oreja. Tenía aliento a ajo. Volvió a toser, luego me habló con una sonrisa, con la expresión indomable del hombre que ha sido feliz: «Viste, Luisito, el señor José Ignacio tenía razón».

4

Volví a ver a Carla encerrada en un portarretratos: era ella, tenía las manos en la cabeza, como protegiendo su cabello del viento, perfecta, bella. La foto estaba sobre la mesa de la sala. Visité a la señora Lili un día antes de regresar a España. Vivía en un pequeño apartamento de La Trinidad vieja, en la avenida principal. El espacio era sombrío, apenas iluminado por la luz traicionera de la tarde. Al lado de Carla pude ver una foto de Alejandro niño. Más atrás aparecía un retrato de familia, un día de playa, Silvia sostenía entre sus brazos a Carlita. «¿Qué quieres tomar, Gabriel?». «Nada... o un vaso de agua», dije por reflejo. «Voy a hacer café, ¿me acompañas con un café?». «Está bien, Lili», respondí. Le pedí un con leche. La foto de Carla reactivó mi obsesión. Su presencia enfermiza volvió a apoderarse de todo. La casa de su madre me llenaba los sentidos de olores, intuiciones, esperanzas. Comencé a verla en todas partes. La señora Lili habló de Chávez, del mal tiempo, de la vida sin los hijos. Fingía escuchar. Solo podía pensar en Carla, en querer saber cosas de Carla, en imaginar su aparición detrás de la puerta, su llamada, su grito desde el baño. Incrédulo, como desinteresado, pregunté por ella. La información fue escueta: estaba en Barcelona con un novio. La cafetera hizo un ruido. La señora Lili se levantó. Recibí mi taza de café. La mamá de Carla se sentó a la mesa, tomó mi mano con cariño. Ella tenía una taza grande —más grande que la mía— repleta de café negro. No podía dejar de ver a Carla. La angustia se lo tragó todo, olvidé el tacto, la prudencia. No tenía nada que perder, aún necesitaba entender muchas cosas. «Lili —dije con torpeza, interrumpiendo su denuncia contra la inseguridad en Caracas—, hace unos meses vi a Carla en Barcelona, hablamos». Cambió su expresión, me soltó. «¿Cómo la viste?», preguntó tranquila. Tomó un sorbo. Sostuvo la taza en el aire. Tardé en responder. «Yo creo que Carla no está bien, no lo sé, es una impresión». Aparté el rostro de su cara. Hice un paneo por las fotos. Alejandro me sonrió, Carla salía del agua. Tenía que preguntar. Tragué saliva con café caliente, hablé: «Lili, sé lo que pasó el día del accidente». Las manos comenzaron a temblarle, la cucharilla sobre el plato inició un baile de tambor. Bajó los ojos al piso. «Lili, ¿por qué? —logré preguntar—. ¿Por qué no dijeron nada? ¿Por qué no...?». Alzó la mano derecha, sin mirarme, como mandándome a callar, como diciendo *basta*. La taza seguía temblando en sus manos. Levantó el rostro con parsimonia. Solo cuando me miró entendí. Toda la verdad estaba escrita en sus ojos. Regresaron las voces, pero no las voces de mi locura; me gritaron las voces del pasado, aquellas que de manera aislada carecían de significado pero que, al encontrar la pieza ausente de aquella mirada, parecían hallar un nuevo sentido, el único sentido. «Gabriel, yo... —dijo a medias. Un relámpago de lucidez me lo contó todo. Comenzaba a ver—. Nunca... —se le trancaban las palabras. La taza no dejaba de temblar. El ruido de la porcelana aceleraba el desenlace—. Gabriel, la verdad es que a mí nunca me gustó la manera... Yo sabía que algo...». Y de nuevo las voces, remotas, antiquísimas, veloces, internas, claras, simultáneas. La revelación duró menos de un segundo: «Gabo, ¿si Alejandro se muere tú me vas a cuidar?». / «Tú no tienes ni idea, Gabriel. No sabes nada». / «Gabriel, coño, haz memoria. ¿Qué recuerdas del accidente?». / «No quiero brindar por Alo. Dejemos el pasado donde está». / «Gabo, ¿Dios es malo?». / «Nunca, pero nunca, se te ocurra comentar nada de esto. Este es nuestro secreto. Esto no nos pasó». / ¿Recuerdas a Alejandro en la funeraria? Dime algo, Gabriel. Abre los ojos, coño». / «¿Quién te dijo la verdad, Gabriel? ¿Qué coño sabes tú de la verdad?». / «Fue Alejandro quien la encontró. No sabemos exactamente cómo pasó». / «No me gustan los ángeles».

/ «Sergio no me hizo nada que yo no quisiera». / «Entonces, ¿por qué pasan cosas feas?». «Bicho, una cosa...». / «Nunca me gustó su mirada». / «Tú siempre has visto lo que has querido ver». / «Si te sigues sadiqueando a mi hermana... te mato».

En cámara lenta, la taza se estrelló contra el piso. «Gabriel, creo que es mejor que te vayas. Vete, hijo, por favor, vete», dijo antes de encerrarse en el cuarto.

Cuarta Parte

Cuando llegue por fin mi mensaje
a tus manos, en la gasolinera
vieja esperaré;
y tomaremos juntos al abordaje
la carretera
que te conté.
Dejaremos colgada
la caprichosa luna sobre los cines
y las estatuas públicas derribadas
en los jardines

Fragmento de la canción maldita.
Joaquín Sabina – Benjamín Prado

I
«Está bien, Gabriel, te contaré lo que ocurrió».

CARLA

1

El relato de Carla, la noticia sobre los secretos de la casa Ramí-rez, no destrozó mi espíritu nervioso. Tenía la extraña sensa-ción de que lo había sabido siempre. Cuando abandoné la casa de la señora Lili todo parecía obvio, cada fragmento del pasado calzaba en el rompecabezas. Me sentí como esos lectores in-genuos aficionados a la novela negra a los que el autor, desde el inicio de la trama, va refiriendo indicios concretos sobre la identidad del asesino pero que, cuando llegan a la última pági-na y ven escrito el nombre del culpable, padecen una hipócri-ta sensación de sorpresa.

Le escribí un correo electrónico. Cambié el pasaje: Caracas-Madrid / Madrid-Barcelona. Le dije a Elena que Acnur me ha-bía invitado a participar en un coloquio sobre cualquier cosa, un debate ético sobre las granjas para pollos en libertad, algo así. «Hablé con tu mamá», escribí sin dramatismo. Me citó en el Paseo Marítimo, cerca del Puerto Olímpico, me dijo que no tendría mucho tiempo. «Está bien, Gabriel, te contaré lo que ocurrió», escribió en postdata.

2

«Yo sabía que algo estaba mal. Era una carajita, no tenía idea de nada pero... Sabía que eso no era normal... Alejandro me tocaba, ¿entiendes? Me tocaba. Al principio no me hacía daño. Al contrario, era súper cariñoso. Por las noches, cuando los viejos se dormían, se metía en mi cama. Le gustaba decir que era mi ángel. Yo no me enteraba de nada, era muy chama, era muy galla. Era una niña, Gabriel ¿Qué se supone que tenía que hacer? No sé cuándo comenzó a tocarme de otra manera, a besarme en la boca. Y yo lo dejaba hacer. ¿Por qué? No lo sé. ¿Me gustaba? Era raro, eran cosas que yo veía en la tele, en las películas, cosas que yo sabía que no debían suceder entre hermanos. Un día fue diferente, mucho más violento; quiso desnudarme, quitarme la piyama. Yo tenía miedo, Gabriel, tenía mucho miedo. Cuando se daba cuenta de lo que me había hecho se ponía a llorar, me pedía disculpas. Una vez me dijo que no podía decirle nada a los viejos, que ese era nuestro secreto. Otra vez me dijo que todo era un error, me prometió que no volvería a suceder —encendió un cigarrillo. Aspiró. Botó el humo. Miraba el horizonte marino—. Me dijo que me amaba, que estaba enamorado de mí. ¿Qué edad tenía yo? ¿Diez, once, doce? No sé cuánto duró todo aquello. Y yo lo quería, ¿sabes? Él era algo más que mi hermano. Todo era muy raro. A veces, en las noches, cuando se metía en mi cama, me acariciaba el pelo, me soplaba la oreja, me cantaba canciones. Otras noches, en cambio, se volvía loco, me pedía que lo tocara, me agarraba la mano por la fuerza y me obligaba a meterla dentro del short. Y, de repente, se ponía a llorar, me decía que por favor, antes de acostarme, trancara la puerta de mi cuarto con llave, que no lo dejara entrar, decía que no quería hacerme daño, que él estaba enfermo, que necesitaba ayuda, que se odiaba por hacer lo que hacía. Por un tiempo se controló, no volvió a tocarme pero entonces ocurrió el deslave. ¿Te acuerdas de La Guaira? Yo no sé qué le pasó en La Guaira. Regresó totalmente cambiado. Se volvió mucho más violento, bruto, celoso... Me obligó a... Me obligaba a... —lanzó la colilla al suelo, la pisó, quitó la vista del paisaje. Buscó mis ojos—. El día que cumplí doce años perdí la virginidad con Alejandro — me miró con odio, con dolor, con vergüenza, con rabia—. Ya te lo dije. ¿Estás contento, Gabriel? ¿Era eso lo que querías escuchar? ¿Qué crees que hacía él después de que ustedes terminaban sus juegos de Nintendo, sus partidas de dominó, sus habladeras de estupideces? Alejandro me obligaba, escúchalo bien, me obligaba a mamarle al *güevo*, a hacerle la paja, cualquier mierda... Y yo no quería. Maldita sea, Gabriel, yo no quería —encendió otro cigarrillo, sus ojos regresaron al mar—. No sabía con quién hablar, no sabía qué hacer. ¿Con quién se supone que iba a hablar? ¿Con mi mamá? ¿Con Silvia? ¿Con mi maestra? ¿Contigo? Alejandro te odiaba. Tu mejor amigo, tu Dios, te tenía una arrechera que no puedes imaginar. Él sabía muy bien que tú me gustabas; equis, era un gusto sano, de carajita, me parecías *cute*, lindo, nada más. Alo se dio cuenta. Dejé de hablarte porque Alejandro me amenazó; me dijo que te iba a matar a coñazos, que me iba a matar a mí también. El día después de la fiesta de graduación me dijo que si volvía a verme cerca de ti, nos iba a matar a los dos; que él ya sabía lo que era matar a una persona. Estaba loco, decía cualquier cosa con tal de molestarme. Fue la peor época, se convirtió en un maldito animal. Me hacía el amor todas las noches; llámalo como quieras, me cogía todas las noches, me violaba todas las noches y sabes qué es lo más enfermo... Yo lo quería, Gabriel... No sé, ponle el nombre que te dé la gana, síndrome de Estocolmo o cualquier mierda... Yo no quería que le pasara nada malo... Él era... No lo sé... Hasta que me ladillé. Un día me ladillé. Ya estaba más grande. Me di cuenta de que los chamos, en el colegio y en el centro comercial, comenzaban a fijarse en mí. Me di cuenta de que era bonita, de que tenía tetas. Me ladillé, Gabriel. Poco a poco, comencé a odiarlo. Me gustaba provocarlo, le daba celos contigo, con cualquiera. Un día lo amenacé, le dije que le contaría todo a los viejos, que lo denunciaría por sádico, por maldito. Me dijo que quién coño me iba a creer, que todo el mundo sabía que yo era una loca, una pe'azo 'e puta. Un día discutimos muy fuerte, mi mamá nos escuchó. Estoy segura de que ella sabía todo este peo pero, como siempre, se hizo la que no se enteraba. Mi papá nunca estaba en la casa, ese sí que no tenía ni idea. Las pocas veces que apareció era para defender al buen Alejandro, al delfín, al heredero de la empresa. Alo tenía razón, nadie iba a creerme. A él lo quería todo el mundo, él era perfecto. Fue cuando conocí a Sergio».

3

Los últimos meses en Madrid representaron un encuentro con la soledad absoluta. Me dediqué a escribir, me centré en narrar las desventuras de un obrero errante que descubre en el último capítulo que tiene un corazón inmenso; ese sería el pueril argumento de *Todos los caminos llevan al alma*. Carnera no respondía mis correos. Elena traspasó todos sus ahorros a una cuenta personal. Mi economía, poco a poco, comenzaba a flaquear. Kyriakos insistía con su relato engañoso: el contrato se firmará el mes que viene, así hasta el infinito. A veces, en las mañanas, trataba de distraerme en la vieja oficina, en la desahuciada fundación. Ayudaba a Vero con el exceso de trabajo. La denuncia ante el Ministerio del Trabajo mantenía con vida lo poco que quedaba de la fundación. Los pasantes eran incompetentes, no había medios, recursos ni medicinas. Para evitar escándalos políticos, dejarían morir al centro de inanición. El escándalo de Vero fue el principio del fin, el último golpe. Un día cualquiera la relacionaron con una clínica de abortos ilegales. Durante dos meses Verónica estuvo detenida. Aquel era un secreto público, un tabú compartido. Todos los días llegaban al centro niñas de doce, trece o catorce años con embarazos no deseados. A veces, cuando la situación lo ameritaba, referíamos los casos a una persona conocida, a un viejo médico sin licencia quien, por lo menos, sabíamos que era cuidadoso con la asepsia. Mariana lo sabía, Javier lo sabía, Kyriakos hacía la vista gorda. Allanaron la clínica, la Guardia Civil y algunos periodistas morbosos visitaron el centro. Un artículo del *ABC* habló de Vero en términos criminales, despectivos. El arreglo, según me contaron, fue sencillo: «Nada de escándalos. No queremos protestas, ni ruido, ni pancartas; el centro cerrará». Como siempre, ganaron ellos.

4

«Sergio era un loquito, un pendejo, un chamo burda de gracioso. El día que mi prima Silvia, en la emergencia del Clínico, me dio su versión del accidente me cagué de la risa: Sergio me violó. Maldita sea, es increíble. Ese día le dije toda la verdad a mis viejos. "¡Fue Alejandro!", les grité. "Siempre ha sido Alejandro". Ellos dijeron que estaba inventando cosas, que mi testimonio era producto de la fiebre. Yo en ese momento no sabía que Alo se había muerto. No podía más, Gabriel, estaba harta, aturdida, cansada. Lo que pasó en Los Teques fue demasiado fuerte. Alo nunca me había pegado, nunca me había hecho tanto daño, no así —traté de tocar su hombro, se retiró con violencia, con grima. Se sentó en un banco—. ¿Te acuerdas de Lucy? ¿Una caraja del Kalmar? —afirmé—. Era la noviecita de Sergio, la de la caución. Lucy era senda loca, le gustaba hacer vainas burda de *freak*. Nos hicimos el tatuaje con el gordo Mantecada; a mí se me infectó, eso en mi casa fue un peo. Los tres nos reuníamos en su casa a beber, a ver porno, a besarnos, a tocarnos, a caernos a coñazos. ¿Viste *Thirteen*?». «¿Qué?». «Nada, una película, una película de unas carajitas que tienen trece años y para divertirse se caen a cachetadas, se dan coñazos. "Vamos a jugar *Thirteen*", decía Lucy y le pedía a Sergio que le cayera a carajazos. A ella le gustaba. No era violencia real, nos dábamos duro, es verdad, pero era una joda. Lucy era hija de un militar, un militar de los viejos, uno de esos que apareció llorando en la plaza Altamira. Un día le robó la pistola al viejo y jugamos a la ruleta rusa. Metimos una bala, le dimos la vuelta y nos caímos a tiros. Tuvimos suerte o no, no sé, nunca pasó nada, la pistola nunca se disparó. Para mí era un escape: la casa de Lucy, la machito de Sergio, La Unión, eran maneras de no estar en el Inírida, de escapar de Alejandro, de la cara de pendeja de mi mamá. Lucy me contó lo que pasó con Sergio, el asunto de la caución. Ese día yo no estaba con ellos. La mamá de Lucy los encontró. Sergio le estaba cayendo a coñazos; fue ella la que inventó el juego, era una vaina que había visto en una película. El cabrón la amarró y le cayó a coñazos. Antes de que llegara la mamá se estaban cagando de la risa. Los descubrieron y, por supuesto, jodieron a Sergio. ¿Tú crees que esa gente iba a reconocer que su hija era una loca? No, claro que no. Acusaron a Sergio de agresión, le tiraron una orden de alejamiento y no sé qué otra mierda. Era más fácil decirle a todo el mundo que Sergio Spadaro era un maldito. Eso fue lo que hicieron conmigo. Sergio es un *güevón*, ese carajo no le haría daño a nadie, está loco pero es un pobre pendejo. Después de la caución de Lucy, nos acercamos, nos acercamos burda. La ausencia de ella nos permitía estar juntos. Él quería tirar, decía que quería ser mi primer amante, que quería enseñarme lo que era la vida adulta, ja, ja. ¡Qué güevón! Yo tenía miedo, yo solo había estado con Alejandro. Y quería hacerlo, Gabriel, quería pensar que era normal, que podía estar con otra persona sin que eso me jodiera la cabeza, que lo que me había pasado con mi hermano no iba a joderme el resto de mi vida, que no iban a tener que meterme en un psiquiátrico, que iba a poder tener una vida relativamente normal. Yo no quería ser una loca».

5

El despacho de Eduardo Carnera, en el Módulo VI de la UAM, estaba bloqueado por una cinta amarilla. Detectives gordos, copiados de la saga *Locademia de Policía*, cargaban *laptops*, PC y discos duros. El cheque correspondiente al anticipo por el *Recetario del amor* rebotó. Carnera no respondía su teléfono celular e ignoraba mis correos electrónicos. Hacía dos semanas que le había enviado el documento definitivo, el PDF del *Recetario*; además, le había adelantado dos capítulos del ensayo en el que reflexionaría sobre la estupidez humana y el inverosímil triunfo del corazón. Era la primera vez, en una relación profesional de más de dos años, que tenía problemas de comunicación con Carnera. El día que visité su despacho en la UAM supe lo que había ocurrido. Me costó reconocer al becario, lo vi en el cafetín. Era el muchacho amanerado que ocupaba un pequeño escritorio en su oficina, el encargado de atender el teléfono, sacar fotocopias, llevar café y tolerar el humor corrosivo del profesor de Literatura Latinoamericana. «¿Buscas a Eduardo?», me preguntó. Acababa de pedir un café negro. La visión onírica de un grupo policial custodiando el despacho no dejaba de llamar mi atención. Vi al becario a la cara. Afirmé. «Se jodió —me dijo—. Nadie sabe dónde está; dicen que se ha ido a Egipto, a Marruecos, a Argelia, por ahí —no tuve tiempo de formular preguntas; hablaba solo—.Eduardo se ha equivocado. El asunto se le fue de las manos. Cuando habló la primera, una tras otra, hablaron las demás». Alcé los hombros. Tenía el pensamiento entumecido, había perdido la capacidad de asociación. «Acoso sexual, polvo de la tarde, trabajo final en la cama. Esta vez, Carnera se ha jodido. Una de las tías era menor de edad y lo denunció; primero en el rectorado y después en los tribunales de justicia. Fue un escándalo. Eso destapó el asunto. Todas las alumnas de Carnera comenzaron a dar su testimonio. Dos o tres de ellas eran menores de edad. El muy cabrón, además, tenía todo el disco duro de su ordenador acá en la UAM, lleno de pornografía. Cuando la policía abrió el PC lo primero que vio fue la pantalla del Ares bajando guarradas de Torbe, *bukkakes* asiáticos y fiestas *teen*. Una de las chicas, al parecer, es hija de alguien importante, un tío del PP. La universidad ha hecho lo imposible por disimular el escándalo pero esta gente quiere pedir, incluso, la renuncia del rector». «¿Dónde está Carnera?», pregunté tras terminar el café. «Nadie sabe. Apenas se olió el asunto huyó. Eduardo, además de las clases, manejaba otros negocios: una editorial, una página web de compra-venta de cacharros, cursos de cocina y no sé qué otra cosa. Dicen que estafó a medio mundo; tomó el dinero de esos proyectos y se fue. Además de las denuncias por acoso sexual ahora lo han denunciado por fraude. Por ahí se está corriendo la voz de que Carnera se fue a África del norte pero no lo sé, Eduardo es un tío listo. ¿Por qué lo buscabas? Eres tesista, ¿no? —afirmé. Pensé en el estado precario de mi cuenta bancaria—. Tendrás que buscar otro tutor. Ahora, honestamente, quisiera hacerte una pregunta; es solo curiosidad, espero que no te molestes: ¿qué puede estar pensando una persona normal para hacer su tesis con un tipo tan despreciable como Eduardo Carnera?».

6

«Yo sabía que Sergio quería irse a Argentina, a estudiar fotografía, cine, no sé qué. Él había estudiado Artes Plásticas en

Caracas. Nunca terminó la carrera pero hacía vainas, esculturas, cuadros, películas. Tenía un taller por Los Teques, era el taller de un pana de él, un tipo que estaba de vacaciones, algo así me contó. Una semana antes de que Sergio se fuera le dije que quería tirar con él, qué carajo, que me gustaría que pasáramos un rato juntos. Los peos con Alejandro cada día eran más fuertes. Me decía puta, me decía que me iba a matar a coñazos, que si se enteraba de que alguien me había puesto una mano encima nos iba a matar a los dos, que yo era suya, solo suya. No sé qué pasó ese día. Me imagino que nos siguió. Caracas era un peo. No había nada de tráfico en la Panamericana. Sergio y yo llegamos a Los Teques, nos fumamos un porro, nos cagamos de la risa. A Sergio ni siquiera se le paró, eso nos dio mucha risa; estábamos jodiendo, hablando paja. En algún momento nos caímos a latas y, de repente, Alo. Se apareció, no sé de dónde salió, no sé cómo abrió la puerta de la casa. Empujó a Sergio, le cayó a patadas, lo botó, le dijo que le iba a dar unos tiros. Sergio se fue corriendo. Pensó que no pasaría nada, que me iría con Alo y que luego hablaríamos. Él nunca supo lo que sucedió ese día. Mucho tiempo después me mandó un correo. Alguien le habló del accidente, me dio el pésame. Yo sabía que él estaba en Argentina pero le perdí la pista durante mucho tiempo. No volví a verlo hasta que vino a Barcelona con una exposición fotográfica. Hoy en día, Sergio es un tipo arrecho, es un nombre, me alegro por él. Es un buen tipo, está loco pero es un buen tipo. Cuando Sergio se fue, Alejandro... —se puso la mano en la frente, sus ojos forzaron una búsqueda estrábica, parecía disolverse en el tiempo, rasgar, escarbar—. Me pegó. No me lo esperaba, no pensé qué... Me pegó en la cara... duro, con el puño cerrado. Después me desnudó, me arrancó la ropa... Tenía mucha fuerza. Él... Yo traté, yo... —sus manos hacían gestos defensivos—. Tenía mucha fuerza... No pude hacer nada. Tenía mucha fuerza —repetía—. Maldita sea, tenía mucha fuerza.

»Me desperté en el carro. Él estaba llorando, me pedía disculpas. Yo tenía una hemorragia, sangraba por todas partes. Él se había quitado la camisa, trataba de parar el flujo de la sangre. "Carla, mi amor, perdóname", gritaba. Me dijo que no había sido él, me pedía disculpas mientras me acariciaba el pelo. Me dijo que iba a pedir ayuda, que él no quería hacerme daño, que él estaba enfermo, que no era él, que él nunca me haría daño. De repente chocó. Cuando me di cuenta estaba en un maldito hospital con la *pajúa* de Silvia metida entre mis piernas. Se me acercó con su voz de sabia. Con cara de circunstancia me explicó que me habían agredido sexualmente, me dijo que me habían violado. Después llegaron los viejos y, qué carajo, ya no podía más, les conté todo. Les dije todo, desde el principio, les conté todo lo que Alejandro me había hecho. "Te golpeaste la cabeza, mi amor. Eso no puede ser", dijo mi mamá. Ellos prefirieron creer que yo me lo inventé. El buen Alejandro, el perfecto Alejandro era incapaz de hacer una cosa así. Me pidieron que lo olvidara todo, que no le contara mis mentiras a nadie. Si alguien me había hecho daño era el pendejo de Sergio pero ellos, para ahorrarme la vergüenza y la incomodidad de una denuncia por agresión sexual, no harían nada al respecto. Fin. Es todo ¿Te gustó mi cuento, Gabriel? ¿Bonito? Voy a pedirte una cosa, una sola cosa: no quiero que vuelvas a hablarme de esta mierda».

7

«Firma las tres copias», dijo Kyriakos. Acercó el documento hasta mi lado de la mesa. Lo primero que leí fue el apartado correspondiente a mis honorarios. Quizás debí firmar. Muchas veces he pensado que esa decisión me hizo perder el tren y asimilar mi condición de fantasma. Leí por encima: Bélgica, programas de cooperación, intercambio, culturas híbridas. La posible felicidad estaba empeñada en un documento, en un formato fácil, ideal, de *fluxes*, de casa con piscina, de carro, de falsa gerencia. Tuve en mis manos la vida perfecta, sin embargo, una vaga incomodidad me hizo apostar por la renuncia. «La profesora Irene quiere hablar contigo, quiere reclutarte para no sé qué proyecto. Eso es lo bueno de estar arriba, Gabriel, las comisiones, siempre surgen cosas; siempre hay un encargo de tal o cual que, por lo general, suele estar bien remunerado. Te dije que jugarías en la primera división. Tú solo debes seguir las reglas del juego y en menos de dos años ya podrás comprarte un chalet en Marsella. ¿Te gusta navegar?». *Maldito griego, ¿Kyriakos es griego?*, me pregunté. Tenía un acento raro, una especie de español cantarín. Fingí leer el documento. Las palabras de Mariana formaban nuevas úlceras. Tomé el bolígrafo. *Qué carajo*, el mundo no iba a ser mejor o peor por mi participación en la conjura. Me vi sentado en un escritorio, haciendo nada, firmando tratados altruistas, diciéndole a un grupo de estudiantes caribeños que la libertad de los pueblos vendría por sí sola, que lo importante era repetir cantaletas filantrópicas, decirles a los buenos que eran buenos y a los malos hacerlos desaparecer con equívocos y calumnias. Luego, de ser necesario, cuando la furia de Dios decidiera destruir algún lugar del mundo, participaría en la redistribución de la justicia. Me daba lo mismo ser héroe o villano; mi perspectiva ética carecía de arraigo. Podría decir, para cumplir con el deber ser, para mostrarme a los ojos del mundo como un individuo integral, que me negué rotundamente a ser parte de la infamia, que mi espíritu tomó posición e, instintivamente, rechacé la oferta pero la verdad cualquier tipo de principio me daba lo mismo. Estaba dispuesto a asimilar mi transparencia, mi nulidad, mi *qué coño*; a darle continuidad a mi matrimonio, a tener un hijo, llamarlo Daniel, bautizarlo, llevarlo a la escuela, obligarlo a hacer la primera comunión, pagarle los caprichos irracionales de la moda, a morirme de viejo con la satisfacción de haber vivido en la escala de grises, de haber cumplido con las expectativas de los otros. «¿Se acuerdan de Gabriel Guerrero? —imaginaba la cháchara de mis conocidos en Caracas, los debates en los muros de Facebook—. Vive en Bélgica, trabaja para la Unesco, tiene un chamo, es el jefe del departamento de cualquier vaina, es un tipo arrechísimo». *Maldita sea*, me dije. Carnera tenía más de dos semanas que no respondía a mis correos. En aquel momento, no tenía noticia de sus fechorías. Pensaba que las cosas con Elena podían salvarse, que podíamos darnos otra oportunidad. Carla se había convertido en una sombra, en un mal sabor, en un principio de diabetes. Empuñé el bolígrafo, volví a leer el apartado correspondiente a mis emolumentos. Recordé el testimonio de la profesora Irene; pensé en la Nena, en los niñitos de los catálogos, en la multitud enferma que cada mañana mendigaba medicinas a Vero, en el labio roto de Mariana. La punta del bolígrafo tocó la hoja. Supongo que tuve miedo. Pensé que el mundo editorial podía mantenerme a flote por un tiempo, pensé utilizar los ahorros para hacer otro máster, para explorar otros campos profesionales. Lancé el bolígrafo sobre la mesa. Kyriakos arrugó el rostro. «¿Qué...?», intentó preguntar. Me levanté. Una rara sonrisa me brotó desde el vientre. «Alexandre —dije pausadamente. Me puse la chaqueta, caminé hasta la puerta—. ¡Anda a mamarte un *güevo*!». Mi carrera había terminado; profesionalmente desaparecí. Aquella renuncia me cerró todas las puertas.

En el metro, de regreso a la casa, sentí que había hecho lo correcto. La decisión de no firmar aquel documento solo me atormenta en las madrugadas, en medio del insomnio, en esos instantes en los que tengo la plena convicción de que no soy nadie, de que no he hecho nada, de que el futuro es una categoría caduca. En aquel momento inventé alternativas: le pediría una participación más activa a Carnera en la editorial, hablaría con Elena, le diría que nos mudáramos de país, que retomáramos el argumento de la familia. Necesitaba escapar del altruismo institucionalizado, de la farsa del mundo, de la hipócrita cara de la ecología. Abrí la puerta del apartamento. La encontré sentada frente a la *laptop*, acababa de mandar un correo. La casa estaba rara, limpia, una maleta pequeña estaba recostada del sofá. Me serví un vaso de agua. «Elena, tenemos que hablar. Me gustaría...», dije asimilado a mis mundos imposibles. Me interrumpió con el movimiento; cerró la *laptop*, se levantó. Habló con una determinación poco habitual. «No, Gabriel. Tú no tienes nada que decir. Hoy voy a hablar yo».

8

El mar rebotaba contra el puerto. «Santiago quiere que me case con él. Es lo mejor, será lo mejor. No puedo soportar un día más en ese país de mierda; no terminaré la carrera, dos años es demasiado tiempo. En el resto del mundo dos años puede ser un lapso razonable, un tiempo de reflexión, de espera; pero en Venezuela dos años son una tortura. Los días no pasan, todo es lo mismo, siempre es lo mismo, la universidad es mediocre, la ciudad es mediocre, tus amigos son mediocres. No hay agua, no hay luz, las autopistas se caen a pedazos. No lo soporto. Todos los días me lo pregunto: ¿qué coño hago yo aquí? ¿Estudiando? Tienes que ver en lo que se ha convertido esa universidad. Más que aprender, en los últimos años he olvidado las cuatro cosas que sabía. Elías, el Donero o el gordo Mantecada serían mejores profesores que muchos de los animales que me dan clases pero, qué carajo, supuestamente es la mejor carrera. Voy a mandarlo todo a la mierda, Gabriel. Me voy a casar con Santiago. Él tiene pasaporte español, no tendría problemas con los papeles. Quiero hacerlo bien, no quiero cagarla, no quiero joderle la vida, quiero intentar tener una vida normal. No puedo seguir contigo, no podemos seguir con esto. Acéptalo. Tú no te vas a divorciar, yo no voy a dejar a Santiago, es así». Traté de acercarme. Esquivó mi abrazo. Permaneció parada muy cerca, como haciendo equilibrio. «Carl —dije bajito. Pude tocar sus hombros, estaba temblando—. Comencemos de cero, de verdad. Vamos a intentarlo —negó con el rostro, se apartó—. Hablaré con Elena esta noche, regresa conmigo a Madrid, podemos...». «Ya deja de hablar paja, coño, es mentira. Despiértate, ya pasó. Yo no voy a dejar a Santiago». «¿Lo amas?», pregunté resignado, vencido, con la bala en el hígado, con el sabor de la bilis en las amígdalas. «A lo mejor sí, no lo sé, eso qué importa. ¿Qué es el amor para ti, esta cosa ridícula que tenemos nosotros?». «No creo que lo que sentimos sea ridículo». «Sí, tienes razón. Aquí los ridículos somos nosotros. Esta relación es una mierda. Lo único que hemos logrado es hacernos daño... hacernos daño y soñar como unos pendejos pero, dime Gabriel, ¿qué se gana con soñar? Santiago es diferente. Santiago me da estabilidad; lo conocí en Caracas, en el propedéutico. Él es un tipo distinto. No es como nosotros, él es bueno. Con Santiago puedo tener comodidad, bienestar, tranquilidad, puedo tener algo parecido a una vida. Y eso es lo que necesito ahora. Alejandro decía que me amaba, tú dices que me amas. Si eso es el amor, entonces el amor es una estafa. ¿Sabes qué me da arrechera? Tú y yo nunca luchamos por esto, lo dejamos pasar. No había grandes obstáculos entre nosotros. ¿Qué? ¿La diferencia de edad? ¡Gran vaina! No es para tanto. Tampoco eres tan viejo. ¿La cercanía, la vecindad, Alejandro? *Whatever*. ¿Tu mierda de matrimonio? ¿Mi situación con Santi? Nunca hicimos el mínimo esfuerzo por tratar de que esto fuera real. A lo mejor nos gustaba que fuera así, misterioso, a escondidas. Tú y yo fracasamos por una sola razón: fuimos cobardes, nada más —giró, dio un par de pasos ebrios, sin rumbo—. Tengo que irme, es tarde». Me acerqué con prudencia, tomé su mano. Intenté besarla pero se retiró con el sigilo de un gato. «No vuelvas a escribirme, Gabriel, por favor. Lo que hablamos hoy no lo hablamos, no existe. Estaré en Barcelona una semana más, luego debo ir a Caracas a buscar unos papeles: partidas de nacimiento, antecedentes penales, constancia de cualquier vaina. Es probable que tenga que ir a Madrid para hacer unas legalizaciones. Te prometo que te llamaré para tomar un café, para hablar como amigos». *Coño'e tu madre* —me dije— *¿tú crees que yo quiero tomarme un maldito café?* Mi reacción mortificada llamó su atención «¿Qué? —preguntó— ¿En qué estás pensando?». «En Liubliana. Solo puedo pensar en Liubliana. No puedo creerlo, Carl. Solo nos hemos visto tres o cuatro días en los últimos ocho, nueve años. Y en tres días todo esto». Respondió rápido, como si hubiera ensayado la respuesta: «Es que tú y yo somos como los Balcanes: hacemos más historia en veinticuatro horas que el mundo en cien años. Tengo que irme, adiós». «¡Carl!». «Gabriel, por favor, no lo hagas más difícil». «No te cases. No...». Alzó la mano. «Casada o no yo no podría estar contigo, esto ya no tiene ningún sentido. Ahora sabes la verdad, quisiste saberla. Yo nunca podría ser feliz al lado de una persona que sepa quién soy, que sepa todo lo que ha pasado. Yo solo puedo estar al lado de alguien que no me conozca, alguien que piense que las cicatrices de mi pecho me las hice cuando me caí de una bicicleta. Ahora me conoces demasiado bien. La verdad está sobrevalorada. Santiago puede darme algo que tú nunca podrías darme: su ignorancia. Él no me conoce, créeme que es mejor así».

9

Madrid, la última Madrid, es también una mezcla de voces, de reuniones inútiles, de sucesivas estafas, de revelaciones. Esos tres meses se mezclan como una pelota de plastilina. Aquel fue un bloque de tiempo muerto, intransitivo. Solo recuerdo el día que Carla se fue, cuando la vi por última vez en Barajas... de resto solo quedan las voces: Elena, Fedor y, entre otros, el timbre rugoso de un hombre llamado David Felipe, la pareja de Javier Cáceres.

«Gabriel, se me había olvidado comentarte —dijo Eleonora días antes del cierre—. Afuera está un hombre llamado David Felipe. Es la tercera vez que viene». «¿Y quién es...?». «Es el novio de Javier, vino por sus cosas. Ha venido otras veces pero no he podido ayudarlo. Sé que Mariana y tú habían apartado los objetos personales de Javi. ¿Puedes hablar con él?», dijo interrumpiendo. «Elena, tenemos que hablar. Me gustaría...». «No, Gabriel. Tú no tienes nada que decir. Hoy voy a hablar yo. No podemos seguir con este fraude. Ya no lo aguanto. Creo que lo mejor es que nos separemos, quiero el divorcio». «Yo no sé por qué el Madrid fichó a este muchacho, se lo devolvería al Sevilla gratis, inmediatamente. ¡Qué malo es, por Dios!». Estábamos en el mismo bar de La Latina, en la Cava Baja. Fedor preguntó por Caracas, por la gente. Le conté la historia de Vivancos, no pareció conmoverse, nada parecía mortificarlo. «Gabriel, escucha, te voy a pedir un favor. No quiero que vuelvas a hablarme de ese país de mierda». Gol del Madrid. «Buenas tardes, mi nombre es David». Era español, castellano, castizo. Respetuoso, mayor. Calculé, aproximadamente, sesenta años. Tenía el cabello largo y aliento a tabaco. Lo recibí en la antigua oficina de Mariana. Revolví un rincón y, por fortuna, encontré la caja en la que colocamos las pertenencias de Javier. «Javi estaba muy deprimido», dijo antes de sentarse. «Sé que he cometido muchos errores. Sé que he fallado como esposa, como mujer, como compañera, pero, coño, tú nunca estuviste ahí. Tú estabas en tu mundo. Cuando te necesité no te importó, parecía estorbarte —intenté hablar—. Cállate la boca. No quiero que hables, no quiero escucharte, tengo más de un año escuchando tus pendejadas, tus mentiras. ¿Qué haces aquí, Gabriel? ¿Por qué te casaste conmigo? ¿Por qué no te has ido? Tú sabes perfectamente que no sientes absolutamente nada por mí. Dime qué haces en esta casa. ¿Alguna vez te preguntaste lo que yo quería, lo que yo necesitaba? ¡Egoísta de mierda!», dijo sin inmutarse, sin alzar la voz. «Ríete si quieres pero es la verdad —dijo en el entretiempo—. El mal es Venezuela. A ese país deberían dinamitarlo, lanzarle una bomba atómica. El infierno está en la Tierra y queda en Caracas, es así. Yo lo sé. A Alejandro lo mató Caracas, a Martín lo mató Caracas, a nosotros Caracas nos hizo ser los infelices que somos. Perdimos el partido porque nacimos ahí, nunca tuvimos una oportunidad de nada. Nuestro tren pasó, Gabriel, y lo dejamos pasar. Lo dejamos pasar porque nos enseñaron que ninguno de esos trenes era para nosotros, porque nos dijeron que teníamos que echarle bolas caminando y, lo peor, nos dijeron que caminar era de pinga». «Había ocurrido antes. Javier había tenido dos intentos de suicidio. Él tenía un temperamento muy inestable. Teníamos nuestros problemas, ¿sabe? Tratamos de separarnos pero no sabíamos cómo hacerlo. La costumbre, la rutina, el aferrarse al otro. Él solo tenía su trabajo. En teoría, los dos entendíamos que lo mejor era que no siguiéramos juntos pero, al intentarlo, se hacía muy difícil, verdaderamente difícil. ¿Usted me entiende?». «Cállate la boca —insistía ante mis réplicas—. No me mientas, por favor, no sigas mintiendo. ¡Ya! Se acabó. No tiene sentido que sigas contándote las historias de siempre, que sigas jugando a que eres grande. ¿Crees que soy pendeja, Gabriel? Sí, sé que piensas eso. A mí me dio la gana de que pensaras eso porque cuando estuve mal sentí que era lo mejor, porque cuando nunca me acostumbré a esta ciudad de mierda pensé que dejarte vivir lo que no podías vivir conmigo podía hacerte bien. ¿Tú crees que nunca me di cuenta? ¿Crees que no me daba cuenta cuando llegabas oliendo a puta? —de nuevo, en vano, intentaba replicar—. No lo niegues, coño. No lo niegues. Si me vuelves a decir una sola mentira, te echo a los perros. ¿Qué te pasó? ¿Tú has pensado en lo que hiciste? Entiendo que la muerte de Martín fue algo muy fuerte y desagradable pero Gabriel, coño, te volviste loco. Me asustaste, parecías un recogelatas, un loco'e plaza, me pegaste. ¿Tú crees que yo quiero vivir así? ¿Tú crees que yo puedo vivir con un extraño, con un loco? ¿Quién coño eres? ¿Qué carajo eres? ¿Tú crees que no sé que tienes una vaina con otra tipa? —intenté tomar la palabra, solo salió un ruido—. ¿Cómo que quién, *güevon*? La mujer del BlackBerry. ¿Quién más?». «Yo no quiero tener absolutamente nada que ver con Venezuela. Si te vas, hermano, no cuentes conmigo. Olvídame. No me escribas, no me cuentes historias, no me mandes chistes. A mí ese país no me importa. Yo no soy un carajo consecuente, Gabriel. Yo siempre estuve al margen. Yo nunca tuve el corazón de Martín, ni la simpatía de Atilio, ni la gracia de Alejandro aunque, pensándolo bien, qué coño tenía de especial Alejandro Ramírez. ¿Por qué Alo era un tipo arrecho? ¿Por qué le jalaban tanta bola? Alo era un *güevón*, Gabriel; un *güevón* más. Lo único que hacía era sacar buenas notas y jalarle bolas al profesor de turno. Alejandro era un carajo totalmente transparente, idéntico a todos los venezolanos treintañeros que se aparecen por esta mierda, un pobre pendejo que no tenía nada y se las daba de una vaina. Escucha una cosa, Gabriel. Nuestra generación no vale ni media mierda. Nosotros perdimos. Heredamos una idea de país arrechísimo, una vaina con real, con petróleo, con culos, con futuro pero todo fue un *bluff*, todo era pura paja. Yo no sé si los chamos de ahora tienen ideas diferentes o tienen algún tipo de conciencia original, diferente, pero nosotros... nosotros solo podemos dar vergüenza». «¿Javier le contó algo sobre problemas en el trabajo?», pregunté con tacto. Negó. Alzó las manos. «No sé nada sobre su trabajo. Sé que a él le gustaba ayudar a las personas, que se involucraba con muchas fundaciones, agencias de cooperación. Era muy crítico con la manera como se gestionaban estas agencias, pero la verdad, no lo sé. En la carta no contó nada de eso». *¿Qué carta?*, me pregunté. «Pensé que era algo pasajero, que te estabas cogiendo a alguna puta pero después me di cuenta de que era en serio. Siempre lo supe; eres demasiado torpe, no sabes mentir. Yo tampoco hice nada por retenerte, por llamar tu atención, yo también tenía problemas, Gabriel, pero eso a ti nunca te importó. Ahora sé que esto no tiene sentido. Tomé una decisión y quiero que la respetes. Si espero por ti, podríamos hacernos viejos en este jueguito de infelicidad, porque tú nunca serías capaz de tomar una decisión, porque eres incapaz de reflexionar como adulto, porque no estás a la altura de tu edad, porque te queda grande la palabra hombre —sus ojos botaron lágrimas de rabia—. No sentí nada. La última vez que me hiciste el amor, cuando cerrabas los ojos y te cogías a la mujer que te volvió loco no sentí absolutamente nada. Nunca fuiste tan dulce, tan apasionado, tan cariñoso. Supe que no estabas conmigo. Aunque en realidad, sí sentí algo: vergüenza. Me dio mucha vergüenza saber que me había enamorado de un pendejo como tú; porque yo te quería, Gabriel. Yo te amaba, coño, yo te amaba», repitió. «Puedes decir que soy un coño'e madre, no lo sé. Es cuestión de temperamento. Yo a ustedes los quiero. Ustedes son, han sido, mis únicos panas. Alo, el *güevón* de Martín, el mamarracho de Atilio pero yo sé que el día que me necesiten no estaré ahí. El día que tú me pidas ayuda yo no estaré, te daré la espalda. Y no lo haría por coño'e madre. Es que eso es lo único que yo sé hacer. Si algún día una carajita que te estás cogiendo te mea y necesitas ropa, de pinga, puedo llevarte una bufanda del Getafe pero el día que necesites ayuda real yo no estaré. No cuentes conmigo. Yo soy de los que huye. Hay cierta dignidad en la fuga». «Encontré una carta, un documento Word realmente. Estaba en el ordenador, en la casa. Me escribía un par de cosas personales, me decía por qué no quería seguir viviendo. No había nada relacionado con su trabajo. Eran los problemas de siempre: nuestro matrimonio fracasado, su padre, Chile, su ciudad, la enfermedad de un viejo amigo, cuestiones muy nuestras. Creo que Javi se quitó la vida porque no supo vivir». «El alquiler del apartamento está cubierto por los próximos tres meses. Luego te tocará resolver. Debes salir a vivir, Gabriel. Estaré en Lisboa con mi papá. Un abogado se pondrá en contacto contigo. Tu parte del dinero está en el banco. Si quieres hablar algún día escríbeme. Ahora estoy demasiado arrecha y solo podría hacerte responsable de todo, insultarte, caerte a coñazos —paradójicamente estaba serena—. Te pido disculpas por mis errores, por no haber sabido lidiar con la pérdida. Para mí era importante, ¿sabes? De verdad lo quería, sé que me obsesioné y no te expliqué mi necesidad, te impuse mis prioridades y entiendo que todo eso te agobió. Soy responsable de parte de nuestro fracaso, pero lo que tú has hecho, Gabriel, la manera como has llevado nuestro matrimonio ha sido... no sé ni cómo llamarla... has sido un cabrón y lo sabes. Me has tratado como una mierda, nunca me respetaste, te reíste de mí, te burlaste y lo que más arrechera me da es que ni siquiera lo reconozcas». «Está bien, Elena —dije impasible—, tienes razón, tienes razón en todo lo que dices», palpé el bolsillo de la camisa en busca de cigarros. Se acercó y me besó en la sien, agarró una maleta pequeña, antes de cerrar la puerta me miró con insolencia: «¡Güevón! », gritó al salir. «Así que, chamo, te lo repito. Nunca más, nunca jamás me vuelvas a hablar de Venezuela. Si es por mí, el cabrón de Chávez podría mandar hasta el 2050, me da lo mismo. Que se jodan, yo a esa gente le tengo arrechera».

II
«Todo está en las canciones».
Carla

1

Había perdido mucho peso, su piel tenía manchas moradas, sus brazos estaban cubiertos por costras duras. La misma mujer que alguna vez había sido mi referente de belleza yacía postrada en un sofá en una lucha desigual contra el tiempo. Su pelo parecía falso; la hermosa cabellera que, en los primeros años noventa, recordaba comerciales de champú, tenía la triste textura de un peluche viejo. Le costaba caminar. La caída, la última caída, le había destrozado los huesos. Además, estaba el problema del Inírida.

El Inírida, como la mayoría de los edificios de la Marco Antonio Saluzzo, se estaba cayendo a pedazos. Las lluvias arrastraron la montaña hasta la calle. Solo funcionaba el ascensor impar, el otro se inundó. Los tres primeros pisos fueron declarados inhabitables. El catorce quedaba demasiado lejos. Atilio le explicó a mi mamá la necesidad de la mudanza, la conveniencia por tener salidas accesibles. Sin darle detalles sobre su enfermedad, le planteó la posibilidad de una emergencia pero la Nena, terca, decidió ignorarlo. «Nadie me sacará de mi casa», decía sin alzar la voz.

Se quedaba dormida de repente, en medio de conversaciones insustanciales, con libros de autoayuda en sus manos. Sin contarle la verdad, le regalé *El ejército de las hormigas*. Solo pudo leer cuatro páginas. Ella no decía groserías, sin embargo, cuando pedí su opinión fue tajante: «Es la peor mierda que he leído en toda mi vida. No sé de dónde sacaste a ese aburrido japonés». Por una vez, estábamos de acuerdo. Me acostumbré a cuidarla, a limpiar sus urgencias, a sostenerle la cuchara de sopa. Cuando, tras firmar el divorcio, regresé a Caracas me tocó ejercer el oficio de enfermero.

El día que sufrió el ataque hizo mucho calor. No había agua. La última tormenta había inundado de basura el tanque del edificio. El Inírida se abastecía quincenalmente con un camión cisterna que pagaba la junta de condominio. Temprano, en la mañana, la Nena parecía estar bien. Incluso pudo caminar hasta el balcón. Aproveché su lucidez para salir. Fui hasta la panadería Codazzi en Los Chaguaramos y le compré su dulce favorito: torta milhojas. Regresé al edificio, estacioné en el sótano, en la parte del sótano que no había sido cubierta por la tierra. Subí las escaleras hasta el tercer piso. Los bomberos prohibieron usar el ascensor de manera indefinida pero el conserje, un intrépido maracucho versado en la ciencia de las soluciones imaginarias, configuró el aparato de tal manera que el piso tres funcionaba como planta baja. La encontré en la ventana, apoyada en la baranda. Mi mamá se había convertido en una viejita. Tenía la espalda doblada, las rodillas frágiles. Al contemplar su minusvalía era imposible no evocar a la Nena Guerrero de mi infancia, a la diosa de Santa Mónica. El exilio me hizo perder de vista la gradual agonía de su debacle. La ayudé a sentarse. Le mostré la caja con el dulce. Sonrió. «¿Qué hacías?», le pregunté. «Nada, me estaba acordando de mi papá, de tu abuelo». Inédito. La confesión me tomó por sorpresa. La Nena Guerrero no tenía pasado. «Vivíamos en San Francisco», me contó. Nunca me había preguntado por qué razón la Nena dominaba a la perfección el inglés. Sabía que había vivido en los Estados Unidos pero la información era superficial e incompleta. Ella nunca nos habló de su vida. «Tenía dieciséis o diecisiete, no me acuerdo. Fuimos a comprar algunas cosas. Tu abuelo entró a la tienda —la palabra abuelo me hacía cosquillas, era rara. Yo no tenía abuelo, nunca lo había tenido—. Me quedé afuera, esperándolo. De repente, atropellaron a una señora. Un carro pasó volando y se la llevó por delante. Dio vueltas como un trompo. La mujer cayó en el piso, a mi lado. No sabía qué hacer. Una persona corrió a un teléfono público y llamó a una ambulancia. En ese tiempo no había celulares. Estaba viva, viva pero muerta, tenía el cuerpo destrozado pero sus ojos parecían querer agarrarse a la vida. Y me puse a llorar, tenía miedo. Me senté a su lado, en el piso, y le tomé la mano. La señora me miró, me apretó con fuerza, se murió. Cuando mi papá salió de la tienda la mujer ya estaba muerta. Me sentí muy triste, no podía dormir, me sentía mal por no haber podido hacer nada. Tu abuelo, que era un sinvergüenza, ese día me dijo algo que nunca pude olvidar. Entró a mi cuarto en la noche, me preguntó cómo estaba, le dije la verdad: le dije que me habría gustado haber hecho algo por esa pobre mujer. Él me dijo que había hecho mucho, que había sido muy valiente. "¿Valiente?", le pregunté. "Pero si no hice nada", le dije. Mi papá me dijo que no todo el mundo habría hecho lo que yo hice, que había que ser muy valiente para sentarse a ver morir a alguien, para estar ahí, tomarle la mano y, poco a poco, verlo apagarse, que no todo el mundo tiene la fortaleza». Quitó la vista del paisaje, me miró sin la máscara. Encontré los ojos cetrinos de mi infancia, la belleza encarnada. «Gracias, Gabriel», dijo. Se escuchó un ruido de tuberías. Volvió el agua.

Teníamos más de dos días sin agua. Consciente de su exceso, de su delación intimista, tiró la mirada a la ventana. «Gracias por la torta, siempre me gustó la torta milhojas de la Codazzi. Aunque me cueste reconocerlo, es la verdad, las panaderías de Los Chaguaramos siempre fueron mejores».

La dejé en la silla, con el dulce en las manos. Corrí a ducharme. El agua salía sin presión, fría, coloreada de ocre. Cuando regresé a la sala la encontré partida por la mitad; el cuerpo se le había roto, una parte de la cara se le había muerto. El único ojo vivo hacía giros desesperados hacia el techo, la mano animada trataba de aferrarse a la madera, su boca incompleta soltaba ruidos horribles. La ayudé a levantarse. Con un esfuerzo inmenso pude colocarla en la silla solitaria. Me invadió el pánico. No sabía tomar decisiones. Traté de pensar con orden, de ahuyentar a los perros. Corrí al cuarto, registré los bolsillos de mi pantalón tirado en el piso. Encontré el celular: Atilio. Marqué. «¡Gordo! Mi mamá, es urgente». Atilio me devolvió la llamada tres minutos más tarde. Ya había mandado la ambulancia. La llevarían al Hospital Clínico, él hablaría con el doctor Ascanio para recibirla en emergencias. Me pidió, pausadamente, que le describiera la situación, que le contara los pormenores de su rostro deforme, de su angustia inexpresable. «Háblale, trata de calmarte. Que no te vea alterado. Respira, hermano. Paciencia, ya la ambulancia salió para allá». La espera fue eterna. Siguiendo los consejos de Atilio amasé sus sienes con agua. Tenía fiebre, la frente le ardía. Sus dedos se aferraron a mi brazo, me clavaron las uñas, el ojo vivo giraba como una noria. Los minutos no pasaban, los relojes parecían ir en sentido contrario. *Coño'e la madre*, grité tras la llamada de Atilio. «*Marisco*, la ambulancia chocó. Hay un peo en el centro, hay una marcha, no podrá pasar pero ya resolví. Tienes que llevarla hasta el Cemo, en la principal de Santa Mónica, ahí tengo un pana. Hablaré con él inmediatamente». *¿Cómo coño voy a bajarla?*, me pregunté. *Maldita sea*. Con el gesto espontáneo del desesperado corrí hasta el pasillo del catorce, pedí auxilio a voces, con otra voz, con la garganta de un yo vencido. *Ayuda, auxilio, por favor*, no sé qué carajo dije. Todos mis temores se fundieron en una secuencia mortificada de alaridos. De repente, me sentí dentro de una película mala: un hombre de baja estatura, con una pistola en la mano, subió por las escaleras. Me apuntó con el arma y con jerga malandra me preguntó qué sucedía. No entendí nada. Bajó la pistola, llevó hasta su boca un *walkie-talkie*. «Todo bien, señor ministro, todo bien». Alfredo, el Caspa, subió las escaleras. «¿Gabriel?». «¡Caspa!». «¿Qué pasó, mi pana?». Era el inútil del 13. Mucho tiempo después, alguien me contó que el ministro Requena solía utilizar el viejo apartamento de Santa Mónica como refugio de secretarias. Aunque éramos hombres extraños, diferentes, volvimos a ser los carajitos de siempre. Recordé los días en los que subía a pedirme prestados juegos de Nintendo o cuando nos faltaba un defensa y lo llamábamos para jugar en el Parsamón. «Gabriel, ¿qué pasó?», repitió. «¡Marico, mi mamá!», dije. Entró conmigo a la sala. «¡Señora Nena! —dijo el exalumno—. ¿Llamaste a la ambulancia?». Le expliqué la situación. Alfredo le cayó a gritos al guardaespaldas: «Llámate a Pedro ya. Dile que meta el carro en el sótano. Hay que llevar a la señora Nena a una clínica en la Principal. Tú ven acá, ayúdanos a moverla, rápido Jaime, coño. —Se quitó el paltó y lo lanzó en el piso—. No se preocupe señora Nena, la vamos ayudar». «Hay que bajarla hasta el 13. El ascensor par no funciona». La Nena se resbalaba de la silla, el ojo le lloraba. El guardaespaldas se colocó detrás de la silla, Caspa y yo tratamos de alzarla por los lados. Yo había quedado justo del lado derecho, en la parte viva de su cara. Le pedía, por favor, que se aferrara a mi hombro, que se agarrara de mi camisa, pero ella no quería moverse. La desesperación, nuevamente, tomó la palabra. «¡Mamá, coño!», grité. La palabra mágica, nunca antes pronunciada, pareció tener efecto. El ojo parpadeó, ganó una intensidad distinta. Segundos de calma. «¿Le damos, Gabrielito?», dijo el ministro. Sentí una fuerza animal afincarse sobre mi camisa. Logramos mover la silla. Antes de salir el guardaespaldas había dado algunas órdenes por *walkie-talkie*. Otro malandro de *flux*, en el 13, estaba aguantando el ascensor. Llegamos directo al piso tres y de ahí al sótano. Un carro con vidrios oscuros y una sirena chimba, parecida a las de las películas gringas, nos esperaba con la puerta abierta. Dos motorizados nos escoltaron. Llegamos a la clínica en menos de diez minutos. Al llegar al Cemo me encontré con la señora Cristina. Atilio llegó más tarde. Los médicos tenían muy mala cara. Aguantó dos días. La Nena Mercedes Guerrero, la princesa de mis cuentos, terminó convertida en un alambre; tuvo el triste destino que enfrentan todos aquellos que confunden la inmortalidad con la belleza. «En el Clínico tampoco habrían podido hacer nada —me dijo Atilio—. El derrame fue muy fuerte». Entre la maraña de tristeza, solo un pensamiento lograba sanarme; era una frase suelta, algo que ella había dicho en los últimos meses: «Si me voy a morir, quiero morirme en Santa Mónica, cerca de mi casa».

Habría dado todo por compartir ese momento con Carla; la eché de menos, la necesité. Hacía mucho tiempo que se había ido.

2

La vi por última vez en el aeropuerto de Barajas. Envió un mensaje breve. Su vuelo haría escala en Madrid. Dijo que si no había retrasos en Maiquetía podíamos compartir un par de horas. Finalmente, se instalaría en Barcelona; en menos de dos meses se casaría con Santiago.

Llegué al aeropuerto antes de lo previsto. Caracas. *Landing*, leí en la pantalla. Me tomé tres cafés. Caminé por todos los recovecos de la T4. Pasé más de una hora varado en la

puerta de salida, perdido en el tumulto. La encontré al fondo
de un pasillo, cerca del Vips. Por primera vez pude verla en su
dimensión real, sencilla. Me encontré a una carajita cualquiera, sin gracia, sin el aura de belleza que le había adjudicado
mi razón enajenada. Flaca, demasiado flaca, movía el pie derecho con la intermitencia de un tic, mascaba chicle, dos audífonos diminutos colgaban de sus orejas grandes. No llamaba la atención por ningún atributo; parecía incluso ordinaria,
corriente. Descubrí que los rasgos de su rostro eran muy fuertes, muy marcados para su edad. Tenía la piel gastada, como
si algún detergente le hubiera provocado una reacción alérgi-
ca. Una joroba breve se insinuaba sobre su espalda. Vestía un
jean roto y una chaqueta verde manchada de café. Sus ojos se
paseaban por todos los rostros de la sala. Me vio. Me recibió
con una sonrisa, me besó en la sien, colocó sus manos detrás
de mi cuello. Y volví a contemplarla con detalle. Mis ojos encontraron a una mujer normal, a una carajita que, en cualquier vagón de metro, habría pasado desapercibida. ¡Dios!
¡Cuánto la quería! *¡Cuánto la quiero!*, me dije. La conciencia
de su imperfección reforzó mi entrega. Sabía que nunca podría arrancar de mi cabeza las horas de Liubliana, los olores
rancios del baño de un bar en Barcelona, una canción de Marc
Anthony, el agua bendita de su orina. Apreté sus manos con
fuerza, nos vimos muy cerca. Su mirada me quemó; sentí el
mismo estremecimiento del puente de los Dragones. Había
dejado de ser la niña más hermosa del mundo, la figura alada
rodeada de luz. Ahora era una mujer encarnada, una persona
con defectos humanos, con los labios rotos, las manos rese-
cas y la piel áspera. Era finita, incluso fea. «¡Te amo!», dije
abrazándola, incapaz de disimular el dramatismo, convencido de que la vida sin ella sería un insoportable suplicio. Coloqué mi brazo detrás de su espalda. Su perfume me pareció piche, dulzón. La besé en la frente. Ella registró su iPod. «No

hablemos, Hemicraneal. No hay mucho que decir —dijo—. Ya hemos dicho todo lo que teníamos que decirnos —sus dedos jugaban con el aparato—. Dejemos que hable Andrés», agregó. Se soltó uno de los audífonos y me lo colocó en la oreja. Se colgó de mi cuello. Me abrazó con la urgencia de un niño que aún no sabe caminar y que, a pesar de que logra dar dos o tres pasos, desconfía de su equilibrio. Permanecimos apostados en la baranda de la T4 con los ojos cerrados, recordando el aullido de dragones viejos, la plenitud de otras barandas. Sentí el golpe violento de una guitarra. Luego, Andrés Calamaro habló. Me llamó hijo de puta, me llamó necio, me dijo con su voz carrasposa que se me había terminado el tiempo: *Negrita / el corazón me grita / me pide que vuelvas de una vez / una vez tuve una vida, no era fácil / pero era mía. / Y ahora me falta lo más importante.* Repasé la profundidad de nuestras noches, las charlas de sobremesa, las palabras sueltas, las cervezas en Malasaña, el sabor de sus senos. Acomodó su cabeza sobre mi pecho. Mis manos se enredaron en su cabello graso, perfecto. Y Calamaro seguía disparando, haciendo daño: *Siempre supe que sin usted / no podía sobrevivir, es más hambre que el hambre / más sed que la sed, peor.* Sus dedos me palparon los labios, su palma siniestra me recorrió la cara, tocó mis ojos. La apreté con más fuerza. No quería soltarla, no podía dejarla ir. Andrés, por su parte, seguía mentándonos la madre: *Necesito escuchar tu voz / volver a hacernos el amor / Volver a sufrir y a reír, con mi Negrita / no ves cómo el corazón me grita / y el techo se me cae encima / porque me falta lo más importante.* Alzó la cara, tenía los ojos encharcados. Forzando una sonrisa se dedicó a cantar cerca de mi oído. Cantó solo una palabra, en realidad la murmuró, modificó la curva de un verso, tapó la referencia bonaerense con la vulgaridad de nuestro sino. Su canto forzó el efecto de la magia. Como en una fiesta proscrita se paró sobre mis zapatos, se colocó en puntillas y, con Calamaro como segunda voz, dijo: *una vez, en «Eslove-nia», me di cuenta / que existen las fantasías pero también... exis-te el amor verdadero / sin ese no puedo seguir entero, / porque me falta lo más importante.* Maldito argentino, me dije. Regresó al suelo. Nos quedamos emparedados. La canción seguía dando coñazos mal intencionados: *si no das una señal,/ voy a tener que aprender a vivir otra vez / voy a aprender a los golpes, a reci-bir / tal vez elija mil veces, el mal camino. / Voy a tener que aprender a vivir otra vez.* «Todavía no sé lo que fuiste tú —dijo riéndose al terminar la elegía—. Adiós, Hemicraneal. ¡Adiós! —Repitió pausadamente—. Qué palabra tan melodramática, ese es el problema con nosotros. Somos trágicos, demasiado trágicos. A nuestra relación le faltó humor. Somos una pelícu-la mala de Walt Disney y tú sabes muy bien que a mí nunca me gustaron las películas de ese señor». «¡Quédate! —dije—. Mándalo todo a la mierda, anda». «No —dijo riéndose—. Ya yo estuve en la mierda, ya fui y volví. No me gusta. Esta vez quiero hacerlo bien». «Sabes dónde encontrarme, si algún día...». «Sí, lo sé». Nos quedamos viendo como dos imbéciles, en silencio extremo. De repente, hizo un gesto con sus ma-nos, un movimiento raro. Alzó su mano derecha e hizo una mueca. «¿Qué?», pregunté sin aguantar la risa trágica. «Nada. Una mariquera, una pendejada de la que me acordé —no sa-bía de qué hablaba—. ¿No te acuerdas?». Repitió el movi-miento, su mano derecha saltó a mi frente y bajó hasta la me-jilla, su boca hizo un ruido. Recordé. «¡Ah! Ya. ¿*Charmed*? Te gustaba jugar a la bruja». «Sí, te estaba maldiciendo». «¿Más?». «Sí, más. Puedo ser muy perversa». «Cuéntame». «No, sería demasiado cruel». «Anda, maldíceme, qué carajo. Ya estamos los dos bastante jodidos». «Vas a decir que soy una perra». «Eres una perra, eso ya lo sé. No me importa». «Tengo que irme, Hemicraneal. Tengo que entrar». «No te dejaré ir hasta que me digas tu maldición». «Está bien —dijo riéndose. Me puso la mano en la cabeza. Interrumpió la carcajada fingida, me miró con ojos de loca—. Quiero que pienses en mí cada vez que hagas el amor, quiero que pienses en mí cada noche antes de dormir y cada mañana al despertar; quiero que pienses en mí cuando te sientas solo, cuando trates de convencerte de que puedes ser feliz con otra persona, cuando sonrías, cuando estés triste. Si algún día tienes un hijo quiero que imagines que es nuestro, que lo quieras como si hubiera salido de mi vientre. Si es niña llámala Lucía. No quiero que vuelvas a enamorarte nunca, quiero estar en todos tus pensamientos —forzó otro sonrisa, engoló la voz, imitó al viejo Gonzaga, el legendario profesor de historia del arte del colegio— desde hoy hasta el día del juicio final. ¿Qué tal?». «Tienes razón, eres una perra maldita». «Tú lo pediste, soy tu karma. Adiós, Gabriel. Cuídate». «¿Por qué Lucía?», pregunté. Alzó los hombros. «Nada en especial; me gusta el nombre. Supongo que por la canción de Serrat». «Tú y tus canciones, Carl». «Todo está en las canciones. Para mí siempre estarás en esas canciones. Escúchalas, ahí podremos encontrarnos. ¡Qué cursi! ¿No? Ojalá todo hubiera pasado de otra manera... ojalá, Gabriel. Puede que sea ridículo pero es la verdad: tú y yo pudimos haber sido los carajos más felices del mundo. ¡Qué coño!, no se pudo, nunca se pudo... ¿Cómo es que dice el tipo de la película? Siempre nos quedará Eslovenia. No está tan trillado como París pero para nosotros vale». Me besó en la boca, apenas me humedeció los labios. Se fue. «Te quiero», dijo dándome la espalda. La vi alejarse, calzarse su Jansport, guardar el iPod. Caminé a su lado hasta la zona de control. Entró. Me quedé en la antesala. Se quitó la correa, colocó el morral sobre la máquina. Pasó bajo el detector de metales. Algo sonó, tuvo que regresar. No había muchas personas. Era fácil verla desde la distancia. Sacó algo de sus bolsillos, volvió a entrar. Recogió su bolso. Volteó hacia donde yo estaba, levantó su mano, me dio la espalda. Nunca más volví a verla. Cerró su perfil de Facebook, cerró su cuenta de Gmail, me eliminó del Messenger. Desapareció. Nunca tuve hijos pero de resto, su maldición se cumplió al pie de la letra.

3

En Venezuela también morirse es un problema. Los trámites burocráticos con la funeraria fueron un ajetreo insoportable. Papeles, pagos, gestores, preguntas: ¿Padre de la fallecida? ¿Madre de la fallecida? La señora Cristina me ayudó a resolver aquellos misterios del pasado posible. El velorio tuvo lugar en el Cementerio del Este. El dolor de cabeza era brutal, fortísimo. No había comido, no me había bañado. La señora Cristina permanecía sentada a mi lado vigilándome con el cariño espontáneo que se siente por los hijos enfermos. Atilio me llevó una arepa y un jugo de melón, lo rechacé. «Cómase algo, mi hermanito», dijo. Intenté masticar, no pude. Pasé horas clavado en una silla con los ojos en el suelo. Se aceleró la miopía, no distinguía nada. Algunas figuras amorfas se acercaban a dejar el pésame; ni siquiera tenía la educación de mirarlos, de darles las gracias. Tenía la nariz tapada, los oídos manchados por el cerote, las lagañas cosidas a los párpados. No sé en qué momento entraron dos obreros vestidos con bragas grises. Me dijeron algo, no entendí. La señora Cristina palpó mi espalda. Uno de ellos se acercó al féretro, lo tapó. Tenían que llevársela. Atilio se colocó a la cabecera de la urna. Traté de levantarme, quería estar a su lado. Yo debía cargar a mi mamá hasta la furgoneta, hasta el hueco. Me imaginé que los obreros nos ayudarían. Cuando quise pararme mi voluntad fracasó, perdí el control motor. Caí. La señora Cristina, con una fuerza indomable, colocó su brazo a tiempo y evitó un accidente aparatoso. Caí de rodillas, vencido, humillado por mi impotencia. Tomé tres bocanadas de aire. Y ocurrió algo extraño. Cuando levanté la mirada el féretro de mi madre ya no estaba, acababan de darle la vuelta. De primero, con el rostro compungido, pude ver a Atilio. A su lado, a la izquierda, sosteniendo la caja, estaba Miguelacho, el inútil del Centauro; detrás de él estaba Elías, el Donero. Tras ellos, con una camisa sin marca, rota y un pantalón manchado de aceite distinguí la silueta de Darío, el Mongopavo; el cuarto portador era el gordo Mantecada quien, con el dorso de su mano tatuada, se limpiaba la cara. «Tu vieja era bien de pinga. Esas clases de inglés eran un tripeo», me dijo minutos después, cuando se acercó para dar el pésame. Y también Rafael, el hijo de la señora Cristina, y Álvaro el músico, convertido en DJ, y José, el portugués del once, estaban cargando el cuerpo. Solo entonces logré intuir lo que quiso decirme. Salí a la sala central de la funeraria y encontré, uno por uno, a todos los rostros de mi infancia. Viejos, apagados, silentes; estaban ahí, como en los pasillos desahuciados del Gloria, el supermercado Victoria o en los recovecos del abasto de Cristalina. María, la peruana del quiosco, me hizo una amable reverencia. A su lado, con el gorro grasiento entre sus dedos humildes, tras una leve inclinación, reconocí a Antonio, el carnicero de Arcoíris. Junto a él, con la expresión serena de los duelos, estaba Simón, el italiano de la barbería Diana. El brazo de la señora Cristina era lo único que lograba sostenerme. Conocía todas aquellas caras. Ahí estaban los rostros del Kalmar, del Yurubí, del Caura, del Lazo Martí. Todos los apellidos de la tertulia de la tarde, del chismorreo sano, de las galerías del Parsamón se habían acercado a despedir a la Nena. Algunas personas no se acordaban de mí, otros me saludaban con cariño viejo. Ahí estaban los Ruggiero, los Pietrantonio, los Curcio, los Benshimol, los Luna, los Hurtado (la amable señora Rosina a quien siempre nos conseguíamos en el Luvebras). Pude ver, incluso, al viejo Sánchez, aquel abogado que me había ayudado a tramitar los antecedentes penales antes de la mudanza. La gente contó, con retórica sencilla, que la Nena Guerrero era una mujer maravillosa. Soy idiota pero no tanto. Sé que esos son los lugares comunes referidos a los muertos, expresiones amables que se comparten con cualquier doliente pero, en general, tuve la impresión de que los testimonios no eran forzados, de que el afecto por ella era genuino. «¡Mira! Vino. ¡Qué bueno que pudo llegar!», dijo la señora Cristina al llegar a la rampa. Señaló a una mujer que se bajaba de un taxi. No la reconocí. Pensé que se refería a otra persona pero detrás de aquella gordita no había nadie. La figura indeterminada avanzó hasta nosotros. La cercanía me permitió identificar los rasgos austeros de mi hermana Isabel. Cuando me vio, lloró. Yo no supe hacerlo. La garganta formó un bolo indisoluble e intragable. «¿Gabriel?», preguntó dubitativa. Y me abrazó con mucha fuerza. La dejé llorar en mi hombro, la dejé gritar la estupidez humana del remordimiento, de todo lo que le quedó por decir, de la llamada que nunca hizo, de la inutilidad del orgullo, del odio falso, del saber que la culpa ocuparía el lugar del posible reencuentro, de la falsa expectativa del mañana. Acaricié su cabello. No la conocía, no sabía quién era, ni siquiera recordaba cómo se llamaban mis sobrinos pero, como si nunca nos hubiéramos alejado, la fuerza bruta de la sangre imponía un extraño magisterio. Me habría gustado conocer más a la Nena, que ella hubiera sido algo más que un apodo ridículo; hacerle preguntas, indagar en su historia, en sus amores, en su pasado silente. El entierro me permitió hacer un paneo por los rostros de todo lo que ella había reconocido como propio. Así terminaron los días de Mercedes Guerrero, aquella mujer misteriosa de la que yo solo había logrado saber una cosa: era mi mamá.

III

«¿Tú crees que Beethoven nacería en esta mierda?».

ATILIO

1

El día que cumplí treinta y dos años me volví loco. Los perros saltaron a través del espejo. Regresaron para quedarse. Leí la noticia en Internet: asesinada activista peruana en la zona del Chaco. Como en las más atroces historias medievales, el cuerpo sin vida de Mariana Briceño fue picado en pedazos. Mariana no había vuelto a escribirme, me eliminó del Facebook y del Messenger; sin embargo, sabía por conocidos comunes que se había incorporado a un movimiento que luchaba por las reivindicaciones de una comunidad indígena en Bolivia. Los reclamos de Mariana chocaron contra el poder, contra la taimada indecencia de los imperios locales, los nacionalismos exacerbados, las falsas patrias. Hubo un enfrentamiento, varios activistas (gringos, suecos, colombianos, argentinos y peruanos) fueron asesinados. La noticia abrió el serpentario, les quitó la correa a los canes enfermos. Comenzaron las alucinaciones. El mundo se desmoronó por completo.

La locura es asintomática. Yo solo quería matar a Dios. Salí a las calles de Caracas armado con cuchillos; perdí el sentido de la proporción, de la geografía urbana, del espacio. Me paseaba por el hombrillo de la autopista Francisco Fajardo cantando los versos de la canción maldita: *Que no arranquen los coches, que se detengan todas las factorías.* «El loco, el loco», comenzaron a gritar los niños. Fue difícil, muy difícil, darme cuenta de que algo estaba mal, de que se me fue la olla, de que me patinaba el coco. Atilio habló conmigo. Él me salvo. «Mi hermanito, usted sabe que yo solo quiero lo mejor para usted. Gabriel, tú tienes un problema», me dijo un día en el estacionamiento de la Crea. Voluntariamente, tras un par de entrevistas con doctores amables, decidí participar en un programa del Centro Profesional Caracas especializado en esquizofrenias.

La razón, con el paso del tiempo, volvió a su lugar. Los perros regresaron a sus guaridas. Estuve internado diez meses, casi once. Luego, tras la vuelta al mundo, tras mi reencuentro con la realidad, decidí darme la oportunidad de tener algo parecido a una nueva vida. En el Instituto había conocido a una mujer llamada Lorena; enana, bonita de cara, sin pecho. Lorena había participado en uno de los programas del centro. Era alcohólica, había sido alcohólica. Su hijo de meses había fallecido en un estúpido accidente. Se volvió loca tras la pérdida, su familia (aristócratas yaracuyanos) la internó en el instituto de Caracas. Con el paso del tiempo recuperó su condición de persona, volvió a ser gente. La filia melancólica nos acercó. Nos gustamos o creímos gustarnos. La parodia de concubinato fracasó en cuestión de semanas. Lorena y yo éramos dos sombras que jugábamos a hacernos compañía. En las tardes calientes, nos empeñábamos en remover la tristeza de una juventud que se fue, de un tiempo en el que creímos tener el mundo por delante. En vano intentamos forzar la intimidad pero hacía mucho tiempo que yo había dejado de ser un hombre. Las pastillas, los nervios o la maldición de Carla produjeron una severa disfunción. Con el paso de los años aprendí a convivir con la

impotencia. Las erecciones pasaron a ser un asunto del pasado, un recuerdo feliz, un suceso poco habitual e inoportuno.
Nunca logré complacerla. Mi desidia destapó sus complejos.
«Sé que soy fea, sé que no te gusto, sé que huelo mal», decía
entre lágrimas. Nos separamos de mutuo acuerdo. No volvimos a vernos. Años después, días antes del infarto, una persona del grupo me contó que Lorena había reincidido. Buscó la
paz en la bebida. Pude saber que había regresado a su caserío
yaracuyano y que, al igual que conmigo, los niños de su cuadra
se burlaban de ella. Le decían la borracha de la plaza.

2

Tras la locura, vino un período de calma. Los años pasaron con
desidia. Me mudé a Macaracuay, a un apartamento pequeño,
tipo estudio. Atilio me ayudó a pagar el alquiler. Durante un
tiempo, muy mal remunerado, ejercí el oficio de gestor. Trabajé para un chamo insolente, recién gradua'o de la Santa María.
El rumor de mi desequilibrio era mucho más significativo que
la experiencia europea; mi currículum no significaba nada. Vi-
sitaba los tribunales, habilitaba documentos, ponía sellos y firmas en fotocopias. El ejercicio de la mediocridad, además de
sostener el desastre de mi economía, lograba distraerme; cualquier cosa era mejor que pensar. La vida se convirtió en un
asunto normal, intrascendente. Me acostumbré a ser un animal sin ambición, sin sueños, sin aseo, sin nada por lo que
estar orgulloso. Solo me acompañaba el recuerdo de Carla, la
vaga idea de que un día la vería aparecerse caminando por la
avenida Río de Janeiro.

No volví a Santa Mónica, no quería recorrer las calles de
mi niñez. Aquellas esquinas me hacían daño, las sombras de
los edificios me sumergían en la oscuridad absoluta. El pasado
me daba mucho miedo. Y entonces, cuando había asimilado

sin conflicto que la vida sería una espera baldía, llegó el infarto. Comenzó en el brazo izquierdo, a la altura del codo. No podía respirar, parecía como si un fosforito me hubiera explotado dentro del pecho. Me desplomé, pensé que era el fin. Tenía cuarenta años, era un anciano de cuarenta años con las sienes secas, los huesos marcados, los lunares transformados en verrugas y el cabello fragmentado por la calva. Desperté en la Clínica Metropolitana. Atilio me explicó la situación, dio detalles que no entendí, que no me interesaron. Me pidió reposo, impuso un severo tratamiento de pastillas y dietas asquerosas. Entendí que no me quedaba mucho tiempo. El corazón, como el rostro moribundo de la Nena, se había partido en dos; mis latidos eran un chiste, un golpecito incompleto, una cosquilla en los ventrículos.

Un día cualquiera, sin entusiasmo, me metí en la página de Iberia. Había soñado con Carla, la había visto, idéntica, sin años, sin tiempo. Consulté mis ahorros. *Sí, qué carajo*, me dije. Busqué la tarjeta de crédito. Hacía tiempo que habían eliminado el estúpido control de cambios. Los nuevos gobiernos, aunque ineficientes, habían abandonado por completo la prédica socialista. Hice la compra, sonreí. Recordé la obstinación de la Nena, yo también quería sentirme cerca de mi casa. *Si me voy a morir, quiero morirme en Liubliana*, me dije antes del ataque de tos.

3

Atilio sospechó mi decisión. No dijo nada. Nos conocíamos bien. El fin de semana anterior a mi viaje me invitó a su casa de Cantaura. Manejó con prudencia; fuimos con su hijo mayor, Martín Alejandro, un niñito rollizo y simpático que tenía cinco años. El Gordo se había casado con una doctora de Anaco, amiga de su facultad. Llegamos al viejo caserón y nos sentamos sobre el capó de un Malibú abandonado. «Te puedes tomar una cerveza —dijo—. Solo una —me puso en la mano una Solera azul. Brindamos—. ¿Cómo te sientes? ¿Te cansó mucho el viaje?». «No, no mucho. Estoy bien. Igual. Tenía como veinte años que no venía pa' esta casa. ¡Qué bolas! ¿Te acuerdas cuando el *güevón* de Martín se quedó encerrado en aquel baño?». Señalé la puerta del fondo. Nos reímos. Silencio largo. Martín Alejandro jugaba cerca de nosotros. Llenaba de tierra el depósito de un carrito y lo estrellaba contra una piedra. «¿Te enteraste de lo del Inírida?». «¿Qué cosa?». «Lo tumbaron». «¿Qué?». «Sí, lo tumbaron hace como un mes. Esa mierda tenía más de cinco años abandonada; lo invadieron, las bases del edificio colapsaron con las últimas lluvias. La Marco Antonio Saluzzo era un caos, hicieron un plan urbanístico. Tumbaron el Inírida para construir un estacionamiento. Lograron salvar la torre B del Orituco pero el Inírida se fue pa' abajo. Sé que hicieron una misa con toda la gente de la cuadra. La ofició el padre Angulo, ¡una *guevonada*! Ese viejo debe tener como mil años. ¿No fuiste?». «No —negué con contundencia—. Ni de vaina. Si hubiera ido pa' esa mierda qué te digo perros, me habría atacado el oso Yogui». No solía bromear con mis alucinaciones. «Me habría gustado haber ido pero no —dijo—, demasiados recuerdos, Gabriel, demasiadas vainas chimbas».

«¿Sabes cuál es tu peo, mi hermano? —no respondí—. La vida. Tú siempre has querido entender de qué coño trata la vida y eso no puede saberse, eso no lo entiende nadie; con razón se te fue la olla. Este mundo, este país, no tiene mucho sentido. No hay que darle la vuelta. A mí, por ejemplo, me pasa una vaina muy rara. Hace una semana cumplí ocho años trabajando en el Hospital Pérez Carreño. Todos los días me llega un maldito malandro baleado al que tengo que salvarle su puta vida. Los carajos te insultan, te escupen, te amenazan; le salvas la mierda de vida, salen del hospital y los matan en la esquina. Muchas veces me he preguntado si el carajo que está en la mesa habrá sido el coño'e madre que mató a Martín, o el que mató al hijo de alguien, al padre de alguien. Muchas veces me pregunto si merecen vivir, si la famosa vaina hipocrática no habría sido un documento redactado por un adeco. A veces me provoca pincharles la puta aorta pa' que se mueran desangrados pero no sé, no puedo, en el fondo sé que tengo que hacer mi trabajo. Le he salvado la vida a mucha mierda que no sirve para nada. Trato de no pensar mucho en eso, simplemente lo hago. Le comenté esta vaina a un colega, a un pana internista, ¿sabes lo que me dijo el *güevón?* —alcé los hombros—. El bicho me hizo un poco de preguntas estúpidas y después concluyó que si dejaba morir a un malandro, entonces, podía estar matando al papá de Beethoven. ¡Qué bolas! ¿Tú crees que Beethoven nacería en esta mierda? Y lo raro es que a mí esta mierda, a pesar de todo, me gusta. Yo no sabría vivir en otra parte. ¿Tú crees que yo fui a España a verte a ti o al pendejo de Fedor? Una vaina es el cariño y otra vaina es la peladera de bolas. Cuando viajé a España lo hice porque tenía ganas de irme pa'l coño; eran los años del chavismo, todo el mundo se iba. En Barcelona tuve la oportunidad de concursar para una plaza pero, coño, a mí esa vaina no me gustó. Nunca tuve peos con los españoles. Al contrario, la gente fue muy de pinga. Te tratan peor en esta mierda que allá, pero no es eso... Es... Coño... Yo no soy de ahí ¿Me entiendes? ¡Qué carajo! Ya estoy hablando paja. La vida es una vaina muy complicada, Gabriel. Tú quisiste entenderla y pelaste bola. ¿Sabes qué es para mí la vida, de verdad? —me terminé la cerveza—. Dirás que es una pendejada pero es lo que pienso —dijo lanzando la lata a una papelera—. La vida es... —eructó— ese coño'e madre —señaló al niño—. Cuando me acuesto a dormir mi último pensamiento es ese carajo, cuando me despierto, él es lo primero que se me viene a la cabeza. Yo no quiero que ese carajito viva en la mierda de país que a mí me tocó. Creo que si todo el mundo pensara así, si la gente hiciera las cosas pensando en el futuro, esta vaina no estaría tan *escoñeta'a*, pero yo soy un pendejo. El año que viene habrá elecciones, ya anda por ahí un militar de mierda diciendo que tiene la receta para arreglar este desastre. ¡Qué bolas! ¿Tú puedes creer que, después de todo lo que ha pasado, la gente siga creyendo en militares? Esto no tiene arreglo. A este país, Gabriel, si lo cambias por una lata de mierda, pierdes la lata». Nos quedamos callados un rato. «¿Me puedo tomar otra?», pregunté. «No, mejor no. Te buscaré una limonada». Regresó, se estaba haciendo de noche, el sol oriental se perdía de vista. Por un momento cerré los ojos y sentí un fuerte deseo de estar en Liubliana, de cerrar el cuaderno. «Atilio, ¿te puedo decir una vaina? Es, quizás, la vaina más homosexual que te hayan dicho en toda tu vida pero, de verdad, me gustaría decírtela». «Si me vas a meter el de'o en el culo avísame pa' ir a buscar la vaselina». Risas. No le dije nada. No me salieron las palabras. «De nada, Gabriel, de nada», respondió al comentario ausente. «No —agregué—. No quería darte las gracias». Silencio breve. «Yo también, mi pana, yo también», dijo. «Sí, eso... eso».

4

Los días previos al viaje tuve que resolver distintas diligencias. El sol del mediodía me encontró varado en la autopista Prados del Este. Los carros parecían estar abandonados, al llegar al Concresa decidí tomar un atajo: la ruta de Cumbres de Curumo. El tráfico persistía en la montaña, sin embargo, avanzaba a paso lento. De repente, bajando por la carretera, pude ver la cara norte del Kalmar, la frontera norte de Santa Mónica. Antes de tomar la Francisco Lazo Martí, decidí estacionar en la entrada del edificio Pegaso. Desde ahí no tenía mucha visibilidad para mi vieja calle, la Marco Antonio. En el terreno baldío, al lado del centro comercial, habían construido un bloque gigante, un armatoste de ladrillos. Decidí caminar hacia abajo. En la cancha, al lado del edificio Acuario, un grupo de niños jugaba una caimanera; un gordito porteaba, los otros pateaban un pote de *RikoMalt* empotrado en medio litro de chicha. Bajé. Una nube negra, solitaria, tapó el sol. Me invadió una sensación rara, una especie de asfixia. Las bestias imaginarias, por fortuna, estaban amarradas. Apareció el letrero del banco, la fachada del Subway, el cartel desvencijado del Luvebras. Caminé sin prisa, con la sana paciencia de los condenados. Alcé la vista desde el lado oeste y vi al Kalmar clavado en la montaña, amorfo, equilibrista; luego aparecieron las dos torres del Yurubí, sucias, descorchadas, manchadas de tiempo; y más abajo el Orituco. Luego la nada, después el Caura. Entre el Orituco y el Caura solo había una grúa amarilla, un agujero en el aire que dejaba ver las cortadas de la montaña. ¡*Coño!*, me dije. Aquel encuadre me arrancó la memoria de un tajo. El universo había quedado reducido a un tierrero, a un lodazal que supuestamente convertirían en estacionamiento. Me quedé clavado en la vía, observando el vacío. Permanecí un rato obcecado en la búsqueda del tiempo, en la ventana invisible del 14. Me tomé un café en la Crea y regresé hasta el carro. Al bajar, giré en el McDonald's hacia la Bolet Pereza. Al llegar al final de la calle recordé a un viejo amigo. Farmatodo, decía un letrero gigante en la antigua casa del bombillo verde. El esqueleto de la ranchera había desaparecido. En el lugar del carro abandonado solo quedaba una sombra de aserrín, una huella de metal tatuada sobre el asfalto. Estacioné en el lugar del caído. Entré a la farmacia con el empeño de los masoquistas. Compré un kit de viaje: cepillo de dientes, desodorante y otras pendejadas. Algo se cayó en el pasillo. En la sección de maquillaje apareció una niñita, se había empatucado la cara con rímel y pintura de labios. La niña le pidió perdón al dispensario y corrió en busca de su padre. Pagué. «¡Papí, papi! —escuché al fondo, en la entrada—. Dime que soy la niña más hermosa del mundo». Sonreí. Salí del lugar, un hombre joven sostenía a la niña en sus brazos cerca de la puerta. «Sí, mi amor, eres la niña más hermosa del mundo», le dijo bajito, con algo de vergüenza. Maldije, entonces, la promiscuidad de la belleza.

Di otras dos vueltas por Santa Mónica, explorando calles, lugares, buscando recuerdos. Me sorprendió tropezar con el imperio del Paul Harris, el colegio pequeño que quedaba delante del Cristo Rey. La escuelita había crecido de manera desproporcionada hasta ocupar toda la calle, ahora era tan grande como el coloso agustiniano. Ya en la principal, en la esquina de la Semprún, pude ver el Fiat Tucán de Elías, el Donero. Elías era un viejo barrigón; tenía una gorra del Magallanes y sendas cicatrices en la cara. Decidí bajarme a saludar. «¿Qué pasó, Elías?». «Gabrielito, ¿Cómo está la vaina? ¿Cómo te va?». «Todo bien. Tú, ¿qué tal?». Se quitó la gorra, se limpió el sudor de la frente. «Aquí, chamo, echándole bolas. Trabajando. ¡Trabajando!».

IV

«¡Ganamos! ¡Ganamos!».
GABRIEL, ALEJANDRO, MARTÍN, FEDOR Y ATILIO.

1

El idioma era imposible. Una voz de mujer pronunció las coordenadas; luego, en inglés —un inglés de primeros niveles del CVA— repitió la información: en menos de quince minutos llegaríamos al aeropuerto de Brnik en Liubliana, Eslovenia. El cielo despejado, con la silueta lejana de un sol falso, encubría el maleficio del viento. Un frente frío, venido desde el Cáucaso, envolvía los Balcanes en una de las primaveras más heladas de los últimos años. La comida del avión me produjo acidez. Las turbulencias coincidieron con la taquicardia. Pensé que si tosía escupiría el corazón. Cerré los ojos, traté de respirar sin angustia. La presión en el brazo perdió fuerza. El beso imaginario de Carla me sirvió de pomada. Un extraño presentimiento me hacía luchar por la vida, una intuición, un concepto de sino: sabía que la encontraría en Eslovenia; sabía que me esperaba acodada en nuestro puente.

2

Escala en Madrid: doce horas de espera. Retrasos generales. El atípico frío balcánico restringía la circulación por los cielos del Este. Soporté el interrogatorio del funcionario de aduanas, un extremeño bruto. Hacía mucho tiempo que había dejado de ser un europeo. El divorcio determinó la minusvalía de mi nacionalidad. Mi nombre regresó al cuaderno de los sospechosos. A disgusto, colocó el sello en la libreta.

En diez años, Madrid había cambiado. Nuevos edificios, nuevos formatos urbanísticos, nuevas calles, nuevas estaciones de Metro. El vuelo a Eslovenia saldría en la madrugada del miércoles —ya existían los vuelos directos a Liubliana—. Tenía más de medio día para perder el tiempo. Compré el diario *Marca*, leí la información sobre la Liga de Campeones. Aquella noche habría partido, jugaba el Real Madrid en el Bernabéu. Imaginé un encuentro.

Tomé un taxi hasta la Latina, hasta la Cava Baja, la vieja calle de los borrachos convertida en paseo peatonal. El bar cutre con nombre de jamón seguía parado en la esquina. Entré con sigilo. Vi el televisor en el rincón: fase de grupos, Real Madrid-Lokomotiv Moscú. Minuto 33. El Madrid perdía cero-uno. Los espectadores geriátricos golpeaban las mesas, insultaban al entrenador y escupían el piso. Lo vi en la mesa de siempre: viejo, gordo, castizo, con las patillas largas y un bigote ridículo tapándole los labios. Parecía un castellano cualquiera, uno de esos viejitos que salen en las fotos de la guerra civil. «¿Qué pasó, rata?», le pregunté. Me miró con indecisión. Volvió a la pantalla. «¡Joder! —dijo de repente—. ¡Un fantasma! ¡Gabriel Guerrero!». Pensé que diría las invectivas comunes, las frases de rigor: *¡Una güevonada! ¡Marisco! ¿Cómo está la vaina?*, pero su reacción fue diferente. Engulló la cerveza y me palpó la espalda. «¡Chaval, qué ha sido de tu puñetera vida! ¡Leo, tráele una caña a mi amigo! Siéntate, tío. Siéntate». Hablamos poco. Hizo preguntas imprecisas: la salud, el clima, la familia. No entré en detalles, no se interesó por nadie. «¡Joder, tío, por qué habrán fichado a ese francés inútil! —gritó cuando un delantero escuálido estrelló la pelota contra el travesaño—. ¿Y aquella mierda qué, jodida?», preguntó de repente, con la mirada clavada en la pantalla. «Igual, lo mismo». Me sentí incómodo. No teníamos nada en común, ni siquiera hablábamos la misma lengua. El humor había cambiado, la complicidad había desaparecido. Yo no conocía a ese hombre llamado Fedor. «¿Y tú qué, Ruso?, ¿cómo te ha ido? ¿cómo está todo?», pareció molestarse por el apodo. Respondió sin mirarme, empeñado en el televisor. «Por aquí todo está igual; la verdad: peor. Uno que otro título, uno que otro fichaje más o menos bueno pero ya no es lo mismo. Desde que vendieron a Raúl y a Guti este equipo perdió la identidad». Se ahogó con cerveza; luego escupió el piso.

Regresé a la calle. En la esquina norte de la Cava Baja, solitario, se alzaba un bar Guinness. Entré. El lugar estaba oscuro. Ordené una cerveza en la barra. Escuché el sonido de una guitarra. *¡Qué ladilla! Música*, me dije. *Odio la música.* Un muchachito *greñúo* ensayaba desafinados acordes. La cerveza estaba amarga, caliente. Escuché el sonido de una armónica. El bar estaba casi vacío. En la mesa del fondo, al lado de los baños, había una muchacha parecida a Carla, sobre su mesa había una botella de whisky. *Esta sí es arrecha*, me dije. El guitarrista imitaba a un cantante viejo, gringo, el de «Like a Rolling Stone», *¿Bob Dylan?*, me pregunté. El clon de Carla observaba una serie de fotografías en blanco y negro. Lloraba y bebía, parecía hablar con el vaso. Tenía los ojos muy parecidos a los de Carla. Imaginé que aquel encuentro era un indicio, una premonición. Sonreí. Estaba seguro de que la encontraría en Eslovenia.

3

Aeropuerto Brnik. Se me durmieron las piernas. Atravesé las galerías interminables, caminé con un fuerte dolor en la ingle. Recorrí el pasillo del *finger* soportando el peso de la angustia, la ansiedad por el encuentro. Un espejo de pared me devolvió la silueta de un muchacho desesperado por llegar al puente de los Dragones. El mismo espejo, segundos más tarde, me mostró el esqueleto de un enfermo, la cara de un viejo moribundo. Abandoné el equipaje en la correa. Necesitaba encontrarla. Salí a la calle. A pesar del ímpetu, tuve que regresar a la calefacción del aeropuerto. El frío era del malo, del que quemaba los cornetes. Encontré una tienda de *souvenirs*: tacitas, platicos, toallas y demás pendejadas referidas a Eslovenia. Compré un forro polar que, en medio del pecho, decía la palabra Liubliana. También compré guantes. Regresé a la calle. Se hacía tarde, ella ya debía estar esperando.

Hice la misma ruta del primer viaje, bordeé el aeropuerto hasta la parada de taxis. El frío me impedía silbar, silbaba para adentro, con la bufanda protegiendo mis labios. Imitaba los sonidos de la canción maldita, los versos satánicos que ella había tarareado en mi oreja. Nuevamente, se me durmió el brazo. El viento helado estimulaba la arritmia. Trastabillé, cerré los ojos. Logré apoyarme sobre una papelera. Respiré con torpeza. Joaquín Sabina insistía, le contaba a mi cabeza la historia fascinante de un encuentro nocturno. Pude ver la línea de taxis. Me indicaron que me montara en el segundo carro, manejado por un gordito. Entré al vehículo soplándome las manos. El volumen de la canción imaginaria se elevó con estridencia, pensé que me reventaría los tímpanos. Volvió el dolor en el pecho y tras él, de repente, la magia, la versión de Carl. Golpes al volante, mentadas de madre en eslavo, los taxistas se veían a la cara pidiendo alguna explicación al enigma. Tardé en darme cuenta de lo que pasaba, de lo que el mundo quería decirme. La voz de Carl, nuevamente, se apoderó de todo: ninguno de los taxis arrancaba, el motor de todos los coches se había quedado muerto. Encontré un periódico abandonado en el asiento. De repente, aprendí a leer en eslavo: el titular del diario contaba la huelga general de la factoría Renault en Novo Mesto y la paralización de actividades en las fábricas farmacéuticas Lek y Kirka. Un artículo breve, encerrado en un rectángulo de color, anunciaba el cierre de fronteras, el paro de los trenes. Otro artículo hablaba del eclipse: aquella sería la noche más larga y más fría en la historia de Eslovenia.

Me bajé del taxi con la sonrisa del niño que descubre regalos bajo el árbol de navidad. Los taxistas seguían insultándose. Caminé hasta el tranvía que, desde el aeropuerto, hacía la ruta hasta la estación de autobuses y la avenida Kolodvorska. Adolescentes de rostros pálidos encendían velas en los balcones de las casas. Antes de tomar el tranvía se me congelaron los pies. Sin darme cuenta, mis zapatos se sumergieron en un charco en el que nadaban las balas de un revólver.

En el tranvía, la señora que estaba sentada delante leía una revista sin fotos, sin portada, los textos parecían abandonados en las páginas blancas. Nos detuvo un semáforo en la esquina, cerca del Café Klub Central. Allí, un grupo de colegialas perseguía a un joven sonrojado. Me imaginé que se trataba de un esloveno famoso, un actor, un cantante; las muchachas le pedían autógrafos, algunas saltaban hasta su rostro y lo besaban con euforia. Aunque era blanco leche, el artista tenía cierto parecido a Florentino Primera. Llegamos a la estación. La gente, a la manera latina, comenzó a tocarse con cariño, con palmadas, con palabras amables. La brisa balcánica se tornó caliente, me quité el polo y lo dejé abandonado en un banco. Pedí un café ante un mostrador aséptico, la camarera me miró con simpatía. Decidí caminar hasta el puente.

Sentí un malestar en el rostro, como si la cara se me hubiera manchado de grasa. Me quité los guantes, palpé mis sienes con la intención mortificada de apartar al insecto pero en mi rostro solo encontré agua: lágrimas de verdad, gruesas, continuas. Tapé mi vergüenza con las manos. Las rosas blancas de una floristería del camino llamaron mi atención, parecían enfadadas, me gritaron imbécil. Al abrir los ojos me encontré frente a la vitrina de una tienda de ropa para bebés; en el escaparate vi un calendario de colores que mostraba el dibujo de una cigüeña gorda, cansada, que regresaba de una larga faena. Mis ojos parecían un grifo malo, sin manija. No podía controlar el impulso. Yo sabía que las lágrimas eran la virtud de los cobardes, el privilegio de las niñas. Me obligué a controlar el llanto pero mi voluntad se mostraba impotente. Caminé con las manos en el rostro, como los niños que creen que nadie podrá verlos y que observan el mundo entre los límites cartográficos de sus dedos entreabiertos. En sentido contrario, con más tristeza que la mía, me pareció ver un rostro conocido. Sí, era él: un dictador de algún país latinoamericano. Recitaba un bolero. *Yo la quiero, yo la quiero*, decía en voz baja mientras un grupo de notarios borrachos cantaba parte del coro.

Regresó el dolor en el pecho. Paré a tomar aire. Al otro lado de la vía, con la más hermosa de todas las sonrisas, encontré el rostro de la Nena Guerrero. Había bulla. Dijo algo que no logré comprender. Su voz no se escuchaba. Cruzó la calle, se acercó, me ayudó a levantarme. Colocó su boca mustia e invisible sobre mi oreja. «¿Quieres llorar?», preguntó antes de desaparecer. Le dije que sí al aire, con la cara, como un carajito... Y lloré por la pérdida de la inocencia, y lloré por los abismos insondables del corazón humano. Lloré por mi necedad y por mi ruina. Lloré por las tentaciones del fracaso, por la debilidad y el vacío de las cosas. Y lloré por mi viejo edificio en Santa

Mónica. Y lloré por la bondad de Elena, por mi burla, por la indiferencia. Lloré por la persona que pude ser, por las oportunidades que dejé pasar, por todo aquello que di por perdido. Lloré por mi Daniel no nacido. Lloré por el dolor de Carla. Lloré porque, a pesar del aire que había respirado durante cuarenta años, tenía la impresión de que no había vivido.

Al final de la avenida podía verse el leve promontorio del Liublianica. Pasé por delante de la Iglesia de Santa María del Socorro y vi dos gatos enredados en el portal. Martín Velázquez apareció a mi lado montando bicicleta, contaba un rumor intrascendente: le gustaba un culo, no sabía cómo caerle. Estaba tranquilo, como siempre, asimilado a su ingenuidad. «Bicho, allá», dijo antes de perderse por una esquina, señalaba el fondo, la plaza Vodnikov, la esquina sur del puente. La gente en la calle contaba las últimas noticias: la renuncia masiva de beatos, el cierre por decreto de teatros y hoteles, la desaparición de las llaves del ayuntamiento. Llegué hasta los bordes del río, al paseo de Petkoskovo. La sombra distante de los dragones pronunció mi nombre completo.

Todos los negocios tenían un extraño parecido con los lugares de Santa Mónica. Vi distintos quioscos de peruanos, señoras Cristalinas y carniceros portugueses en los sucesivos portales eslovenos. Las personas eran blancas, muy blancas, hablaban una lengua imposible pero en sus rostros portaban el mismo significado de la vida; entendían que todas las ciudades del mundo no eran más que un juego de espejos, una casualidad que reúne cuerpos humanos en el ejercicio cotidiano del alimento, la palabra, el corazón y el ocio. Tuve la impresión clara de que el viejo Parsamón quedaba en aquel boulevard, de que la señora Cristina (una serbia protestante que salía de un abasto Aldebarán escrito sin vocales) caminaba sin prisa. Las aguas del Liublianica traían los sonidos de mi casa. Pensé, aturdido por el dolor del pecho, que el desarraigo no era más que una falsa mudanza. *Quizás* —me dije— *aquello que llama-mos hogar solo sea una invención de la memoria.*

Los dragones distantes iban tomando forma. El cielo límpido se ensució de nubes, de cuatro nubes, cuatro manchas que tapaban el círculo del sol. El efecto visual recordaba los dibujos de los cuadernos de religión: las ilustraciones de los libros del Cristo Rey en las que Dios aparecía siempre como un destello de luz disfrazado de niebla. Sabina insistía con sus premoniciones: la estatua del poeta France Preseren se desplomó, la cabeza del bardo quedó derramada en un jardín de viejos aristócratas.

Antes de llegar al puente, al otro lado de la vía, observándome con pesar, encontré la mirada de Alejandro. Dejé de caminar. Lo encontré asfixiado por el remordimiento, envenenado por la culpa. Todavía me costaba creer que aquel muchacho impasible hubiera sido capaz de hacer lo que hizo. Entendí que si aquel Alejandro, mi Alejandro, pudo ser una bestia, entonces todos los hombres llevamos por dentro la potencialidad del crimen, el instinto del Mal. Por un momento, lo vi disparar contra un extraño, contra aquel desconocido que era el reflejo de sí mismo. Padecí su desgarramiento, la crueldad de sus instintos. La mirada distante me dijo que aquella bala de La Guaira iba dirigida contra su cabeza, que habría preferido matarse antes que hacerle daño a Carla. Al nombrarla, se dio puñetazos contra las sienes, se haló los cabellos, se maldijo, trató de arrancarse los ojos. Me pidió que cuidara a Carla, que vigilara sus pasos por el mundo, que no permitiera que nadie le hiciera daño. Me pidió perdón, le pidió perdón a ella... Pero no supe hacerlo, no me sentí capaz. *¡Qué difícil es perdonar!*, me dije, *demasiado dolor, demasiada mierda.* Sentí mucha lástima. Tampoco fui capaz de odiarlo. Lo que le pasó a Alejandro fue un fracaso de la naturaleza humana, un pulso ganado por el mal, un argumento a favor de la existencia del demonio; porque ese carajo, lo sé, era una buena persona, era un tipo normal, era mi amigo. *¿Qué coño te pasó?*, le grité al aire. Solo respondieron Sabina y el silencio... Me gusta pensar que los recuerdos no mueren con la carne, que todo aquello que hacemos, que todo a lo que atribuimos un valor se queda escrito con tinta indeleble en la memoria del mundo, que los hombres inventaron el concepto de justicia para tener presente la fragilidad del bien, la indolencia del equilibrio y para tratar de corregir los errores de Dios.

El viejo dragón me saludó con cariño, provocaba acariciarlo en la oreja, como si fuera un gato. Me faltaba el aire. El dolor en el brazo complicaba la andanza. El cine Renoir, del otro lado de la vía, mostraba una luna de anime colgada sobre bambalinas, sobre el título de una película de Jan Cvitkovic. Me acodé en la baranda. Mis ojos se enfocaron en el rostro de Dios, en las cuatro nubes que tapaban la máscara de luz. Una barca pequeña pasó bajo los arcos de piedra. Sobre ella, Enrique Vivancos, acompañado de un muchacho parecido a él, recitaba parlamentos de dramas viejos. Citaba nombres raros: Cabrujas, Chocrón, Jiménez, autores desterrados que, a pesar de su ostracismo, habían sido parte integral de sus recuerdos. La expresión despreocupada de Vivancos reforzó mi intuición sobre el poder de la memoria, de que la vida se queda escrita en alguna parte, intacta, intocable. Quizás, el olvido había sido para él una enfermedad estratégica, un atajo, un camino paralelo para esquivar el dolor. Se hacía tarde; Carla podía llegar en cualquier momento. Me puse nervioso, comencé a masticarme el labio. Un general sin medallas, con el uniforme roto, caminó a mi lado. Joaquín Sabina se burló de su supuesta grandeza, de sus charreteras de oropel.

En la vereda este, un barullo llamó mi atención. Había una polvareda, un ejército mestizo de razas, colores, banderas, pancartas, sexos, consignas y protestas airadas. Grupos de desarrapados, tullidos, excluidos y olvidados caminaban con la cara en alto, con los ojos de frente al horizonte. Mariana Briceño apareció en el medio del tumulto. Les habló con paciencia sobre el derecho y la equidad; les dijo, con la garganta rota, que el mundo podía ser un lugar mejor; que valía la pena luchar por lo justo. Les habló sobre el cáncer de la pasividad y el conformismo, sobre el miedo, sobre la indiferencia. Los invitó a decir sus nombres en voz alta y hacerles entender que habían confrontado con dignidad el trámite del mundo. Su compromiso alentó mi vergüenza. Me miró sin odio, sin rencor. Luego me dio la espalda. Durante todo el recorrido continuó improvisando arengas. Le temblaba la voz cada vez que pronunciaba la palabra América.

La canción imaginaria terminó. Me quedé solo con los dragones, con el empeño irrevocable del llanto. Me apoyé en la baranda. Detrás de las nubes, el Dios de papel me hizo un guiño simpático. Uno tras otro, encontré una extraña sumatoria de momentos: mi hermana Isabel golpeando una piñata / la niña más hermosa del mundo parada sobre mis zapatos / ¡Los culos, los culos, los culos!, en la voz de Martín Velázquez. / Hola, Hemicraneal / Elena vestida de novia / Enrique Vivancos cantando una canción con arreglo de cuerdas... Dolor en el pecho. Cerré los ojos. Busqué un lugar de reposo. Apareció un estacionamiento: Atilio porteaba. Jugábamos la final de las caimaneras interresidenciales contra los chamos del Centauro. El perdedor debía brindar perros calientes. Estábamos en tiempo de descuento, cero a cero, en menos de un minuto iríamos a penaltis. Atilio salió con la pelota en los pies; casi en el medio de la cancha se la pasó a Martín. El cielo de Liubliana volvió a despejarse, las cuatro nubes fueron arrastradas por la brisa. El brazo izquierdo sintió el golpe del calambre. Martín hizo un regate, se quitó de encima la presión de Elías, le pasó la pelota a Fedor. El Ruso hizo un largo sprint. Detrás de la torre del Belvedere, como una mancha verde, me pareció distinguir la silueta del Ávila. Fedor me hizo un pase largo y me quedé solo frente al arco. No tenía ángulo. Miguelacho, el portero contrario, estaba bien colocado. Entonces escuché el chillido: «aquí, aquí, ¡Marico... Aquí!». Vi una sombra, distinguí la voz de Alejandro. Apenas toqué el balón, se lo dejé en los tobillos. Chutó. El dragón soltó candela por la boca. Miguelacho perdió el equilibrio. «¡Gol!», gritó Fedor. «¡Gol!», gritó Alo antes de abrazarme. «¡Golazo!», dijo Martín cayendo sobre el asfalto. Y Atilio corrió desde la otra portería saltando como un loco. Volvió el dolor en el pecho. Algo se quebró, el esternón sonó como un bombillo fundido. «¡No joda! ¡No joda! ¡Ganamos, no joda!», gritaba el Gordo. Hicimos una piña. Atilio saltó sobre mi espalda. «¡No joda! ¡No joda!», repetía trastornado. Entre todos cargamos a Alejandro. Fedor lo colocó sobre sus hombros. No podía dejar de llorar. Alo agarró el balón Golty y lo levantó hacia el cielo como si fuera un trofeo. «¡Ganamos! ¡Ganamos!», gritábamos los cinco. En la búsqueda de un lugar apacible con el cual engañar al dolor solo pude recordar el día en el que fuimos los campeones del mundo.

La brisa del Liublianica me trajo el perfume de Carla. Me reí solo. El viento me dijo que ella había sido feliz, que sus decisiones le habían dado la serenidad que buscaba, que después de todo había encontrado la paz. La certeza de su felicidad me dio a entender que, a pesar de la distancia, nuestro amor fue correspondido. De nuevo, tropecé con las nubes; el cielo era igualito al dibujo del libro. Hice memoria de la letra; encontré la oración. A la altura del *líbranos del mal* sentí cosquillas en el vientre. Las manos heladas de una mujer me taparon los ojos.

LIUBLIANA

7

Índice

Liubliana
se terminó de imprimir
en los talleres de
Editorial Melvin C.A.,
el mes de julio de 2015,
Caracas- Venezuela